LE CAS FITZGERALD

Auteur de renommée internationale né en 1955, John Grisham a été avocat pendant dix ans avant de connaître son premier succès littéraire avec *La Firme*, publié en 1991. Aujourd'hui auteur à temps plein, il est un véritable phénomène éditorial aux États-Unis où chacun de ses livres se vend en plusieurs millions d'exemplaires et fait l'objet d'adaptations cinématographiques très remarquées. Marié, père de deux enfants, John Grisham est l'un des auteurs les plus lus dans le monde.

JOHN GRISHAM

Le Cas Fitzgerald

ROMAN TRADUIT DE L'ANGLAIS (ÉTATS-UNIS) PAR DOMINIQUE DEFERT

JC LATTÈS

Titre original :

CAMINO ISLAND
Publiée par Doubleday, une division
de Penguin Random House LLC, New York.

© Éditions Jean-Claude Lattès, 2018, pour la traduction française.
ISBN : 978-2-253-25987-9 – 1re publication LGF

À Renée.
Merci pour l'histoire.

I

LE CASSE

1

L'imposteur se fit passer pour Neville Manchin, un professeur de littérature à l'université d'État de Portland. Et futur doctorant à Stanford. Dans sa lettre, sur un vrai-faux papier à en-tête de l'université, le « Pr Manchin » prétendait être un futur spécialiste de F. Scott Fitzgerald et avait très envie d'examiner les « manuscrits et autographes » du grand écrivain à l'occasion de son voyage sur la côte Est. Le courrier était adressé au Pr Jeffrey Brown, directeur de la division des manuscrits, département Livres rares et Collections spéciales, bibliothèque Firestone, université de Princeton. La missive arriva, après un tri scrupuleux, sur le bureau de Ed Folk, un bibliothécaire adjoint dont le travail, entre autres tâches fastidieuses, était de vérifier les antécédents du demandeur.

Ed recevait par semaine une petite dizaine de lettres de ce type, toutes identiques dans les grandes lignes, toutes émanant de candidats se proclamant experts de Fitzgerald, et parfois même sommités académiques. Au cours des années précédentes, Ed avait autorisé

l'accès au temple à cent quatre-vingt-dix de ces prétendants. Ils arrivaient des quatre coins du monde et
se présentaient les yeux illuminés, l'échine courbée,
comme des pèlerins venant attoucher une relique. En
trente-quatre ans passés à ce bureau, Ed s'était occupé
de tous leurs dossiers. Et leur nombre ne faiblissait
pas. Francis Scott Fitzgerald fascinait toujours. Il
recevait autant de demandes que trois décennies plus
tôt. Aujourd'hui, toutefois, Ed s'interrogeait : restait-il
une seule phrase du grand écrivain, une parcelle
infime de sa vie, qui n'eût été étudiée et commentée ?
Un spécialiste du sujet, un vrai cette fois, lui avait
dit qu'au moins cent livres et dix mille publications
avaient été écrits sur Fitzgerald – sur l'homme, sur
l'écrivain, son œuvre et la folie de sa femme.

Or la boisson l'avait tué à quarante-quatre ans ! Et
s'il avait vécu plus longtemps et continué d'écrire ?
Ed aurait eu besoin d'un assistant, voire de deux,
peut-être même d'une équipe au complet pour gérer
les demandes. Mais mourir prématurément était souvent le sésame de la postérité (et des droits d'auteur).

Après quelques jours, Ed finalement trouva le
temps de s'occuper de la requête du Pr Manchin. Une
rapide recherche sur le registre de la bibliothèque lui
apprit qu'il s'agissait d'une première visite. Certains
anciens étaient déjà venus si souvent à Princeton qu'il
leur suffisait de passer un coup de fil : « Salut, Ed, je
serai là mardi prochain. » Malheureusement, Manchin
était un nouveau. Ed parcourut le site de l'université de Portland et trouva son homme : une licence
en littérature classique à l'université de l'Oregon, un
master à l'UCLA. Il était professeur auxiliaire depuis

trois ans. Sur la photo, c'était un jeune homme de trente-cinq ans, plutôt quelconque, avec une barbe (sans doute temporaire), et de petites lunettes.

Dans sa lettre, le Pr Manchin souhaitait qu'on lui réponde sur sa boîte Gmail personnelle, prétextant qu'il consultait rarement son courrier sur le serveur de l'université. « C'est surtout parce que tu n'es qu'un prof auxiliaire et que tu n'as même pas de bureau ! » railla Ed en pensée – bien sûr, en bon professionnel, jamais il ne montrerait son mépris. Par précaution, Ed préféra envoyer sa réponse à l'université. Il remerciait le Pr Manchin pour sa lettre et l'invitait au campus de Princeton. Il lui demandait la date approximative de sa visite et lui rappelait certaines règles de sécurité concernant la consultation de la collection Fitzgerald. Il en existait bien d'autres et Ed lui conseillait d'en prendre connaissance sur le site de la bibliothèque.

Il reçut une réponse automatique : le Pr Manchin était absent de son bureau pour quelques jours. L'un des acolytes du faux Manchin avait piraté le serveur de l'université de Portland, juste de quoi détourner les e-mails entrants ; un jeu d'enfant pour un pirate expérimenté. Les deux hommes surent dans l'instant que Firestone avait répondu.

« Absent du bureau. » À d'autres ! ricana Ed. Le lendemain, il lui envoya le même message, cette fois sur son adresse Gmail. Manchin lui répondit dans l'heure. Il était très impatient, le remerciait infiniment, etc., puis se répandait en précisions : il connaissait déjà par cœur le site de la bibliothèque, il avait passé des heures à consulter les archives numériques des écrits de Fitzgerald, il était, depuis des années, l'heureux propriétaire des fac-similés des premiers manuscrits du grand auteur et vouait un intérêt tout particulier aux essais critiques concernant le premier roman du maître : *L'Envers du paradis.*

Ben voyons ! songea Ed. Le gars tentait de l'impressionner avant même de mettre les pieds sur le campus. Comme tous les autres.

2

Francis Scott Fitzgerald entra à Princeton à l'automne 1913. À l'âge de seize ans, il rêvait d'écrire le grand roman de la littérature américaine et avait déjà commencé une première mouture de *L'Envers du paradis.* Il arrêta ses études quatre ans plus tard pour s'enrôler dans l'armée et partir à la guerre, mais le conflit cessa avant qu'il ne soit envoyé au front. Son œuvre la plus connue, *Gatsby le Magnifique*, fut publiée en 1925 mais ne fut découverte par le grand public qu'après sa mort. Il eut des problèmes financiers durant toute sa carrière. En 1940, il travaillait pour Hollywood, à écrire à la chaîne de mauvais scénarios, épuisant sa santé et son inspiration. Le 21 décembre, il mourut d'une crise cardiaque, due à des années d'alcoolisme.

En 1950, Scottie, sa fille unique, fit don de ses manuscrits originaux à la bibliothèque Firestone de Princeton, ainsi que ses notes, lettres et autres autographes – baptisés « les Fitzgerald Papers ». Ses cinq premiers romans étaient écrits à la main sur du papier de mauvaise qualité qui vieillissait mal. La bibliothèque s'aperçut rapidement qu'il serait dangereux de laisser les chercheurs les manipuler. Des copies en haute résolution furent réalisées et les originaux enfermés dans une chambre forte au sous-sol, où l'air, la lumière et la température se trouvaient parfaitement régulés. Au fil des années, la collection Fitzgerald ne sortit de son sanctuaire que de très rares fois.

3

L'homme qui se faisait passer pour le Pr Neville Manchin arriva à Princeton par une belle journée d'octobre. Il fut conduit au département Livres rares et Collections spéciales, où il rencontra Ed Folk qui le renvoya vers un autre bibliothécaire adjoint qui examina et photocopia son permis de conduire de l'Oregon. Un faux, évidemment, mais de belle facture. Le faussaire, qui se trouvait être aussi le hacker, était un ancien de la CIA et avait nagé longtemps dans les eaux troubles de l'espionnage privé. Pénétrer la sécurité du site du campus avait été un jeu d'enfant pour lui.

Après avoir pris sa photo, l'employé remit au Pr Manchin un badge qu'il devait toujours porter sur lui. On le conduisit alors au premier étage, jusqu'à une grande salle abritant deux longues tables et une enfilade de tiroirs muraux, tous fermés à clé. Manchin repéra quatre caméras de surveillance dans les angles de la pièce – des caméras destinées à être vues. Il y en avait certainement d'autres, celles-ci soigneusement cachées. Il tenta de bavarder avec l'assistant bibliothécaire, mais n'apprit pas grand-chose. Pour plaisanter, il demanda si on pouvait lui montrer le manuscrit original de *L'Envers du paradis*. L'employé lui retourna un sourire condescendant et lui répondit que c'était totalement inenvisageable.

— Vous les avez déjà vus ? s'enquit Manchin.

— Juste une fois.

Manchin laissa un silence. Devant le mutisme de son interlocuteur, il ajouta :

— Et en quelle occasion ?

— Un grand érudit a souhaité les consulter. Nous l'avons accompagné dans le caveau pour qu'il puisse y jeter un coup d'œil. Il n'y a pas touché, bien sûr. Seul le chef du département est habilité à le faire, et uniquement avec des gants spéciaux.

— Évidemment. Je comprends. Allez, au travail !

L'assistant déverrouilla deux grands tiroirs, les deux étiquetés « L'Envers du paradis », et en sortit d'épais porte-documents.

— Il y a là toutes les critiques lors de la première édition du livre. Nous avons également de nombreux articles parus ultérieurement.

— Parfait, répliqua Manchin dans un sourire.

Il ouvrit sa mallette, saisit un calepin, prêt à examiner tous les documents. Une demi-heure plus tard, alors que Manchin était plongé dans son travail, l'assistant prit congé et quitta la salle de lecture. Pendant longtemps, pour les caméras, Manchin ne releva pas une fois les yeux de ses papiers. Finalement, il eut besoin d'aller aux toilettes et abandonna sa table. Il prit çà et là une mauvaise direction, fit mine de s'égarer et s'enfonça dans le dédale du bâtiment, tête baissée pour ne pas attirer les regards. Il y avait des caméras de surveillance partout. Personne ne devait visionner les images à cet instant, mais elles pourraient l'être au besoin. Il trouva un ascenseur, le dépassa et opta pour les escaliers à côté. Le premier sous-sol était similaire au rez-de-chaussée. Il y avait encore un niveau dessous ; l'escalier s'arrêtait devant une lourde porte où il était écrit « Accès interdit » en grosses lettres. Un pavé numérique était placé à côté du chambranle, et un autre écriteau annonçait au visiteur qu'une alarme se déclencherait si une « personne non autorisée » s'avisait d'ouvrir la porte. Deux caméras surveillaient les abords.

Manchin recula et revint sur ses pas. Quand il retourna dans la salle de lecture, l'assistant l'y attendait.

— Tout va bien, professeur ?

— Oui, oui. J'ai juste les intestins en vrac. J'espère que ce n'est pas contagieux.

L'employé s'en alla aussitôt. Manchin passa le reste de la journée à examiner les trésors que renfermaient les deux tiroirs d'acier et à lire d'anciennes critiques littéraires dont il n'avait cure. À plusieurs reprises, il s'éloigna de la salle pour fureter dans les couloirs, mémoriser la topographie des lieux.

4

Manchin revint trois semaines plus tard, et cette fois-ci, il ne se fit pas passer pour un professeur. Il était rasé de près, les cheveux teints en blond, portait des lunettes à monture rouge et arborait une fausse carte d'étudiant. Si quelqu'un lui posait des questions, ce qui était peu probable, sa couverture était au point : il venait de l'Iowa et faisait un master. Dans la vraie vie, il s'appelait Mark et son vrai métier était cambrioleur, si tant est que cette activité apparaisse dans la nomenclature des catégories socioprofessionnelles. Son créneau, une microniche à vocation internationale : le vol d'œuvres d'art et d'objets de collection. Une activité très lucrative puisque le butin pouvait être restitué au propriétaire contre une coquette rançon. Sa bande comprenait cinq membres. Le chef était Denny, un ancien des forces spéciales qui s'était reconverti dans le crime après avoir été radié de l'armée. Jusqu'à présent, Denny n'avait jamais été arrêté et n'était pas fiché ; Mark non plus. Mais deux autres l'étaient. Trey avait à son actif deux condamnations et deux évasions – la dernière en date, l'année précédente, d'une prison fédérale dans l'Ohio. Depuis, il était en cavale. C'est là-bas qu'il avait fait la connaissance de Jerry, un petit cambrioleur aujourd'hui en liberté sur parole. C'est un autre voleur d'objets d'art purgeant une longue peine, qui avait parlé de la collection Fitzgerald à Jerry quand ils avaient partagé pendant un temps la même cellule.

C'était le casse parfait. Cinq manuscrits originaux, tous conservés au même endroit. Et pour Princeton, ils avaient une valeur inestimable.

Le cinquième membre de l'équipe, Ahmed, préférait travailler chez lui. Il était le pirate informatique, le faussaire, le créateur de toutes les illusions, mais n'avait pas les nerfs pour porter une arme ni pour être sur le terrain. Il œuvrait dans sa cave à Buffalo. Il n'avait jamais été repéré ni arrêté et ne laissait aucune trace. Une fois sa commission de cinq pour cent prélevée, les quatre autres se partageraient le reste en parts égales.

Vers 21 heures le mardi soir, Denny, Mark et Jerry étaient dans les murs, déguisés en étudiants, et surveillaient l'heure. Leurs fausses cartes d'étudiants avaient été leur sésame. Pas le moindre froncement de sourcils à leur entrée à la bibliothèque Firestone. Denny se cacha dans les toilettes des femmes au deuxième étage. Il souleva une dalle du plafond, y glissa son sac à dos, et patienta dans la cabine exiguë et surchauffée. Mark crocheta la serrure du local technique au premier sous-sol, ouvrit la porte et tendit l'oreille. Il ne perçut aucune alarme. Aucun voyant d'alerte non plus du côté d'Ahmed, qui s'était facilement introduit dans le système de sécurité de l'université. Mark démonta les injecteurs de fioul du groupe électrogène de la bibliothèque. Jerry s'installa dans un box de lecture, dissimulé par des rayonnages de volumes qui n'avaient pas été ouverts depuis des décennies.

Quant à Trey, il déambulait sur le campus, habillé comme un étudiant, son sac sur l'épaule, repérant les emplacements pour ses bombes.

Firestone fermait à minuit. Les quatre membres de l'équipe, comme Ahmed dans sa cave à Buffalo, étaient en contact radio. Denny, le leader, annonça à 0 h 15 que tout se passait comme prévu. À 0 h 20, Trey, toujours avec son gros sac sur les épaules, pénétra dans la résidence d'étudiants McCarren au cœur du campus. Grâce à ses visites la semaine précédente, il connaissait l'emplacement des caméras de surveillance. Il emprunta un escalier hors du champ des objectifs et monta au premier étage. Il entra dans les toilettes et s'enferma dans une cabine. À 0 h 40, il sortit de son sac à dos une boîte en fer-blanc de la taille d'une bouteille de soda de 50 cl. Il brancha un retardateur, le régla, et cacha le tout derrière la cuve. Il quitta les toilettes, se rendit au deuxième, et plaça une autre bombe dans une cabine de douche. À 0 h 45, il trouva un couloir sombre dans les dortoirs du premier étage et nonchalamment jeta une tresse de dix pétards dans la salle. Alors qu'il s'éloignait dans l'escalier, la pétarade commença. Quelques secondes plus tard, les deux bombes fumigènes se déclenchèrent, propageant dans les couloirs un nuage épais et âcre. Au moment où Trey quittait le bâtiment, il entendit les premiers cris de panique. Il se cacha derrière les buissons, sortit un téléphone à carte prépayée et appela les urgences pour délivrer ce message inquiétant : « Il y a un type armé au premier étage de la résidence McCarren. Et il n'arrête pas de tirer. »

La fumée s'échappait par une fenêtre du premier étage. Jerry, toujours caché dans son box de la bibliothèque, passa un appel similaire d'un autre téléphone intraçable. Dans le campus, la nouvelle se répandit comme une traînée de poudre.

Toutes les universités américaines avaient des plans d'alerte élaborés en cas d'attaque impliquant « un tireur de masse », mais aucune n'avait envie de les expérimenter. Il fallut quelques secondes à la policière de garde pour enfoncer les bons boutons, mais passé cet instant de confusion, les sirènes se mirent à mugir. Tous à Princeton, étudiants, professeurs, cadres et employés, reçurent une alerte par e-mail et SMS. Les portes devaient être fermées et verrouillées. Les bâtiments sécurisés.

Jerry passa un autre appel aux autorités, pour leur annoncer que deux étudiants avaient été tués et que de la fumée s'échappait de la résidence McCarren. Trey lâcha trois autres bombes fumigènes dans des poubelles. Quelques étudiants couraient dans les nuages de fumée, se glissant d'un bâtiment à un autre, sans trop savoir où se mettre à l'abri. Les services de sécurité du campus et la police de la ville arrivèrent sur place, suivis par six camions de pompiers. Puis par un cortège d'ambulances. Une voiture de patrouille de la police d'État du New Jersey fit son entrée en scène, la première d'une longue série.

Trey laissa son sac à dos devant les portes d'un immeuble administratif, puis appela à nouveau les autorités pour rapporter qu'il avait repéré un colis suspect. Le minuteur sur la dernière bombe à l'intérieur du sac devait déclencher l'explosion dans dix minutes, au moment où les démineurs seraient en train de l'étudier à distance.

À 1 h 05, Trey annonça au groupe par radio : « C'est une belle panique ici. Il y a de la fumée partout. Ça grouille de flics. À vous de jouer. »

— Coupe les lumières, lança Denny.

Ahmed, avec un thé bien noir dans sa cave de Buffalo, se fraya un chemin dans le système de sécurité de l'université, pénétra le réseau, et coupa l'électricité non seulement dans Firestone, mais aussi dans une demi-douzaine de bâtiments limitrophes. Par précaution, Mark, équipé de lunettes de vision nocturne, coupa l'alimentation du local technique. Il attendit, retenant son souffle, puis poussa un soupir de soulagement quand il vit que le groupe électrogène ne démarrait pas pour prendre le relais.

La coupure de courant déclencha des alertes au PC sécurité du campus, mais personne n'y prêta attention. Il y avait un tireur fou en liberté et il faisait un massacre !

La semaine précédente, Jerry était resté deux nuits en repérage dans la bibliothèque ; il était quasiment certain qu'aucun garde n'y patrouillait quand Firestone était fermée au public. Durant la nuit, un vigile faisait une ou deux rondes autour du bâtiment, inspectait les portes avec sa Maglite, et passait son chemin. Une voiture sillonnait les allées également, mais son souci premier était de ramasser des étudiants saouls. Ici comme ailleurs, le campus était quasiment désert entre 1 heure et 8 heures du matin.

Mais ce soir, c'était la folie à Princeton. L'un des fleurons des universités américaines était attaqué ! Trey décrivit le chaos à ses collègues. Des flics partout, des équipes du SWAT qui enfilaient leur tenue de combat, des sirènes hurlant à tout va, une cacophonie d'appels radio, des centaines de gyrophares zébrant la nuit. La fumée s'accrochait aux arbres comme le brouillard londonien. On entendait même le bourdonnement d'un hélicoptère à l'approche. Un chaos total !

Denny, Jerry et Mark sortirent dans l'ombre et descendirent au sous-sol des Collections spéciales, avec des lunettes infrarouges et des lampes de spéléologues vissées au front. Chacun portait un sac à dos. Et Jerry trimbalait en plus un grand fourre-tout de l'armée qu'il avait caché sur place deux nuits plus tôt. Arrivés au deuxième et dernier niveau, ils se retrouvèrent devant la lourde porte. Ils aveuglèrent immédiatement les caméras de surveillance et attendirent qu'Ahmed opère sa magie. Avec calme, leur pirate parcourut les systèmes d'alarme de la bibliothèque et désactiva les quatre capteurs de la porte. Dans un clang ! puissant, les verrous se désengagèrent. Denny abaissa la poignée et tira le battant. Ils se retrouvèrent dans un petit vestibule flanqué de deux portes de métal. Avec sa lampe torche, Mark examina le plafond et repéra une autre caméra de surveillance.

— Là. Juste une seule.

Jerry, le plus grand des trois avec son mètre quatre-vingt-dix, occulta l'objectif avec sa bombe de peinture noire.

Denny regarda tour à tour les deux portes.

— On fait quoi ? On tire au sort ?

— Qu'est-ce que tu vois ? demanda Ahmed à Buffalo.

— Deux portes métalliques. Identiques.

— Je n'ai rien sur mes moniteurs, les gars. Le système ne donne aucune info passé la première porte. Commencez à découper, on verra bien.

Du fourre-tout de l'armée, Jerry sortit deux bouteilles, l'une d'oxygène, l'autre d'acétylène. Denny s'approcha de la porte de gauche, alluma le chalumeau avec un briquet, et commença à percer le métal de la serrure. En quelques secondes, des gerbes d'étincelles strièrent l'obscurité.

Pendant ce temps, Trey s'était éloigné de la résidence McCarren et se tenait dans l'ombre, en face de la bibliothèque, de l'autre côté de la rue. Les sirènes hurlaient, les véhicules de secours arrivaient de partout. Des hélicoptères sillonnaient le ciel dans un fracas assourdissant, même s'ils restaient invisibles. Autour de lui, c'était le black-out. Même les réverbères étaient éteints. Il n'y avait plus âme qui vive autour de Firestone. Tout le monde avait accouru sur les lieux de la fusillade.

— Tout est tranquille ici. Et vous ? Ça se passe bien ?

— On attaque la découpe, répliqua Mark.

Les cinq membres du groupe devaient limiter leurs échanges. Denny, avec adresse, maniait le chalumeau, qui crachait une flamme à huit cents degrés. Les minutes s'écoulaient, le métal fondait et gouttait au sol dans une averse de flammèches rouges et jaunes.

— Ça fait plus de deux centimètres d'épaisseur, déclara Denny.

Il acheva la coupe du bord supérieur et amorça un côté. Le travail était fastidieux, les minutes s'étiraient, la tension montait, mais tout le monde restait calme. Jerry et Mark se tenaient accroupis derrière Denny, scrutant l'avancée du travail. Quand la découpe rectangulaire fut achevée, Denny arracha la serrure, mais le battant ne s'ouvrit pas pour autant.

— Il y a encore un verrou. Je vais m'en occuper.

Cinq minutes plus tard, la porte céda enfin. Ahmed, qui scrutait l'écran de son ordinateur, donnait des nouvelles.

— Tout va bien.

Denny, Mark et Jerry pénétrèrent dans la pièce. Une table étroite, pas plus de soixante centimètres de large, pour une longueur d'au moins deux mètres. Quatre gros tiroirs occupaient une paroi ; quatre de l'autre côté. Mark, le crocheteur en chef, releva ses lunettes de vision nocturne, ajusta sa lampe frontale, et s'approcha pour inspecter les serrures. Il secoua la tête.

— Je m'y attendais. Des serrures à combinaisons. Sans doute générées par ordinateur et changées tous les jours. Aucun moyen de les crocheter. Il faut y aller au foret.

— Action ! ordonna Denny. Commencez, pendant que je m'occupe de l'autre porte.

Jerry sortit une perceuse sur batterie, équipée de deux poignées. Il plaqua la pointe de la mèche dans l'orifice de la serrure et, avec l'aide de Mark, ils poussèrent sur l'engin de toutes leurs forces. Les spires, dans un grincement, ripaient sur le laiton. Le métal semblait impénétrable. Mais un copeau s'arracha finalement, puis un autre. Grâce aux deux hommes arc-boutés sur la machine, le foret se fraya un chemin dans l'orifice. Quand la serrure lâcha, le tiroir ne s'ouvrit pas pour autant. Mark parvint à glisser l'extrémité d'un pied de biche dans l'interstice supérieur et d'un coup sec, il fit voler en éclats le montant de bois et le tiroir céda enfin. À l'intérieur, ils trouvèrent une boîte d'archives avec des coins renforcés en métal. Cinquante centimètres par quarante, pour dix de hauteur.

— Attention, lança Jerry alors que Mark sortait de la boîte un épais volume pourvu d'une reliure cartonnée.

Mark lut le titre.

— Morceaux choisis de Dolph McKenzie. Mon rêve !

— Qui c'est ?

— Aucune idée, mais on n'est pas là pour de la poésie.

Denny arriva derrière eux.

— Dépêchez-vous ! Il y a encore sept autres tiroirs. Je suis presque entré dans l'autre pièce.

Chacun retourna à son labeur, pendant que Trey fumait une cigarette, assis sur un banc de l'autre côté de la rue, en surveillant l'heure. L'agitation qui régnait plus loin sur le campus ne montrait aucun signe d'apaisement, mais cet état de grâce ne durerait pas.

Les tiroirs numéros deux et trois dans la première pièce contenaient des livres rares d'auteurs inconnus du groupe. Lorsque Denny acheva de fracturer la porte de l'autre pièce, il demanda à Jerry et Mark d'apporter la perceuse. Il y avait là aussi huit tiroirs, apparemment identiques à ceux de l'autre pièce. À 2 h 15, Trey annonça que le campus était encore bouclé, mais que des étudiants curieux commençaient à s'égailler sur les pelouses devant la résidence McCarren pour profiter du spectacle. La police, avec des mégaphones, leur ordonnait de retourner dans leurs chambres, mais ils étaient bien trop nombreux pour leur faire entendre raison. Deux hélicoptères de la télévision, peut-être davantage, tournaient autour de la zone et compliquaient la tâche des autorités. Trey regardait CNN sur son téléphone ; l'attaque à Princeton était l'info du moment. Un journaliste hystérique sur les lieux du « massacre » disait que le nombre de victimes n'était pas encore confirmé, mais laissait entendre que de nombreux étudiants avaient été abattus par « au moins un tireur ».

« Au moins un tireur ? » marmonna Trey. Évidemment. Personne ne se faisait tuer par zéro tireur !

Denny, Mark et Jerry décidèrent de ne pas attaquer les tiroirs au chalumeau – du moins pas pour le moment. Le risque de brûler ce qu'il y avait à l'intérieur était trop grand. À quoi leur serviraient des manuscrits carbonisés ? Denny sortit donc une perceuse, plus petite, et se consacra aux serrures. Mark et Jerry retournèrent dans la première pièce poursuivre leur ouvrage avec l'autre perceuse. Le premier tiroir dans la deuxième salle contenait une liasse de feuilles délicates écrites par un poète oublié. Ils n'avaient jamais entendu parler de lui, mais le détestèrent dans l'instant.

À 2 h 30, CNN annonça que deux étudiants étaient morts et qu'au moins deux autres étaient blessés. On commença à parler de « carnage ».

5

Quand le premier étage de la résidence McCarren fut sécurisé, la police découvrit les résidus de pétards, ainsi que les bombes fumigènes dans les toilettes et les douches. Le sac à dos abandonné par Trey fut ouvert par une équipe de démineurs et le dernier fumigène fut retrouvé à l'intérieur. À 3 h 10, le commandant parla pour la première fois de « farce », mais le taux d'adrénaline était trop élevé pour qu'on ne songe au mot « diversion ».

Le reste du bâtiment fut rapidement fouillé. Aucun résident ne manquait à l'appel. Le campus demeura fermé tandis que les autorités passaient au crible les bâtiments voisins.

6

À 3 h 30, Trey fit son rapport :

— Le calme revient peu à peu ici. Vous êtes là-dessous depuis trois heures. Comment ça avance ?

— Lentement, répliqua Denny.

Dans la chambre forte, la progression était effectivement fastidieuse, mais constante. Les quatre premiers tiroirs dans la seconde pièce renfermaient de vieux originaux, certains manuscrits, d'autres dactylographiés, tous d'auteurs importants, mais pas de celui qui les intéressait. Ils trouvèrent enfin leur pépite dans le cinquième quand Denny sortit une nouvelle boîte d'archives identiques aux précédentes. Il l'ouvrit avec précaution. La référence rédigée par la bibliothèque indiquait : « Manuscrit original de *Les Heureux et les Damnés*. – F. Scott Fitzgerald. »

— Bingo, lâcha Denny d'un ton tranquille.

Il retira deux autres boîtes du tiroir, les déposa avec précaution sur la table et les ouvrit. À l'intérieur, il y avait les originaux de *Tendre est la nuit* et du *Dernier Nabab*.

Ahmed, toujours rivé à son ordinateur portable, avec cette fois une canette de soda énergisant, entendit la bonne nouvelle :

— OK les gars ! On en a trois sur cinq. *Gatsby* est forcément ici, avec le *Paradis*.

— Combien de temps encore ? s'enquit Trey.

— Vingt minutes, répondit Denny. Approche le van.

Trey traversa le campus d'un pas nonchalant, se mêlant aux badauds, et regarda un moment la petite armée de policiers s'activer. Ils ne se déplaçaient plus courbés en deux, courant arme à la main, ou se mettant à couvert derrière les voitures. Le danger était passé, même si les gyrophares tournaient toujours. Trey s'éloigna, marcha sur cinq cents mètres et quitta le campus. Sur John Street, il monta dans une camionnette blanche – on pouvait lire sur les portes « Imprimerie Reprographie – Université Princeton ». Pour la forme, il arborait le numéro 12, et ressemblait beaucoup au véhicule que Trey avait photographié la semaine précédente. Il démarra et revint sur le campus, en évitant l'agitation autour de McCarren et se gara sur la rampe de livraison à l'arrière de la bibliothèque.

— Le van est en place, annonça-t-il à ses coéquipiers.

— Le sixième tiroir vient de céder, répondit Denny.

Pendant que Jerry et Mark retiraient leurs lunettes infrarouges et braquaient leurs lampes vers la table, Denny ouvrit doucement le caisson. Le document de référence indiquait : « Manuscrit original de *Gatsby le Magnifique* – F. Scott Fitzgerald. »

— Bingo, dit-il toujours avec autant de calme. Voilà ce bon vieux Gatsby.

— Youpi ! lâcha Mark avec un enthousiasme parfaitement contenu.

Jerry récupéra la dernière boîte dans le tiroir. C'était l'original de *L'Envers du paradis,* le premier roman de Fitzgerald, publié en 1920.

— On a les cinq, déclara Denny. On s'en va.

Jerry rangea les perceuses, le chalumeau, les bouteilles d'oxygène et d'acétylène, le pied de biche. Au moment de soulever le sac de toile, une écharde de bois provenant du troisième tiroir lui égratigna le poignet gauche. Dans l'excitation du moment, il le sentit à peine et se contenta de se frotter le bras sans même y accorder un regard. Denny et Mark, avec précaution, répartirent les cinq manuscrits dans les sacs à dos. Les voleurs sortirent de la chambre forte avec leur matériel et leur butin, et remontèrent au rez-de-chaussée par l'escalier. Ils quittèrent Firestone par l'entrée de service qui se trouvait à proximité de l'aire de livraison, cachée par une longue haie. Ils grimpèrent rapidement dans le van et Trey, au volant, démarra. En partant, ils croisèrent deux vigiles dans une voiture de patrouille. Trey les salua de la main. Les deux gardes ne se donnèrent pas la peine de répondre.

Trey nota l'heure : 3 h 42.

— La voie est libre, annonça-t-il par radio. On quitte le campus avec Gatsby et ses amis.

7

La coupure d'électricité avait déclenché des alarmes dans les bâtiments affectés. Vers 4 heures du matin, un technicien trouva la panne et rétablit l'alimentation. Le courant revint partout sauf dans la bibliothèque où des alarmes restèrent actives. Le chef de la sécurité dépêcha sur place trois vigiles. Il leur fallut dix minutes pour découvrir l'origine du problème.

Au même moment, la bande s'arrêtait dans un motel sur la I 295, près de Philadelphie. Trey gara la camionnette à côté d'un trente-huit tonnes, loin du champ de l'unique caméra de surveillance du parking. Avec une bombe de peinture blanche, Mark masqua sur les deux portières les inscriptions « Imprimerie Reprographie – Université Princeton ». Dans la chambre que Trey et lui avaient occupée la veille, les quatre hommes enfilèrent des tenues de chasseurs, et fourrèrent leurs anciens vêtements – jean, baskets, sweat-shirt, gants noirs – dans un sac de toile. Dans la salle de bains, Jerry remarqua la petite entaille à son poignet gauche. Il avait gardé son pouce dessus pendant le voyage. Il y avait plus de sang qu'il ne l'imaginait. Il se nettoya avec un gant en se demandant s'il devait en parler aux autres. Pas maintenant. Plus tard peut-être.

Ils débarrassèrent discrètement toutes leurs affaires, éteignirent les lumières, et s'en allèrent.

Mark et Jerry montèrent à bord d'un pick-up – un beau double cabine toutes options loué et conduit par Denny – et suivirent Trey dans le van. Le convoi quitta le parking et rejoignit la nationale. Ils contournèrent Philadelphie par les banlieues nord et s'enfoncèrent dans la campagne de Pennsylvanie. À proximité de Quakertown, ils bifurquèrent sur une petite route qu'ils avaient repérée et s'y enfoncèrent sur deux kilomètres jusqu'à ce que le bitume cède la place aux gravillons. Il n'y avait aucune maison dans les parages. Trey gara la camionnette dans un petit ravin, retira les plaques minéralogiques volées, versa de l'essence sur les sacs contenant outils, téléphones, radios et vêtements, puis gratta une allumette. Le feu prit dans l'instant. La bande poursuivit alors son chemin, certaine d'avoir effacé toutes les preuves. Les manuscrits étaient calés entre Trey et Mark sur la banquette arrière du pick-up.

Ils regagnèrent la nationale et roulèrent en silence, alors que l'aube pâlissait au-dessus des collines, chacun observant le paysage, même s'il n'y avait pas grand-chose à regarder. Ils croisaient de temps en temps un véhicule, un fermier se rendant à sa grange tête baissée, une vieille femme ramassant son chat sur son perron. Aux abords de Bethleem, ils gagnèrent la I 78 et mirent cap à l'ouest. Denny roulait bien en dessous de la vitesse maximale autorisée. Ils n'avaient pas vu de voiture de police depuis qu'ils avaient quitté le campus. Au drive d'un fast-food, ils achetèrent des sandwichs au poulet et

des cafés, puis remontèrent au nord par la I 81, vers
Scranton.

8

Le premier duo d'agents du FBI arriva à Firestone
juste après 7 heures. Les gardes du campus et la
police locale leur firent un résumé de la soirée. Ils
inspectèrent les lieux et demandèrent que la bibliothèque reste fermée jusqu'à nouvel ordre. Des enquêteurs et des techniciens du bureau de Trenton étaient
en route.

Le président de l'université rentrait chez lui après
cette longue nuit de panique, quand il apprit la disparition des manuscrits. Il se rendit au pas de course
à la bibliothèque pour une réunion de crise avec le
conservateur, le FBI, et la police de la ville. D'un
commun accord, ils décidèrent d'étouffer l'affaire
le plus longtemps possible. Le chef de la brigade de
répression du vol des œuvres et objets d'art était en
chemin. Il arrivait de Washington. D'après lui, les
voleurs allaient contacter sous peu l'université pour
demander une rançon. Si la presse s'en mêlait, cela
compliquerait gravement les négociations.

9

Les quatre hommes, déguisés en chasseurs, ne fêtèrent la victoire qu'une fois arrivés dans la cabane, au fin fond des Poconos. Denny l'avait louée pour toute la saison de chasse, sur ses fonds propres et se rembourserait quand l'argent rentrerait. Il s'était installé là depuis deux mois. Sur les quatre, seul Jerry avait une adresse fixe. Il louait un petit appartement avec sa copine à Rochester, dans l'État de New York. Trey avait passé la majeure partie de sa vie d'adulte en cavale. Mark vivait à mi-temps chez son ex-femme à Baltimore, mais il n'y avait aucune trace de sa présence.

Les quatre avaient de nombreux faux papiers d'identité, dont des passeports susceptibles de duper tous les douaniers du monde.

Trois bouteilles de mauvais champagne les attendaient dans le réfrigérateur. Denny en ouvrit une, remplit quatre tasses à café dépareillées et proposa de trinquer :

— À vous les gars. Et bravo ! On l'a fait !

Les trois bouteilles furent vidées en une demi-heure et les chasseurs plongèrent dans le sommeil des justes. Les manuscrits, toujours dans leurs boîtes d'archives respectives, étaient empilés comme autant de lingots d'or dans l'armoire à fusils de l'office. Ils y resteraient pour les prochains jours, sous la surveillance de Denny et de Trey. Demain, Jerry et Mark rentreraient chez eux, officiellement fourbus après une semaine de chasse au cerf dans les montagnes.

10

Pendant que Jerry dormait, les foudres de l'État fédéral se préparaient à s'abattre sur lui. Une technicienne du FBI remarqua une minuscule tache sur la première marche de l'escalier menant à la chambre forte de la bibliothèque. Elle jugea, avec justesse, qu'il s'agissait de sang, et qu'il était encore frais puisqu'il n'avait pas viré au noir, ni même au marron. Elle en récupéra un échantillon, en avisa son supérieur, et le prélèvement fut envoyé dans un laboratoire du FBI à Philadelphie. L'analyse ADN fut réalisée et les résultats injectés dans le fichier national. En moins d'une heure, un résultat tomba : le sang appartenait à un certain Gerald A. Steengarden, détenu en liberté sur parole condamné sept ans plus tôt pour vol de tableaux chez un galeriste de Boston. Une équipe d'enquêteurs se mit en chasse. Il y avait cinq Steengarden dans le pays. Quatre furent éliminés rapidement. Des mandats de perquisition furent lancés pour fouiller l'appartement, éplucher les registres de téléphone et les relevés des cartes bancaires du cinquième. Lorsque Jerry se réveilla de son sommeil bien mérité dans les Poconos, le FBI surveillait déjà son appartement à Rochester. On décida de ne pas faire de perquisition, mais d'attendre.

Peut-être que Steengarden les mènerait à ses complices ?

Pendant ce temps, à Princeton, les autorités avaient dressé la liste de tous les étudiants qui avaient fréquenté Firestone la semaine précédente. Leurs cartes gardaient la trace de toutes leurs visites dans les diverses bibliothèques du campus. Les fausses cartes, peu nombreuses, furent vite repérées, car dans les universités les contrefaçons servaient à acheter de l'alcool quand on était encore mineur, pas à s'introduire incognito dans les bibliothèques. L'heure exacte de chaque visite fut établie, puis comparée aux enregistrements vidéo des caméras de surveillance. À midi, le FBI avait des images claires de Denny, Jerry et Mark, même si elles n'avaient guère d'utilité pour l'heure, les trois voleurs étant à l'évidence grimés.

Au département Livres rares et Collections spéciales, l'indolent Ed Folk, pour la première fois depuis des décennies, dut se montrer rapide et efficace. Entouré par des agents du FBI, il éplucha les registres et les trombinoscopes des derniers visiteurs. Chaque personne fut contactée pour vérification. Et quand le professeur auxiliaire Neville Manchin de l'université de Portland eut le FBI en ligne, il certifia qu'il n'avait jamais mis les pieds à Princeton. Les fédéraux avaient donc une bonne photo de Mark, mais ignoraient encore sa véritable identité.

Moins de douze heures après le casse, quarante agents du FBI étaient mobilisés, épluchant la moindre image de télésurveillance, la moindre donnée.

11

En fin d'après-midi, les quatre chasseurs se rassemblèrent autour de la table et ouvrirent des bières. Denny passait en revue pour la dixième fois tous les détails de l'opération. Le casse était fini, c'était une réussite, mais on laissait toujours des indices malgré soi. On commettait forcément des erreurs. Même les génies ne pouvaient tout prévoir. Les fausses cartes d'étudiant seraient bientôt identifiées. Les flics sauraient qu'ils avaient fait des repérages pendant plusieurs jours avant de passer à l'action. Ils avaient dû être filmés sous toutes les coutures. Des fibres de leurs vêtements avaient pu être retrouvées, des empreintes de leurs chaussures relevées, etc. Ils étaient à peu près sûrs de n'avoir pas laissé d'empreintes digitales, mais le risque zéro n'existait pas. Ils n'étaient pas des amateurs. Ils savaient tout ça.

Personne n'ayant remarqué le petit sparadrap à son poignet gauche, Jerry avait décidé de l'oublier. C'était sans importance, s'était-il convaincu.

Mark extirpa quatre appareils qui ressemblaient comme deux gouttes d'eau à des iPhone 5, jusqu'au logo à la pomme. Ce n'étaient pas des portables. Mais des Sat-Traks, des téléphones satellites, capables d'établir une liaison partout dans le monde. Impossible donc pour les flics de repérer les communications, et encore moins de les écouter. Une fois de plus, Mark expliqua qu'il était impératif pour eux quatre, comme pour Ahmed, de rester en contact dans les prochaines semaines. Ahmed avait obtenu ces appareils grâce à ses nombreuses relations. Il n'y avait pas de bouton marche/arrêt, mais un code à trois chiffres pour les activer. Une fois le Sat-Trak allumé, il suffisait à chacun de taper un nouveau code, à cinq chiffres cette fois, pour obtenir une liaison. Deux fois par jour, à 8 heures et 20 heures exactement, les cinq coéquipiers se connecteraient pour envoyer ce simple message : « RAS. » Aucun oubli ne serait toléré. La moindre erreur de timing aurait des conséquences désastreuses, puisque cela pouvait signifier que le Sat-Trak, et donc son utilisateur, avait été repéré. Au-delà d'un retard d'un quart d'heure, le plan B serait engagé : Denny et Trey emporteraient les manuscrits dans une autre planque. Mais si c'étaient Denny ou Trey qui ne donnaient pas de nouvelles alors toute l'opération, ou ce qu'il en restait, serait abandonnée et les trois autres devraient immédiatement quitter le pays.

Une mauvaise nouvelle serait annoncée par un simple mot : « Rouge. » « Rouge » signifiait sans qu'il soit utile de poser de questions : 1. il y avait un problème, 2. si possible, emporter les manuscrits dans le troisième lieu secure, 3. mettre les voiles !

Si quelqu'un était coincé par les flics, le silence radio était requis. Les cinq coéquipiers avaient mémorisé les noms des proches de chacun ainsi que leur adresse, pour s'assurer une loyauté mutuelle. En cas de trahison, les représailles étaient garanties. Personne ne jouerait les balances. Jamais.

Malgré ces menaces sous-jacentes, l'humeur était au beau fixe. Il flottait même dans l'équipe un parfum d'allégresse. Ils avaient accompli un cambriolage audacieux, et tout s'était passé sans anicroche. Le casse parfait.

Trey, l'évadé permanent, aimait raconter ses aventures. Il s'en était toujours sorti parce qu'après chaque évasion, il avait un plan de sortie de crise, alors que la plupart des gars se contentaient de trouver le moyen de s'échapper. Pour les vols, c'était la même chose. À quoi bon passer des jours et des semaines à tout organiser, si ensuite, on était dans le brouillard. Il fallait tout planifier, du début à la fin. C'était la clé de tout.

Mais ils ne parvenaient pas à se mettre d'accord sur le modus operandi. Denny et Mark étaient partisans de l'attaque éclair : contacter Princeton dans la semaine et demander une rançon. Ils pourraient ainsi se débarrasser des manuscrits, ne plus en avoir la responsabilité, et toucher l'argent au plus vite.

Jerry et Trey, qui avaient plus d'expérience, étaient d'avis de laisser du temps au temps. La manière douce. Attendons que les choses se calment. Laissons l'ampleur du vol frapper les esprits et que la nouvelle se répande sur le marché noir. Il fallait d'abord s'assurer qu'ils n'étaient pas suspectés. Princeton n'était pas le seul acheteur potentiel. D'autres personnes pouvaient être intéressées.

Le débat fut houleux et fastidieux, mais l'ambiance resta bon enfant, entre blagues, rires, et quantité de bières. Finalement, ils trouvèrent un compromis. Jerry et Mark rentreraient chez eux demain matin : Jerry à Rochester, Mark à Baltimore, en faisant un crochet par Rochester. Ils se feraient discrets et surveilleraient les médias, et bien sûr, contacteraient l'équipe deux fois par jour. Denny et Trey veilleraient sur les manuscrits et les déplaceraient la semaine suivante dans la seconde planque – un petit appartement dans un quartier miteux d'Allentown en Pennsylvanie. Dans dix jours, ils se retrouveraient tous là-bas pour élaborer un plan définitif. En attendant, Mark joindrait son intermédiaire, un type qu'il connaissait de longue date et qui œuvrait dans le monde obscur des objets d'art volés. Il lui laisserait entendre qu'il avait des informations concernant les manuscrits de Fitzgerald. Mais rien de plus. Rien tant qu'ils ne s'étaient pas tous réunis à nouveau.

12

Carole, la femme qui vivait chez Jerry à Rochester, sortit seule à 16 h 30. Elle se rendit dans une supérette au bout de la rue. Le FBI décida de ne pas entrer dans l'appartement, pas encore. Il y avait trop de témoins. Il suffisait qu'un voisin parle et toute leur filature était à l'eau. Carole ignorait que les autorités l'épiaient. Pendant qu'elle faisait ses emplettes, les fédéraux placèrent des mouchards sous les pare-chocs de sa voiture. Deux autres agents – des femmes en jogging – surveillèrent ses achats. Rien d'important dans son caddie. Quand elle envoya un SMS à sa mère, le message fut intercepté et enregistré. Quand elle appela son amie, le FBI ne perdit pas une miette de la conversation. Quand elle s'arrêta dans un bar, un agent en jean lui offrit un verre. Quand elle rentra chez elle un peu après 21 heures, tous ses faits et gestes avaient été surveillés et consignés.

13

Pendant ce temps, dans les montagnes, son petit ami buvait une bière en lisant *Gatsby le Magnifique* dans un hamac sous l'auvent de la cabane, avec le bel étang à quelques mètres de lui. Mark et Trey étaient partis en bateau taquiner les brèmes, pendant que Denny s'occupait des entrecôtes sur le barbecue. Au coucher du soleil, un vent froid se leva et les quatre chasseurs se retrouvèrent dans le salon, devant un feu de cheminée. À 20 heures précises, ils sortirent leurs Sat-Traks et entrèrent leur code au clavier. Tout le monde tapa « RAS », y compris Ahmed à Buffalo.

Tout allait bien effectivement. La veille encore, ils étaient sur le campus de l'université, tapis dans l'ombre, nerveux, mais tout excités par l'ivresse de l'action. Leur plan avait fonctionné à la perfection. Ils avaient dérobé des manuscrits d'une valeur inestimable, et bientôt ils rouleraient sur l'or. Le transfert ne serait pas aisé, mais chaque chose en son temps.

14

Malgré l'alcool, le sommeil fut difficile à venir, pour tous les quatre. Tôt le lendemain matin, pendant que Denny préparait des œufs et du bacon, Mark s'installa au comptoir avec son ordinateur portable et consulta les gros titres sur toute la côte Est.

— Rien, annonça-t-il. Ils parlent tous du ramdam sur le campus. Qualifié officiellement de « mauvaise blague ». Mais pas un mot sur les manuscrits volés.

— Ils cherchent à étouffer l'affaire, répondit Denny.

— Mais pour combien de temps ?

— Cela ne va pas durer. Ils ne peuvent empêcher les médias d'en parler. Il y aura une fuite, aujourd'hui, ou demain au plus tard.

— C'est une bonne ou une mauvaise nouvelle ?

— Ni l'une ni l'autre.

Trey entra dans la cuisine, la tête rasée. Il se frottait le crâne, tout content de lui.

— Qu'est-ce que vous en pensez ?

— Irrésistible ! railla Mark.

— T'es toujours aussi moche, répliqua Denny.

Tous avaient changé d'apparence. Trey et Mark s'étaient rasés entièrement – barbe, cheveux, sourcils. Denny et Jerry avaient coupé leur barbe et s'étaient teint les cheveux. Denny était passé de blond à brun. Jerry avait opté pour le roux. Ils portaient des casquettes et des lunettes de soleil qu'ils changeraient tous les jours. Ils savaient qu'ils avaient été filmés par les caméras de surveillance. Et le FBI avait des procédés très efficaces de reconnaissance faciale. Ils avaient commis bien sûr des erreurs, mais elles s'effaçaient bien vite de leur mémoire. Il était temps de passer à l'étape suivante.

Ils éprouvaient aussi l'inévitable arrogance de ceux qui ont perpétré un crime parfait. Ils s'étaient rencontrés un an plus tôt, quand Trey et Jerry, les deux malfrats ayant le plus d'expérience ainsi qu'un casier, avaient été présentés à Denny, qui connaissait Mark et qui, de son côté, connaissait Ahmed. Ils avaient consacré des heures à monter l'opération, à discuter du rôle de chacun. Quel était le meilleur moment pour passer à l'acte ? Où iraient-ils ensuite ? Tant de détails à régler, certains énormes, d'autres infimes, mais tous cruciaux. Maintenant que le vol était terminé, tout cela était de l'histoire ancienne. Il ne restait plus qu'à récupérer l'argent.

À 8 heures du matin, le jeudi, ils se regardaient accomplir leur futur rituel du Sat-Trak. Ahmed était vivant et en sécurité. Personne ne manquait à l'appel. Jerry et Mark saluèrent les autres et quittèrent la cabane et les Poconos. Quatre heures de route plus tard, ils abordaient les faubourgs de Rochester. Ils ignoraient le nombre impressionnant d'agents du FBI qui surveillaient leur pick-up Toyota loué trois mois plus tôt. Quand Jerry se gara près de son appartement, des objectifs se braquèrent sur lui et Mark tandis qu'ils traversaient le parking d'un pas tranquille et grimpaient l'escalier qui menait au deuxième étage.

Les clichés furent envoyés aussitôt au laboratoire du FBI à Trenton. Le temps que Jerry dise bonjour à Carole, les photos avaient été comparées aux prises de vues des caméras de surveillance de Princeton. Le logiciel retrouva Jerry, ou plus précisément Gerald A. Steengarden, et Mark fut identifié comme l'imposteur qui s'était fait passer pour le professeur Neville Manchin. Mark n'ayant pas de casier judiciaire, il n'apparut pas dans le fichier national de la police. Le FBI savait avec certitude qu'il se trouvait bien dans la bibliothèque à l'heure du vol. Ils ignoraient juste son nom.

Ce n'était qu'une question de temps.

On décida d'attendre et de poursuivre les obser-vations. Jerry leur avait déjà donné Mark ; peut-être leur livrerait-il un autre complice ? Après le déjeuner, les deux hommes quittèrent l'appartement et retour-nèrent au pick-up. Mark portait un sac de sport mar-ron. Jerry avait les mains libres. Ils prirent la direction du centre-ville. Jerry conduisait lentement, veillant à ne commettre aucune infraction, et passa au large des postes de police.

15

Ils surveillaient leurs arrières, épiant chaque voi-ture, chaque visage, chaque vieux lisant son journal sur un banc. Ils étaient certains de ne pas être suivis, mais dans leur corps de métier on n'était jamais trop prudent. Ils ne pouvaient voir ni entendre l'hélicop-tère qui volait au-dessus d'eux, à plus d'un kilomètre d'altitude.

À proximité de la gare, Mark descendit du Toyota sans un mot, attrapa son sac, et entra dans le bâtiment. Il acheta un billet de deuxième classe pour le train de 14 h 13 en direction de Manhattan. Pendant qu'il attendait, il lut en édition de poche *Le Dernier Nabab*. Il n'était pas un grand amateur de littérature, mais il s'était découvert une passion pour Fitzgerald. Il réprima un sourire quand il songea à l'original qu'ils détenaient désormais.

Sur le chemin du retour, Jerry s'arrêta dans une boutique d'alcool et de spiritueux pour acheter une bouteille de vodka. Au sortir du magasin, trois jeunes hommes bien bâtis, dans des costumes sombres, vinrent à sa rencontre. Ils le saluèrent, montrèrent leur badge. Ils voulaient lui parler. Jerry déclina leur offre. Il avait des choses à faire. Mais eux aussi. L'un sortit des menottes, l'autre lui prit la vodka et le troisième fouilla ses poches et récupéra son portefeuille, ses clés et le Sat-Trak. Jerry fut escorté jusqu'à une Suburban noire et conduit à la prison de la ville qui se trouvait à moins de cinq cents mètres de là. Durant le court trajet, personne ne parla. On le plaça dans une cellule vide, sans dire un mot. Il ne posa pas de questions. On ne lui donna aucune explication. Quand un gardien s'arrêta pour lui dire bonjour, Jerry lança :

— Hé, vous savez ce qui se passe ?

Le surveillant regarda à droite et à gauche, puis se pencha vers les barreaux.

— Je ne sais pas, mon gars, mais à l'évidence tu as mis en colère les super-héros.

Jerry s'étendit sur la paillasse, contempla le plafond crasseux en se demandant s'il ne rêvait pas. Pourquoi ? Qu'est-ce qui avait merdé ?

Tandis qu'il était pris de vertige dans sa cellule, on sonnait à la porte de son appartement. Carole alla

ouvrir et se retrouva nez à nez avec une demi-douzaine d'agents. L'un d'eux lui montra le mandat de
perquisition. Un autre lui ordonna de sortir de l'appartement et d'aller s'installer dans sa voiture, mais
sans allumer le moteur.

Mark prit place dans le train à 14 heures. Les portes
se refermèrent à 14 h 13, mais le train ne bougea pas.
À 14 h 30, les portes du wagon se rouvrirent et deux
hommes en imperméables bleus montèrent à bord et
le regardèrent d'un air sévère. À cet instant, Mark sut
que ça tournait au vinaigre.

Ils se présentèrent à voix basse et lui demandèrent
de descendre du train. L'un lui prit le coude, l'autre
récupéra son sac sur le porte-bagages au-dessus du
siège. Puis, durant le trajet jusqu'à la prison, les deux
agents restèrent silencieux.

— Je suis en état d'arrestation, c'est ça ? s'enquit
Mark, agacé.

— On passe rarement des menottes aux braves
citoyens, répondit le conducteur sans se retourner.

— Et je suis arrêté pour quoi ?

— On vous dira ça là-bas.

— Je croyais que vous étiez obligés de me dire ce
qu'on me reproche au moment de me lire mes droits.

— Vous êtes nouveau dans le milieu, pas vrai ?
On ne doit lire vos droits que si on vous pose des
questions. Et pour l'instant, on veut juste profiter du
voyage, tranquilles.

Mark se referma dans sa coquille et regarda la circulation par la fenêtre. Ils avaient dû attraper Jerry ;
sinon, ils n'auraient pu savoir qu'il était à la gare.

Jerry avait-il commencé à parler pour obtenir une réduction de peine ? C'était peu probable.

Jerry n'avait pas dit un mot. On ne lui avait même pas adressé la parole. À 17 h 15, on vint le chercher pour l'emmener au QG du FBI, à quelques centaines de mètres de là. Il se retrouva dans une salle d'interrogatoire. On lui retira les menottes, lui offrit un café. Un agent nommé McGregor entra, retira sa veste, s'assit en face de lui et commença à lui parler. Il était sympathique et finalement il lui lut ses droits.

— Vous avez déjà été arrêté ?

Jerry était un récidiviste. Et il savait que McGregor avait une copie de son dossier.

— Oui.

— Combien de fois ?

— Vous venez de me dire que j'ai le droit de garder le silence. C'est ce que je vais faire et je veux un avocat. C'est clair ?

— Pas de problème, répondit McGregor en quittant la pièce.

À l'autre bout du couloir, Mark était installé dans une autre salle d'interrogatoire. McGregor entra et entreprit le même manège. Ils burent un café pendant un moment, puis il lui énonça ses droits. Ayant pour ça aussi un mandat, ils avaient fouillé le sac de Mark et trouvé toutes sortes d'objets intéressants. McGregor ouvrit une grosse enveloppe Kraft, et en sortit des cartes plastifiées qu'il étala sur la table.

— Cela provient de votre portefeuille, monsieur Driscoll. Un permis de conduire du Maryland, avec une mauvaise photo où vous avez plein de cheveux et des sourcils. Deux cartes de crédit valides.

Un permis de chasse temporaire délivré par l'État de Pennsylvanie.

Il sortit d'autres cartes.

— Et on a trouvé celle-ci dans votre sac. Un permis de conduire du Kentucky au nom de Arnold Sawyer. Là aussi vous avez tous vos cheveux sur la photo. Et une fausse carte bancaire.

Il en sortait encore…

— Un faux permis de Floride. Au nom de Luther Banahan, cette fois vous avez des lunettes et une barbe. Et ce magnifique passeport délivré à Houston, au nom de Clyde D. Mazy, avec un permis de conduire et trois cartes de crédit assorties.

La table était couverte de faux papiers. Mark avait envie de vomir mais il serra les dents, tenta un haussement d'épaules. Et alors ?

— Impressionnant, non ? On a vérifié tout ça. On sait que vous êtes Mark Driscoll, sans adresse connue.

— C'est une question ?

— Non. Pas encore.

— Parfait. Parce que je ne vais rien vous répondre. J'ai le droit d'avoir un avocat, alors trouvez-m'en un au plus vite.

— Sans problème. C'est drôle, sur toutes ces photos vous avez plein de cheveux. Parfois même une barbe ou des moustaches. Et toujours des sourcils. Et maintenant, plus rien. Vous tentez de vous cacher ?

— Je veux mon avocat.

— Vous l'aurez, bien sûr. Curieusement, on n'a retrouvé aucun papier au nom de Neville Manchin, enseignant à l'université de Portland. Ce nom ne vous dit rien, monsieur Driscoll ?

Ou si peu !

Derrière le miroir sans tain, une caméra haute définition était braquée sur Mark. Dans une autre pièce, deux enquêteurs, spécialisés dans la détection des mensonges chez les suspects ou les témoins, observaient quelques marqueurs anatomiques chez Mark : les pupilles, la lèvre supérieure, les muscles des mâchoires, la position de la tête. Le nom « Neville Manchin » déclencha tous les voyants d'alerte chez le suspect. Quand Mark répondit : « Je ne parlerai pas sans la présence de mon avocat », les deux experts hochèrent la tête de conserve et sourirent. Ils le tenaient.

McGregor quitta la pièce, bavarda avec ses collègues, puis retourna voir Jerry. Il s'assit en face de lui, sourit, resta silencieux un long moment.

— Alors Jerry ? Vous ne voulez toujours pas parler ?

— Je veux un avocat.

— On est sur le coup, ne vous inquiétez pas. Vous n'êtes pas très coopératif.

— Je veux un avocat.

— Votre ami Mark l'est davantage.

Jerry déglutit. Il espérait que Mark avait pu quitter la ville. Fallait croire que non. Que s'était-il passé ? Comment avaient-ils pu se faire attraper si vite ? Hier à la même heure, ils jouaient aux cartes dans la cabane, buvaient des bières, savouraient leur casse parfait.

Mark n'avait pas parlé. Jerry en était quasiment sûr.

McGregor désigna la main gauche de Jerry.

— Vous avez un pansement. Vous vous êtes coupé ?

— Je veux un avocat.

— Ou un docteur, peut-être ?

— Un avocat.

— D'accord. Je vais vous en chercher un.

Il sortit de la salle en claquant la porte. Jerry regarda son poignet. Non. Impossible...

16

Les ombres s'étiraient sur l'étang. Denny remonta sa ligne et rama vers la berge. Le froid arrivait de l'eau, traversait sa veste trop fine. Il songeait à Trey. Il n'avait aucune confiance en ce type. Trey avait quarante et un ans. Il avait été arrêté à deux reprises pour vol, avait passé quatre ans derrière les barreaux avant de s'évader, puis deux ans, avant de se faire à nouveau la belle. Et les deux fois, il avait parlé, donné ses complices pour réduire les charges contre lui. C'était ça le hic. Pour un pro, il n'y avait pas pire péché.

Sur les cinq membres de l'équipe, Trey était le maillon faible. Quand il était dans les forces spéciales, Denny avait connu la guerre, et survécu à bien des batailles. Il avait perdu des hommes, en avait tué beaucoup. La peur, il pouvait comprendre. Mais pas la lâcheté.

17

À 20 heures le jeudi soir, Denny et Trey jouaient au rami en buvant des bières. Ils arrêtèrent leur partie, sortirent leur Sat-Trak, entrèrent leur code et attendirent. Quelques secondes plus tard Ahmed, à Buffalo, renvoya un RAS. Rien de la part de Mark et Jerry. Mark était censé être dans le train, pour six heures de voyage de Rochester à New York. Jerry chez lui.

Les cinq minutes suivantes s'écoulèrent très lentement. Ou trop vite. C'était bizarre. Les appareils fonctionnaient, non ? Ils étaient fabriqués pour la CIA et coûtaient une fortune. Deux Sat-Traks HS au même moment, c'était hautement improbable. Mais qu'en déduire au juste ? À 20 h 06, Denny se leva.

— Fais tes bagages avec le strict minimum. On va peut-être devoir lever le camp. On ne sait jamais.

— D'accord, répondit Trey, visiblement inquiet.

Ils se rendirent dans leurs chambres, pour fourrer en vitesse quelques affaires dans leurs sacs.

— Il est 20 h 11, annonça Denny. À vingt, on se tire.

— OK.

Trey consulta encore l'écran de son Sat-Trak. Toujours rien. À 20 h 20, Denny alla dans l'office et ouvrit l'armoire à fusils. Ils glissèrent les cinq manuscrits dans deux sacs de l'armée avec des vêtements pour les protéger et les transportèrent dans le pick-up. Ils revinrent dans la cabane couper les lumières et faire un dernier tour d'inspection.

— On devrait la brûler, non ? s'enquit Trey.

— Surtout pas ! répliqua Denny, agacé par tant de stupidité. Ça ne ferait qu'attirer l'attention. D'accord, tôt ou tard, ils vont savoir qu'on était là. La belle affaire. On sera loin et les manuscrits aussi.

Ils éteignirent les lampes, fermèrent les portes et alors qu'ils descendaient les marches du perron, Denny marqua un arrêt, laissant passer Trey devant lui. Puis il attaqua par-derrière. Il referma ses deux mains sur le cou de Trey, ses pouces enfoncés dans les carotides. Trey – plus âgé, moins costaud, en mauvaise condition physique, et pris totalement par surprise – ne pouvait lutter contre cet étranglement d'un ancien des forces spéciales. Il se tortilla pendant quelques secondes, puis s'écroula. Denny le balança au pied des marches et lui retira sa ceinture.

18

Il s'arrêta pour faire le plein et prendre un café à côté de Stranton, puis prit à l'ouest sur la I 80. La vitesse était limitée à 110 kilomètres à l'heure. Il régla le régulateur à 105. Il avait bu quelques bières plus tôt dans la soirée, mais l'alcool avait été assimilé. Son Sat-Trak était posé sur la console centrale. Il y jetait un coup d'œil toutes les minutes. Mais il savait que l'écran resterait noir. Personne ne viendrait au rapport. Mark et Jerry avaient dû se faire attraper ensemble et leurs Sat-Traks devaient être analysés en ce moment par des experts. Celui de Trey était au fond de l'étang, avec Trey, les deux lestés, et déjà en train de se décomposer.

Si lui, Denny, pouvait survivre aux prochaines vingt-quatre heures et quitter le pays, l'argent serait pour lui, et lui seul. Une fortune.

Il se gara sur le parking d'une cafétéria ouverte toute la nuit, et choisit une table près de la fenêtre, d'où il pouvait surveiller le pick-up. Il ouvrit son ordinateur, demanda un café et le wifi. La serveuse lui donna aussitôt le code. Il résolut de se poser un peu et commanda des gaufres et du bacon. En ligne, il consulta les vols en partance de Pittsburgh et en réserva un pour Chicago, puis, de là, un autre sans escale jusqu'à Mexico. Il chercha des sociétés de stockage proposant des box climatisés et en dressa une liste. Il mangea lentement, commanda de nouveau du café, tentant de tromper le temps. Il ouvrit la page du *New York Times* et fut surpris par la une, postée quatre heures plus tôt. « Princeton confirme le vol de la Collection Fitzgerald. »

Après une journée de déni et de silence radio, les responsables de l'université avaient décidé de faire un communiqué pour confirmer les rumeurs. Le mardi soir, deux jours plus tôt, des voleurs s'étaient introduits dans la bibliothèque Firestone pendant que les forces de l'ordre investissaient le campus pour arrêter une fusillade. Une fausse alerte. Une diversion manifeste, qui avait parfaitement fonctionné. L'université ne voulait pas révéler le nombre exact de manuscrits qui avaient été dérobés, juste qu'il était « conséquent ». Le FBI était chargé de l'affaire et blablabla. Il n'y avait pas beaucoup de détails. L'article était très peu documenté.

On ne parlait ni de Jerry, ni de Mark. Denny sentit d'un coup une boule d'angoisse monter en lui. Il avait hâte de reprendre la route. Il régla l'addition et au sortir du restaurant, il jeta à la poubelle son Sat-Trak. Voilà. Il avait coupé tous les ponts. Il était seul, libre, excité par la tournure des événements, mais inquiet aussi. L'info était sortie, et ce n'était pas bon signe. Quitter le pays était désormais la priorité numéro un. Ce n'était pas prévu au programme, mais la situation ne pouvait s'arranger. On avait beau vouloir tout planifier… jamais rien ne se déroulait comme prévu, et seuls s'en sortaient ceux qui savaient s'adapter.

Trey était un problème. Il serait rapidement devenu une nuisance, un boulet, puis une faille. Il était désormais de l'histoire ancienne. Alors que la nuit se dissipait, Denny arriva aux abords de Pittsburgh. Il ne songeait déjà plus à Trey. Un mauvais souvenir, aussi vite effacé. Encore un crime parfait.

À 9 heures, il passa les portes du East Mills Secured Storage à Oakmont, une banlieue au nord-est. Il expliqua à l'employé qu'il avait besoin d'entre-poser ses bonnes bouteilles de vin pendant quelques mois et qu'il cherchait un lieu de stockage où la tem-pérature et l'hygrométrie étaient régulées. L'employé lui montra un box de quatre mètres sur quatre au rez-de-chaussée. Deux cent cinquante dollars par mois pour un an. Denny refusa. Il n'aurait pas besoin d'une si longue période. Ils s'accordèrent sur trois cents dollars mensuels pour six mois. Il sortit un permis de conduire du New Jersey, signa le contrat au nom de Paul Rafferty et paya en liquide. Il récupéra la clé du box, l'ouvrit, régla la température sur treize degrés Celsius, l'humidité sur quarante pour cent, et éteignit les lumières. Il traversa le hall en repérant les camé-ras de surveillance et, finalement, s'en alla à l'insu du réceptionniste.

À 10 heures, le supermarché de vins ouvrit ses portes. Denny était le premier client. Il paya, en liquide encore, quatre caisses de chardonnay, demanda au caissier deux cartons supplémentaires et s'en alla. Il roula une demi-heure, à la recherche d'un coin tranquille à l'écart des caméras. Il gara son pick-up au fond d'une station de lavage auto, à côté des aspirateurs. *L'Envers du paradis* et *Les Bons et les Damnés* trouvèrent leur place dans un des cartons de vin vides. *Tendre est la nuit* et *Le Dernier Nabab* dans un autre. *Gatsby* eut droit à un carton pour lui

tout seul, une fois les douze bouteilles retirées et laissées sur le siège arrière.

Vers 11 heures, Denny avait rangé les six cartons
dans le box au East Mills. Au moment de partir, il
tomba nez à nez avec l'employé et lui annonça qu'il
reviendrait demain avec d'autres caisses. Comme
vous voulez. Le gars s'en fichait totalement. Au
moment de partir, Denny longea l'enfilade de box en
se demandant combien de butins volés étaient entreposés ici. Sûrement beaucoup. Mais c'était le sien le
plus précieux.

Il erra dans le centre-ville de Pittsburgh et trouva
finalement un quartier mal famé. Il se gara devant une
pharmacie, une qui avait des barreaux aux fenêtres,
baissa ses vitres, laissa les clés sur le contact et les
douze bouteilles de mauvais vin derrière les sièges,
attrapa son sac et s'en alla à pied. Il était près de midi,
une belle journée d'automne, et Denny se sentait plutôt serein. Depuis une cabine téléphonique, il appela
un taxi et attendit devant un snack. Quarante-cinq
minutes plus tard, le taxi le déposait devant le termi-
nal des départs de l'aéroport international. Il récupéra
son billet, franchit les contrôles de sécurité sans anicroche, et entra dans un coffee-shop à côté de sa porte
d'embarquement. Il acheta au distributeur de journaux
le *New York Times* et le *Washington Post*. En première page du *Post*, sous la pliure, un titre attira aussitôt son regard. « Deux suspects arrêtés dans l'affaire
du cambriolage de la bibliothèque de Princeton. » Il
n'y avait ni photos, ni noms. À l'évidence, l'université et les flics tentaient de garder la main. À en croire

le court article, les deux hommes avaient été appréhendés la veille, à Rochester.

On recherchait activement les autres complices de ce « casse du siècle ».

19

Pendant que Denny prenait son avion pour Chicago, à Buffalo, Ahmed attrapait un vol pour Toronto, et acheta là-bas un aller simple pour Amsterdam. Ayant quatre heures à tuer, Ahmed s'installa dans un bar de l'aéroport, dissimula son visage derrière le menu, et se mit à boire.

20

Le lundi suivant, Mark Driscoll et Gerald Steengarden furent conduits à Trenton dans le New Jersey, présentés devant un juge fédéral où ils certifièrent par écrit qu'ils n'avaient aucun bien, et eurent droit à un avocat commis d'office. Parce qu'ils versaient dans les faux papiers, on craignait qu'ils quittent le pays. Il n'y aurait donc pas de liberté sous caution.

Une autre semaine s'écoula, puis un mois, et l'enquête s'essouffla. Après les grands espoirs du début, les autorités commençaient à douter. Hormis la tache de sang et les photos des malfrats déguisés, et bien sûr la disparition des manuscrits, ils n'avaient aucune preuve. Le van incendié – le véhicule avec lequel ils s'étaient enfuis – avait été retrouvé mais personne ne put découvrir d'où il provenait. Le pick-up de location de Denny avait été volé, dépouillé, et détruit dans une casse. Après Mexico, Denny rallia le Panama où des amis pouvaient le cacher.

Mark et Jerry avaient utilisé de fausses cartes d'étudiant pour faire de multiples repérages à Firestone. Mark s'était même fait passer pour un spécialiste de Fitzgerald. La nuit du vol, les deux hommes étaient entrés dans la bibliothèque, avec un troisième complice. Mais on ne savait ni quand ni comment ils étaient partis.

N'ayant pas retrouvé le butin, le procureur repoussa l'inculpation. Les avocats de Jerry et de Mark demandèrent l'abandon des charges, mais le juge refusa. Ils restèrent donc en prison, sans espoir de liberté sur parole et sans parler aux policiers. La loi du silence tenait. Trois mois après le casse, le procureur proposa à Mark le grand jeu : racontez tout et vous sortez libre. Mark n'avait pas de casier judiciaire, et aucune trace de son ADN n'avait été retrouvée sur le lieu du crime. Il était donc le meilleur candidat pour ce genre d'accord. Parlez et à vous la liberté.

Mark refusa l'offre pour deux raisons. D'abord
son avocat lui assura que l'accusation aurait du mal
à prouver sa culpabilité au procès, et par conséquent
il obtiendrait sans doute un non-lieu. Et puis, et
c'était le plus important, Denny et Trey étaient encore
dehors. Cela signifiait que les manuscrits étaient en
sûreté, et qu'une demande de rançon était toujours
possible. En outre, même si Mark donnait les noms
complets de Denny et de Trey, le FBI aurait bien du
mal à les retrouver. Et bien sûr, Mark ignorait où
étaient cachés les manuscrits. Il connaissait l'adresse
des deux planques prévues dans le plan, mais il était
fort probable que le trésor n'y soit pas.

21

Toutes les pistes menaient à des impasses. Les
indices, qui paraissaient si brûlants au début, refroi-
dissaient à vitesse grand V. Une autre tactique s'imposait. Celle de l'attente. Ceux qui détenaient le
manuscrit réclameraient de l'argent, beaucoup. Tôt ou
tard, ils referaient surface. Restait à savoir quand et
où, et combien ils demanderaient.

II

LE MARCHAND

Quand Bruce Cable avait vingt-trois ans, et était encore étudiant en premier cycle à l'université d'Auburn, son père mourut soudainement. Les mauvais résultats scolaires de Bruce étaient un sujet récurrent de dispute. La situation s'était tellement envenimée que le père avait menacé plus d'une fois son fils de le déshériter. Un aïeul avait fait fortune dans le gravier, et mal conseillé, celui-ci avait placé sa fortune dans des fonds qui avaient redistribué l'argent, au fil des générations, à des gens qui ne le méritaient pas. La famille, pendant des années, avait semblé vivre dans l'opulence, tout en regardant inexorablement le pactole fondre comme neige au soleil. Exclure le rejeton du testament, et donc des fonds, était une menace répétée, mais elle n'avait jamais eu grand effet.

M. Cable, toutefois, était décédé sans être allé voir son avocat pour modifier ses dernières volontés, si bien que Bruce se réveilla du jour au lendemain avec trois cent mille dollars, une coquette somme, mais pas suffisante pour le faire vivre jusqu'à la fin de ses jours. En la plaçant, il aurait pu en tirer au mieux cinq ou dix pour cent l'an ; cela ne suffirait pas à lui assurer le train de vie dont le jeune homme rêvait. Tenter de plus gros rendements impliquait des investissements bien trop risqués et Bruce voulait que cet argent perdure. Cette somme eut des effets inattendus sur lui. Le plus étrange, peut-être, fut sa décision de lâcher Auburn, après cinq années d'études mollassonnes et de partir sans se retourner.

Finalement, une fille l'attira en Floride, sur l'île de Camino, une langue de terre de vingt kilomètres au nord de Jacksonville. Dans le joli appartement de la fille en question, il consacra un mois à se la couler douce, à boire de la bière, à se balader sur la plage, à contempler l'océan Atlantique pendant des heures, tout en lisant *Guerre et Paix*. Il avait fait des études de lettres et s'en voulait d'être passé à côté des grands classiques.

Pour protéger son capital, et le faire fructifier si possible, il songeait à toutes sortes d'investissements en arpentant le rivage. Avec sagesse, il n'avait rien dit de la manne qui lui était tombée dessus – cet argent, après tout, était investi dans ces fonds depuis des dizaines d'années – et personne ne vint lui offrir ses conseils ou lui demander un prêt. La fille ne savait rien de cette somme, évidemment. Après une semaine de vie commune, Bruce sut qu'elle serait très vite de l'histoire ancienne. Dans le désordre, il voulut acheter une sandwicherie, un terrain en Floride, un appartement dans une tour à proximité, ou encore investir dans des start-up de la Silicon Valley, dans une supérette de Nashville, entre autres projets. Il éplucha des dizaines de magazines financiers, et plus il lisait, plus il s'apercevait qu'il n'avait aucun goût pour les chiffres et les stratégies. Ce n'était pas un hasard si, à l'université, il avait choisi Lettres et non Économie.

De temps en temps, il se rendait avec la fille à Santa Rosa, une petite ville pittoresque de l'île, pour boire un verre ou un café dans les bars de Main Street. Il y avait une bonne librairie pourvue d'un coin coffee-shop. Et ils prirent l'habitude d'y boire un café crème l'après-midi en lisant le *New York Times*. Le barista était aussi le propriétaire, un vieux type nommé Tim. Et Tim était du genre loquace. Un jour, il laissa entendre qu'il voulait vendre et partir à Key West. Le lendemain, Bruce parvint à se débarrasser de la fille et y alla seul. Il s'installa au bar et fit parler Tim du métier.

Vendre des livres n'était pas de tout repos, disait-il. Toutes les grandes chaînes bradaient les best-sellers, avec des remises parfois de cinquante pour cent, et aujourd'hui, avec Internet et Amazon, les gens faisaient leurs courses de chez eux. En cinq ans, sept cents librairies indépendantes avaient fermé. Rares étaient celles qui gagnaient encore de l'argent. Plus il parlait de son activité de libraire, plus son ton s'assombrissait. « Le commerce est sans pitié. » Il répéta cette phrase trois fois. « Peu importe ce qu'on gagne un jour. Le lendemain, tout est à refaire. »

Bien qu'il appréciât l'honnêteté de son interlocuteur, Bruce s'interrogeait sur son bon sens. Il voulait vendre ou faire fuir les acheteurs ?

Tim affirmait qu'il gagnait honorablement sa vie avec la librairie. L'île comptait une belle communauté littéraire, des lecteurs en pagaille, quelques écrivains en activité, un festival, et de bonnes bibliothèques. Les retraités aimaient lire et achetaient des livres. Il y avait environ quarante mille résidents à l'année, et un million de touristes. Il y avait donc du passage. Combien voulait-il de son affaire ? s'enquit finalement Bruce. Tim lui répondit cent cinquante mille dollars, comptants, plus la reprise du bail. Timidement, le jeune homme demanda s'il pouvait voir les comptes, juste les registres « pertes et profits », rien de plus. Tim n'aima pas trop l'idée. Il ne connaissait pas bien Bruce. Pour lui, ce n'était qu'un jeune oisif qui vivait au soleil aux frais de papa maman.

— Tu me montres tes finances et je te montre les miennes, répliqua Tim.

— C'est de bonne guerre.

Bruce s'en alla, en promettant de revenir, mais il lui prit l'envie d'un road trip. Trois jours plus tard, il dit adieu à la fille et se rendit à Jacksonville s'acheter une nouvelle voiture. Il regarda avec envie une Porsche 911 Carrera rutilante. Le fait qu'il pouvait se la payer rendait la tentation plus douloureuse encore. Mais il résista et, après une longue journée de négociations, il abandonna sa vieille Jeep Cherokee pour une neuve. Il pourrait avoir besoin de place pour transporter des choses. La Porsche attendrait. Il s'en achèterait une peut-être plus tard, avec l'argent qu'il aurait gagné.

Avec son nouveau 4 × 4, et de l'argent en banque, Bruce quitta la Floride pour une aventure littéraire. Plus il roulait, plus son enthousiasme grandissait. Il n'avait pas d'itinéraire précis. Il partit à l'ouest, en comptant remonter au nord devant l'océan Pacifique puis aller dans l'autre sens et redescendre au sud. Peu importait le temps que cela prendrait. Il n'avait pas de rendez-vous, pas de date limite. Il cherchait les librairies indépendantes et quand il en trouvait une, il posait ses valises un jour ou deux, pour feuilleter les livres, boire un café, lire, voire déjeuner si l'endroit le permettait. Il s'arrangeait pour parler aux propriétaires, leur tirait les vers du nez. Il leur racontait qu'il songeait à acheter une librairie, qu'il avait besoin de leurs conseils. Les réponses variaient. La plupart aimaient leur boulot, même ceux qui s'inquiétaient pour l'avenir. Il y avait un grand point d'interrogation sur le devenir du métier, avec l'arrivée des chaînes et d'Internet. On lui parla de toutes ces librairies de quartier qui avaient été ruinées quand une chaîne s'était installée au bout de la rue. Des fins sinistres. Certains indépendants, en particulier dans des villes universitaires trop petites pour qu'une chaîne s'y implantât, semblaient tirer leur épingle du jeu. Les autres, même dans les métropoles, périclitaient. Quelques nouveaux venaient d'ouvrir et étaient encore pleins d'enthousiasme. David contre Goliath ! Mais ils étaient rares. Les conseils étaient divers, cela allait de « Le petit commerce est mort » à « Vas-y fonce, tu es encore jeune ! » Mais ces gens avaient un point commun : c'étaient tous des passionnés. Ils aimaient les livres, la littérature, les écrivains, le monde de l'édition, ils ne comptaient pas leurs heures et appréciaient leurs clients qui étaient à leurs yeux une espèce particulière et noble.

Pendant deux mois, Bruce sillonna le pays, en une myriade de sauts de puce à la poursuite de la prochaine librairie indépendante. Le propriétaire dans une ville pouvait en connaître trois autres dans l'État, et ainsi de suite. Bruce consomma des litres de café, bavarda avec les auteurs en pleine promotion, acheta des dizaines de livres dédicacés, dormit dans des motels miteux, de temps en temps avec une autre passionnée de livres rencontrée sur un stand, passait des heures avec les libraires désireux de partager leur expérience, but du mauvais vin à des séances de signatures déprimantes où juste une petite poignée de visiteurs se montraient, prit en photo des centaines de librairies, à l'intérieur comme à l'extérieur, noircit des pages de notes et garda un journal de bord. Quand son périple initiatique prit fin, il avait parcouru plus de dix mille kilomètres en soixante-dix jours, avait visité soixante et une librairies indépendantes, dont pas deux ne se ressemblaient. Il pensait alors tenir son idée.

Il rentra à Camino et retrouva Tim là où il l'avait laissé, derrière son bar à siroter un café en lisant le journal. Il paraissait encore plus abattu. Au début, Tim ne se souvenait plus de Bruce, mais le jeune homme lui raviva la mémoire :

— Je voulais acheter votre librairie il y a deux mois. Vous en demandiez cent cinquante mille.

— Exact, répondit Tim sans sortir de sa léthargie. Tu as trouvé l'argent ?

— Une partie. Je vais vous faire un chèque aujourd'hui de cent mille. Et vous aurez vingt-cinq mille dans un an.

— D'accord, mais ça ne fait que cent vingt-cinq. Le compte n'y est pas.

— C'est tout ce que j'ai, Tim. C'est à prendre ou à laisser. Une autre affaire m'intéresse aussi.

Le vieil homme réfléchit un instant. Puis, lentement, il tendit sa main droite. Ils scellèrent l'accord. Tim appela son avocat et lui dit de vite préparer la vente. Trois jours plus tard, les papiers étaient signés et l'argent avait changé de mains. Bruce ferma la boutique durant un mois et fit faire des travaux. Il profita de ce laps de temps pour se former en accéléré. Tim resta avec lui, ravi de lui apprendre les ficelles du métier et de lui raconter les potins sur les clients et les autres commerçants en ville. Tim avait une opinion sur tout et, après deux semaines de remise à niveau, Bruce en avait assez de sa présence.

Le 1er août 1996, la boutique rouvrit en fanfare, Bruce ayant rameuté toute la ville. Une jolie foule vint boire du champagne, de la bière, et écouter du jazz. Bruce était aux anges. C'était le départ de sa grande aventure. « Bay Books – Livres neufs et anciens » était née.

2

Son intérêt pour les livres rares fut accidentel. Quand il apprit que son père avait été terrassé par une crise cardiaque, Bruce était rentré en Alabama.

Ce n'était pas vraiment chez lui – il n'avait jamais passé beaucoup de temps là-bas. C'était plutôt la maison de son père, sa dernière en date. Il déménageait souvent, souvent avec une horrible mégère à ses basques. M. Cable s'était marié deux fois, de mauvais mariages, et avait juré qu'on ne l'y reprendrait plus, mais il semblait ne pouvoir s'épanouir sans la présence d'une folle pour lui rendre la vie impossible. Elles étaient attirées par sa fortune, mais s'apercevaient bien vite qu'il avait été saigné à blanc par ses deux divorces. Par chance, du moins pour Bruce, la dernière harpie en date avait repris ses cliques et ses claques récemment ; il n'y aurait personne pour espionner ses faits et gestes.

La maison, un assemblage audacieux de verre et d'acier dans un quartier huppé de la ville, abritait un grand atelier au deuxième étage où M. Cable aimait peindre pendant son temps libre. Il n'avait jamais véritablement travaillé, et puisqu'il vivait de son héritage, il se définissait comme un « investisseur ». Il s'était découvert une passion pour la peinture, mais ses toiles étaient si horribles qu'aucune galerie d'Atlanta ne voulait lui ouvrir ses portes. Un mur de l'atelier était entièrement couvert de livres – il y en avait des centaines. Au début, Bruce n'y fit pas attention. Il pensait que c'était juste pour la décoration, une façon pour son père de se donner une image d'érudit. Mais en y regardant de plus près, Bruce s'aperçut que deux rayonnages contenaient de vieux ouvrages dont les titres lui étaient familiers. Il commença par sortir ceux de l'étagère du haut, un par un, pour les examiner. Son vague intérêt se mua en quelque chose de plus vaste.

Les livres étaient des éditions originales, certaines signées par les auteurs. *L'Attrape-nigaud* de Joseph Heller, publié en 1961 ; *Les Nus et les Morts* de Norman Mailer (1948) ; *Cœur de lièvre* de John Updike (1960) ; *Homme invisible, pour qui chantes-tu ?* de Ralph Ellison (1952) ; *Le Cinéphile* de Walker Percy (1961) ; *Goodbye, Columbus* de Philip Roth (1959) ; *Les Confessions de Nat Turner* de William Styron (1967) ; *Le Faucon maltais* de Dashiell Hammett (1929) ; *De sang-froid* de Truman Capote (1965) ; et *L'Attrape-cœurs* de J.D. Salinger (1951).

Après en avoir consulté une dizaine, Bruce empila les livres sur une table au lieu de les remettre à leur place dans la bibliothèque. L'excitation l'envahit. Il avait trouvé une mine d'or, à en donner le tournis ! Sur l'étagère du bas, il parcourut des romans dont titres et auteurs lui étaient parfaitement inconnus jusqu'à ce qu'il fasse une trouvaille : derrière trois gros volumes d'une biographie de Winston Churchill, il découvrit quatre livres : *Le Bruit et la Fureur* de Faulkner (1929) ; *La Coupe d'or* de Steinbeck (1929) ; *L'Envers du paradis* de Fitzgerald (1920) ; et *L'Adieu aux armes* d'Hemingway (1929). Toutes des premières éditions, dans un état de conservation remarquable, et toutes signées par les auteurs.

Bruce poursuivit ses fouilles. Ne trouvant rien d'autre d'aussi prometteur, il se laissa tomber dans le fauteuil de son père et contempla la bibliothèque. Il était assis là, dans une maison qui lui était quasiment étrangère, à contempler les croûtes réalisées par un peintre dépourvu du moindre talent. D'où venaient ces ouvrages ? Sa sœur Molly allait arriver pour régler avec lui les détails des funérailles. Que faire ? Bruce en savait si peu sur son père. Certes, cela n'avait rien d'étonnant. Il n'avait jamais passé de temps avec lui. Son père l'avait mis en pensionnat dès ses quatorze ans. Les étés, Bruce était envoyé en camp de voile pour six semaines, et dans un centre équestre pour les six semaines suivantes. Tout était bon pour le garder loin de la maison. Bruce ignorait que son père était un collectionneur, sinon de femmes hystériques. M. Cable jouait au golf, au tennis, et voyageait, mais jamais avec Bruce ou sa sœur. Uniquement avec sa dernière conquête.

Alors d'où venaient ces livres ? Depuis combien de temps en faisait-il la collection ? Y avait-il des factures quelque part, des traces écrites de l'existence de ces trésors ? L'exécuteur testamentaire devait-il les céder avec le reste de ses biens à l'université Emory ?

Léguer le gros de ses avoirs à Emory agaçait Bruce au plus haut point. Son père en avait parlé de temps en temps, sans entrer dans les détails. M. Cable préférait que son argent aille à l'éducation plutôt qu'à ses enfants qui allaient le dilapider. Il en faisait une question d'honneur. À plusieurs reprises, Bruce avait été tenté de rappeler à son père qu'il avait lui aussi passé sa vie à gaspiller l'argent gagné par quelqu'un d'autre, mais se disputer à ce sujet n'aurait rien apporté de bon.

Aujourd'hui, Bruce voulait ces livres. Il décida d'en prendre dix-huit parmi les plus belles pièces et de laisser les autres. S'il se montrait trop avide et qu'il y avait des trous dans la bibliothèque, on risquait de s'en apercevoir. Il les rangea avec soin dans un carton qui contenait autrefois du vin. Son père luttait contre l'alcool depuis des années et finalement avait trouvé un statu quo en s'accordant quelques verres de vin chaque soir. Plusieurs cartons vides étaient entreposés dans le garage. Durant des heures Bruce réarrangea les étagères pour donner l'impression que rien n'y manquait. Qui allait se poser la question de toute façon ? Molly ne lisait pas, et plus important, avait toujours évité son père parce qu'elle détestait ses copines. Et à sa connaissance, Molly n'avait jamais passé une nuit dans la maison. Elle ne savait donc rien des affaires personnelles de son père. (Quoique deux mois plus tard, elle lui demanderait au téléphone s'il était au courant de l'existence des « vieux livres de papa ». Bruce lui répondrait non, bien sûr.)

Il attendit la nuit pour emporter le carton dans sa Jeep. Des caméras surveillaient le patio, l'allée et le garage. Si on l'interrogeait, il dirait simplement qu'il avait récupéré des trucs à lui. Des cassettes vidéo, des CD, n'importe quoi. Si l'exécuteur testamentaire lui parlait plus tard des livres manquants, Bruce, évidemment, ne saurait rien. Demandez donc à la femme de ménage !

Au final, le crime fut parfait, si tant est que ce fût un crime. Ce dont Bruce doutait fortement. C'était lui le spolié ! Grâce aux avocats de la famille, preux gardiens du temple, le secret sur les biens de son père fut bien protégé et personne ne parla jamais de sa bibliothèque.

C'est ainsi que Bruce entra par la grande porte dans le monde des livres rares. En étudiant le marché, il mesura la valeur de sa première collection. Les dix-huit ouvrages récupérés dans la maison paternelle valaient au bas mot deux cent mille dollars. Il eut toutefois peur de les vendre ; quelqu'un pouvait les reconnaître et poser des questions. Ne sachant comment son père les avait acquis, il était plus sage d'attendre, le temps que les souvenirs s'effacent. Ainsi qu'il le découvrirait : dans le métier, la patience était le premier commandement.

3

L'immeuble se dressait au coin de Main Street et de Third Street au cœur de Santa Rosa. Il avait cent ans et avait été édifié pour accueillir une banque, la plus grande de la ville qui n'avait pas résisté à la crise de 1929. Il y avait eu ensuite une pharmacie, puis une autre banque, puis une librairie. Le premier étage était encombré de cartons, de caisses et d'armoires métalliques, pleins de poussière et totalement inutilisables. Bruce investit l'endroit, le nettoya, construisit deux cloisons, y monta un lit, et appela ça un appartement. Il y vécut les dix premières années. Quand il n'était pas en bas à vendre ses livres, il était à l'étage à faire de la place, à peindre, à rénover, et finalement à décorer l'endroit.

Bay Books ouvrit en août 1996. Après l'inauguration et les petits-fours, l'endroit fut bondé pendant une semaine, mais la curiosité s'étiola. La clientèle se fit moins nombreuse. Trois semaines plus tard, Bruce se demandait s'il n'avait pas commis une erreur monumentale. Le premier mois, il dégagea seulement deux mille dollars de bénéfice. Et il sentit la panique le gagner. C'était la haute saison sur l'île de Camino. Il se mit à faire des remises, même si les propriétaires des autres librairies le déconseillaient fortement. Des nouveautés et des best-sellers furent bradés de vingt-cinq pour cent. Il repoussa l'heure de la fermeture de 19 à 21 heures et travailla quinze heures par jour. Il œuvra comme un politicien : il mémorisa les noms de ses clients réguliers, nota scrupuleusement les ouvrages qu'ils achetaient. Il devint rapidement un excellent barista. Il pouvait préparer un expresso tout en encaissant un client côté librairie. Il démonta des rayonnages de vieux livres, en majorité des classiques que pas grand monde ne lisait, et installa un coin snack. L'heure de fermeture passa à 22 heures. Il envoyait des dizaines de notes manuscrites à ses clients fidèles, aux auteurs, aux autres libraires qu'il avait rencontrés durant son périple d'une côte à l'autre du pays. À minuit, il était bien souvent derrière son ordinateur à peaufiner la newsletter de Bay Books. Il était tenté d'ouvrir le dimanche, ce que bon nombre de ses collègues faisaient. Il n'en avait pas envie. Il avait besoin de repos aussi, et craignait le retour de manivelle. Camino était dans la Bible Belt.

Sa librairie se trouvait à dix minutes à pied d'une dizaine d'églises et un paroissien pouvait se plaindre à la messe dominicale d'avoir vu sa boutique ouverte. Mais c'était un lieu de villégiature et la plupart des touristes n'avaient que faire du repos du Seigneur. Le premier dimanche de septembre donc, il céda et ouvrit ses portes à 9 heures du matin, avec en devanture le *New York Times*, le *Washington Post*, le *Boston Globe* et le *Chicago Tribune* sortant tout chauds des presses, et des plateaux de muffins provenant du coffee-shop d'à côté. Le troisième dimanche, sa librairie était bondée.

La boutique dégagea quatre mille dollars de marge en septembre et octobre. Et le bénéfice doubla en six mois. Bruce cessa de s'inquiéter. En un an, Bay Books était un must en ville, et de loin le magasin le plus prospère. Les représentants des maisons d'édition et des diffuseurs succombèrent aux assauts de Bruce et commencèrent à inclure Camino dans les programmes de signatures de leurs auteurs. Bruce rejoignit les rangs de l'American Booksellers Association qui défendait les librairies indépendantes et en devint un membre actif, prenant part aux diverses manifestations et assemblées. À l'hiver 1997, lors d'une convention de l'ABA, il rencontra Stephen King et parvint à le convaincre de faire une séance de dédicace dans sa librairie. King signa pendant neuf heures, tandis que la file de fans s'étirait tout autour du pâté de maisons. Bruce vendit ce jour-là deux mille deux cents livres de l'auteur. Ce fut le jour de gloire de Bay Books, le jour où la librairie devint célèbre. Trois ans plus tard, elle fut élue meilleure librairie indépendante

de Floride et en 2004, *Publishers Weekly* la nomma
« Librairie de l'année ». En 2005, après neuf années
passées au front, Bruce Cable fut élu au comité directeur de l'ABA.

4

Bruce était alors un notable de la ville. Il avait une
dizaine de costumes en seersucker, tous d'une teinte
différente. Il en changeait chaque jour et les coor-
donnait avec des chemises blanches à cols italiens
amidonnés, décorées d'un gros nœud papillon, le plus
souvent rouge ou jaune. Une paire de mocassins en
daim parachevait sa tenue, qu'il portait sans chaussettes été comme hiver, même si la température descendait malgré tout sous les dix degrés. Il avait les
cheveux épais et ondulés. Il les gardait longs, presque
jusqu'aux épaules. Il se rasait une fois par semaine,
le dimanche matin. Quand il eut trente ans, un peu de
gris fit son apparition, et cela lui allait bien.

Tous les jours, quand c'était calme à la librairie, Bruce partait se promener. Il allait à la poste, et
draguait les receveuses. À la banque, il draguait les
caissières. Si une nouvelle boutique ouvrait en ville,
Bruce était là pour l'inauguration, et revenait peu
après conter fleurette aux vendeuses. La pause du

midi était sacro-sainte ; Bruce sortait déjeuner six jours par semaine, toujours avec une personne différente pour faire passer l'addition en frais professionnels. Quand un nouveau restaurant ouvrait, Bruce était le premier dans la queue. Il goûtait à tous les plats de la carte, et faisait du gringue aux serveuses. Il buvait d'ordinaire une bouteille au repas, puis allait faire une petite sieste dans son appartement au premier.

La drague chez Bruce était quasiment une addiction. Il avait le chic avec les dames, et elles le lui rendaient bien. Un véritable don. Il toucha le jackpot quand Bay Books devint un passage obligé pour les dédicaces. La moitié des écrivains qui venaient en ville étaient des femmes, et la plupart avaient moins de quarante ans ! Elles étaient loin de chez elles, le plus souvent célibataires, voyageaient seules et ne demandaient qu'à passer du bon temps. C'était des cibles faciles, et déjà consentantes, quand elles franchissaient le seuil de la librairie et pénétraient dans son fief. Après une lecture, une séance de signatures, puis un long dîner, elles montaient souvent dans l'appartement avec Bruce pour « une exploration plus approfondie des émotions humaines ». Il avait ses favorites : deux jeunes auteures qui versaient avec bonheur dans les mystères de l'érotisme. Et elles sortaient un livre par an !

Malgré ses efforts pour entretenir son image de dandy érudit, Bruce demeurait dans l'âme un homme d'affaires ambitieux. La librairie lui apportait un revenu confortable, mais ce n'était pas un hasard. Même si la nuit avait été courte, il descendait à la boutique à 7 heures tous les matins, en short et tee-shirt, pour déballer les livres, garnir les rayons, faire l'inventaire, et même donner un coup de balai. Il adorait l'odeur et le contact des livres neufs quand il les sortait des cartons. Avec minutie, il dénichait le meilleur endroit pour chacun. Tous les ouvrages dans sa boutique étaient passés entre ses mains comme, malheureusement, ceux qu'il retournait à l'éditeur. Il détestait faire ces retours. Chaque livre rendu était un échec, une occasion ratée. Méthodiquement, il purgeait son fond des invendus, et après quelques années, Bay Books tournait avec un nombre moyen de douze mille titres. Des rayonnages et des piles de livres comblaient tous les recoins, mais Bruce savait où se trouvait chaque exemplaire. C'est lui qui les avait placés là, un à un, avec amour. À 8 h 45, il remontait en hâte, se douchait, enfilait son costume du jour et, à 9 heures tapantes, il levait le rideau pour accueillir ses clients.

Il prenait rarement un jour de congé. Pour Bruce, des vacances, c'était aller en Nouvelle-Angleterre rencontrer un vendeur de livres anciens dans sa boutique poussiéreuse et parler affaires. Il aimait les livres rares, en particulier ceux des écrivains américains du XXe siècle. C'était devenu sa passion. Sa collection grandissait, parce qu'il faisait beaucoup d'acquisitions, mais aussi parce qu'il n'arrivait guère à se séparer d'une pièce. Il était un marchand, bien sûr, mais il achetait plus qu'il ne vendait. Les dix-huit « vieux livres de papa » qu'il avait chipés étaient devenus les fondations d'une magnifique collection qui, quand Bruce fêta ses quarante ans, valait deux millions de dollars.

5

Alors qu'il siégeait au conseil de l'ABA, le propriétaire de son immeuble mourut. Bruce le racheta et agrandit sa boutique. Il réduisit la taille de son appartement et déplaça le snack au premier. Il abattit un mur et doubla la taille de la section jeunesse. Les samedis matin, Bay Books grouillait d'enfants achetant des livres et venant écouter des contes tandis que leurs jeunes mamans étaient à l'étage à boire des latte sous le regard attentionné de leur sympathique libraire. Sa section « livres rares » eut droit à tous ses égards. Au rez-de-chaussée, il abattit un autre mur et installa une salle des éditions originales, équipée de belles étagères en chêne, de lambris et de beaux tapis. Une chambre forte à la cave protégeait ses plus belles pièces.

Après avoir vécu dix ans dans son appartement, Bruce, le bernard-l'ermite, était prêt à changer de coquille. Il lorgnait quelques maisons victoriennes dans le centre historique de Santa Rosa. Il avait même fait des offres pour deux d'entre elles. Pour les deux, il avait proposé un prix trop bas et les maisons avaient été acquises par d'autres acheteurs. Ces demeures édifiées à la fin du XIXᵉ siècle par des magnats des chemins de fer, des armateurs, des médecins et des politiciens, étaient dans un état de conservation exceptionnel. Elles se dressaient le long de la rue, insensibles au temps, à l'ombre de chênes vénérables.

Quand Mme Marchbanks mourut à l'âge de cent trois ans, Bruce approcha sa fille de quatre-vingt-un ans qui vivait au Texas. Il paya bien trop cher pour la maison, mais il ne voulait pas rater une troisième occasion.

À cinq cents mètres au nord-est de la librairie, la maison des Marchbanks avait été édifiée par un médecin prospère, en cadeau pour sa jeune et nouvelle épouse. Depuis lors, elle était restée dans la famille. Ses proportions étaient gigantesques, plus de sept cents mètres carrés sur quatre niveaux, avec une grande tour au sud, une tourelle octogonale au nord et un large auvent qui ceignait tout le rez-de-chaussée. Elle avait une terrasse sur le toit, une collection de gables, des tuiles en queue de poisson, des baies vitrées à meneaux, dont la plupart étaient ornées de vitraux. Située à l'angle de la rue, isolée par une petite clôture blanche, elle se nichait au milieu des chênes et des mousses espagnoles.

Bruce trouvait l'intérieur déprimant, avec ses planchers sombres, ses murs encore plus sombres, ses tapis usés jusqu'à la corde, ses tentures fatiguées et poussiéreuses, sa pléthore de cheminées de briques brunes. Il hérita avec la maison d'une grande partie des meubles, qu'il s'empressa de revendre. Les tapis qui n'étaient pas trop élimés furent emportés à la librairie pour donner un petit cachet ancien à la boutique. Les vieilles tentures sans valeur furent jetées. Quand la maison fut intégralement vidée, il embaucha une équipe d'ouvriers qui passa deux mois à rafraîchir l'intérieur. Quand ils eurent tout repeint en blanc, il engagea un menuisier du coin qui mit deux mois encore à poncer le moindre centimètre carré de plancher.

Tout fonctionnait dans la maison : la plomberie, l'électricité, le chauffage, la climatisation. Bruce n'avait ni la patience ni le courage de se lancer dans une rénovation en profondeur – le genre de travaux qui laissaient d'ordinaire le nouvel acquéreur sur la paille. Il n'était pas très adroit avec un marteau et il avait mieux à faire. Durant l'année qui suivit, il continua à vivre au-dessus de la librairie, tout en réfléchissant à la façon dont il allait décorer et agencer la maison. Elle était vide, lumineuse, magnifique, et en faire un lieu de vie cosy paraissait une tâche insurmontable. La bâtisse était un modèle d'architecture victorienne et se prêtait mal au décor moderne et minimaliste qu'il affectionnait. Toutes ces pièces étaient bien trop chargées pour lui, avec leurs moulures et autres ornements.

Mais une grande maison ancienne, fidèle à ses origines à l'extérieur, devait pouvoir être moderne à l'intérieur. Ce n'était pas interdit, non ? Et en même temps, cela semblait un sacrilège. Finalement, il ne savait plus que faire pour la décoration. Un véritable casse-tête.

Il se rendait là-bas tous les jours, s'arrêtait dans chaque pièce, perplexe, en pleine confusion. C'était peut-être une folie d'avoir acheté une maison aussi vaste. Un défi trop grand pour lui. Ses goûts n'étaient pas assez sûrs, voilà la vérité.

6

Ce fut Noelle Bonnet qui vint le sauver – une antiquaire de La Nouvelle-Orléans faisant une tournée de
promotion pour son nouveau livre, un grand album
de photos à cinquante dollars pièce. Bruce avait parcouru le catalogue de son éditeur et était impressionné par la qualité des photos de la jeune femme.
Il avait fait ses recherches, comme d'habitude : elle
avait trente-sept ans, était divorcée sans enfant, native
de La Nouvelle-Orléans, quoique sa mère fût française, et considérée comme une spécialiste du mobilier provençal. Sa boutique se trouvait sur Royal
Street dans le centre historique et, à en croire sa biographie, elle passait la moitié de l'année dans le sud-
ouest de la France à chiner de belles pièces. Elle avait
déjà publié deux ouvrages sur le sujet et Bruce les
avait étudiés de long en large.

C'était une habitude chez lui, pour ne pas dire un
besoin. Sa librairie accueillait deux ou trois séances
de dédicaces par semaine, et lorsque l'auteur passait
ses portes, Bruce avait lu tout ce qu'il ou elle avait
publié. Il était un lecteur vorace. Même s'il préférait
les romans d'écrivains vivants – des gens qu'il aimait
rencontrer, dont il souhaitait faire la promotion, avec
qui se lier d'amitié ou plus si affinité –, il dévorait
avec la même appétence biographies, livres de cuisine, manuels de bien-être, récits historiques. Tout
ce qui lui tombait sous la main. Il admirait tous les

auteurs, et si l'un ou l'une prenait le temps de s'attarder dans sa boutique, de dîner avec lui, de partager un verre ou davantage, il voulait pouvoir parler de son travail.

Il lisait tard le soir, et souvent s'endormait avec un livre ouvert sur le ventre. Il lisait tôt le matin, avant l'ouverture, seul dans sa librairie avec un café noir, quand il n'avait pas de livres à déballer ou à retourner à l'éditeur. Il lisait aussi la journée et, à force, il avait pris l'habitude de se tenir au même endroit à côté de la vitrine, près du rayon des biographies, appuyé nonchalamment contre une statue grandeur nature d'un indien Timucua, avec une tasse de café à la main, un œil sur sa page, l'autre surveillant la porte d'entrée. Il accueillait les clients, trouvait les livres pour eux, bavardait avec les plus loquaces, de temps en temps donnait un coup de main au bar ou à la caisse quand il y avait du monde, mais revenait toujours à côté du chef indien reprendre sa lecture. Il annonçait lire quatre livres par semaine et personne n'en doutait. Si quelqu'un se présentait pour travailler à Bay Books, il lui fallait lire au moins deux livres par semaine. En dessous, c'était une fin de non-recevoir.

La séance de signatures de Noelle Bonnet fut un grand succès. Moins en termes financiers qu'en impact sur le devenir de Bruce et de sa librairie. L'attraction fut mutuelle, immédiate, intense. Après un dîner, rapidement écourté, ils montèrent chez lui pour une nuit d'amour mémorable. Elle se fit porter pâle pour annuler la suite de sa tournée et resta à Santa Rosa une semaine entière. Le troisième jour, Bruce l'emmena voir la maison des Marchbanks, comme on montre une prise de guerre. Noelle fut subjuguée. Pour une antiquaire/décoratrice de renommée internationale, ces sept cents mètres carrés de salles vides derrière les murs d'un tel monument victorien avaient de quoi couper le souffle. Alors qu'ils se glissaient de pièce en pièce, elle commença à entrevoir comment chacune devait être peinte, décorée, meublée. Des visions magnifiques.

Bruce avança quelques idées – une grande télé ici, un billard là – mais ces propositions reçurent un écho mitigé. Noelle, l'artiste, était déjà à l'œuvre, peignait déjà sa toile sans limite de cadre. La jeune femme passa toute la journée du lendemain seule dans la maison, prenant des mesures, des photographies, ou simplement restant assise à méditer au milieu de cette immense feuille blanche. Bruce retourna travailler à la librairie, sous le charme de la jeune femme et de son enthousiasme, mais inquiet aussi de voir se profiler un gouffre financier.

Elle le convainquit de laisser sa boutique le weekend et de l'accompagner à La Nouvelle-Orléans. Elle le fit pénétrer dans son antre des merveilles, un lieu raffiné mais très encombré, où chaque table, chaque lampe, chaque lit à baldaquin, commode, chaise, coffre, tapis, armoire, non seulement était un chef-d'œuvre de l'artisanat provençal mais attendait le même écrin : la maison des Marchbanks ! Ils se promenèrent dans le Vieux Carré français, dînèrent dans les bistrots préférés de Noelle avec ses amis, passèrent beaucoup de temps ensemble au lit, et trois jours après Bruce rentra chez lui, épuisé mais, pour la première fois de sa vie, amoureux. Réellement amoureux. Au diable l'avarice ! Il ne saurait vivre sans elle.

7

Une semaine plus tard, un gros camion arriva à Santa Rosa et se gara devant la maison. Le lendemain, Noelle débarquait pour diriger les déménageurs. Bruce faisait des allers et retours entre la boutique et la maison, regardait avec une excitation teintée d'angoisse tous ces gens s'activer. L'artiste était en pleine transe créatrice, virevoltait de pièce en pièce, faisant déplacer chaque meuble au moins trois fois, et s'aperçut rapidement qu'elle n'avait pas assez de matière. Un deuxième camion arriva peu après le départ du premier. Bruce retourna à la librairie en bougonnant. Noelle ramenait chez lui tout son stock de Royal Street ! Pendant le dîner, ce soir-là, elle confirma ses doutes, et le supplia de venir quelques jours avec elle en France pour une chasse aux trésors. Il refusa, prétextant que des auteurs importants allaient arriver et qu'il devait s'occuper du magasin. Cette nuit-là, ils dormirent dans la maison pour la première fois, dans un assemblage contourné de fer forgé en matière de lit, chiné en Avignon, là où elle avait un petit appartement. Chaque meuble, chaque objet, chaque tapis, vase, peinture, avait une histoire, et sa passion pour la Provence était contagieuse.

Tôt le lendemain matin, ils prirent leur café sous l'auvent derrière la maison et parlèrent de l'avenir qui, pour l'heure, ne s'annonçait pas sous les meilleurs auspices. La vie de Noelle était à La Nouvelle-Orléans et lui sur son île. Nul ne semblait prêt à une relation longue et durable impliquant un changement de vie drastique. C'était une ombre inquiétante au tableau. Ils passèrent rapidement à un autre sujet. Bruce reconnut qu'il n'était jamais allé en France. Oui, il pourrait prendre quelques jours de vacances et partir avec elle là-bas…

Peu de temps après le départ de Noelle, il reçut la première facture. Elle était accompagnée d'un mot, écrit à la main de la belle graphie de la jeune femme, où elle lui annonçait qu'elle abandonnait sa marge et lui cédait l'ensemble à prix coûtant. Dieu soit loué pour ses petits miracles ! Et maintenant, elle allait en France pour en acheter encore !

Elle rentra d'Avignon trois jours avant l'ouragan Katrina. Ni sa boutique dans le Vieux Carré, ni son appartement dans le Garden District ne furent touchés, mais la ville était mortellement blessée. Elle ferma ses portes à double tour et se réfugia à Camino où Bruce l'attendait pour lui offrir attention et réconfort. Pendant des jours, ils regardèrent l'horreur à la télévision – les rues inondées, les cadavres qui flottaient, les eaux souillées de pétrole, l'exode de la population paniquée, les secours débordés, les tergiversations des politiciens.

Noelle n'avait pas envie de rentrer là-bas. C'était trop douloureux.

Peu à peu, elle parla de déménager. La moitié de ses clients habitaient La Nouvelle-Orléans. Tant d'entre eux étaient partis qu'elle s'interrogeait sur la pérennité de son affaire. L'autre moitié se trouvait aux quatre coins du pays. Sa réputation d'antiquaire était solide et elle envoyait des pièces partout dans le monde. Son site Internet était florissant. Ses livres se vendaient bien, et nombre de ses lecteurs étaient des collectionneurs. Sous l'insistance discrète de Bruce, elle finit par se dire qu'elle pouvait délocaliser ses activités sur l'île, pas seulement pour reconstruire ce qui avait été détruit, mais y prospérer.

Six semaines après la catastrophe, Noelle loua un petit local sur Main Street, à quelques pas de Bay Books. Elle ferma sa boutique de Royal Street et déménagea tout dans son nouveau magasin sur Camino : Noelle's Provence. Quand une cargaison arriva de France, elle célébra l'ouverture de sa boutique avec champagne et caviar. Et Bruce l'aida à gérer la foule.

Elle avait une grande idée pour un nouveau livre : la transformation de la maison des Marchbanks à mesure qu'on la meublerait dans le style provençal. Elle avait photographié la bâtisse sous toutes les coutures quand elle était vide, et aujourd'hui elle avait de quoi montrer sa métamorphose. Bruce doutait que les royalties couvriraient les frais, mais quelle importance ! Ce que Noelle voulait…

À un moment, les factures cessèrent d'arriver. Timidement, il aborda le sujet. Elle lui annonça alors, avec un certain art de la dramaturgie, qu'il avait obtenu le rabais ultime : elle ! La maison était à lui, mais tout ce qu'il y avait à l'intérieur leur appartiendrait à tous les deux.

8

En avril 2006, ils passèrent deux semaines dans le sud de la France. Avec son appartement en Avignon pour camp de base, ils sillonnèrent les villages, les places et les marchés. Bruce goûta une cuisine qu'il n'avait connue qu'en photo, but des vins locaux, des nectars qu'on ne trouvait qu'ici. Ils descendirent dans des hôtels de cartes postales, cherchant les panoramas magnifiques, dînant avec des amis, et bien sûr, enrichissant le stock de la boutique de Noelle. Bruce, collectionneur dans l'âme, découvrit le monde des chineurs et sut rapidement repérer les bonnes affaires.

Ils étaient à Nice quand ils décidèrent de se marier. Là et tout de suite.

III

LA RECRUE

1

Par un beau jour d'avril à Chapel Hill, Mercer Mann traversait avec une certaine inquiétude le campus de l'université de Caroline du Nord. Elle avait accepté de déjeuner avec une inconnue, juste parce qu'elle lui proposait un emploi. Son travail actuel, professeur auxiliaire de littérature pour les premières années, se terminait dans deux semaines, suite aux réductions de budgets imposées par les pourfendeurs enragés des dépenses publiques. Elle avait bataillé ferme pour un nouveau contrat, en vain. Elle serait bientôt sans emploi, mais toujours endettée, sans logement et sans roman à paraître. Trente et un ans, seule comme une pierre, sa vie n'était pas celle qu'elle avait imaginée.

Le premier e-mail, le premier des deux que lui avait envoyés cette inconnue, une certaine Donna Watson, était arrivé la veille. Un courrier plutôt vague. Mme Watson se prétendait consultante, engagée par un lycée privé pour trouver un intervenant susceptible de diriger un atelier d'écriture en classe de terminale. Elle était dans le secteur et pouvait lui parler de cette offre autour d'un café. Le salaire tournait autour des soixante-quinze mille dollars l'année, ce qui était grassement payé, mais le chef d'établissement aimait la littérature et voulait embaucher quelqu'un ayant déjà un livre ou deux derrière lui.

Mercer en avait publié un, ainsi qu'une série de nouvelles. Le salaire était impressionnant, et bien supérieur à ce qu'elle gagnait aujourd'hui. On ne lui avait pas donné d'autres détails. Mercer accepta et posa quelques questions sur l'école, son nom, son emplacement.

Le deuxième e-mail était à peine moins vague que le premier. Mais il révélait néanmoins que le lycée en question se trouvait en Nouvelle-Angleterre. Le café était devenu un « déjeuner rapide ». Mercer pouvait-elle la retrouver au Spanky's, juste devant le campus sur Franklin Street, à midi ?

L'idée d'un déjeuner en ville était plus tentante que celle d'enseigner dans un lycée de fils à papa. Malgré le salaire élevé, ce poste était indubitablement un pas en arrière dans sa carrière. Elle était arrivée à Chapel Hill avec l'intention de se lancer dans l'enseignement tout en terminant son dernier roman (et c'était ce dernier point le plus important). Trois ans plus tard, elle n'avait plus de travail et le roman n'avait pas avancé d'une ligne.

Dès qu'elle poussa les portes du restaurant, une femme élégante d'une cinquantaine d'années lui fit signe.

— Je suis Donna Watson, annonça-t-elle en lui serrant la main. Ravie de faire votre connaissance.

Mercer s'assit en face d'elle et la remercia pour l'invitation. Un serveur vint leur apporter les menus.

Sans le moindre temps mort, Donna Watson devint quelqu'un d'autre :

— Tout d'abord, je dois vous dire que je suis ici incognito. Mon nom n'est pas Donna Watson mais Elaine Shelby. Je travaille pour un cabinet de Bethesda, dans les environs de Washington.

Mercer resta un instant de marbre, puis jeta un regard circulaire dans la salle, ne sachant trop comment réagir.

Elaine Shelby poursuivit :

— J'ai menti. Je vous présente mes excuses. Et vous promets à partir de maintenant de vous dire la vérité. En revanche, pour l'invitation à déjeuner, c'est vraiment moi qui paie l'addition.

— J'imagine que vous avez une bonne raison de mentir, répondit Mercer, sur la défensive.

— Absolument. Impérative, même. Et si vous voulez bien me pardonner cette approche cavalière et m'écouter, tout va s'éclairer.

Mercer haussa les épaules.

— J'ai faim. Je vous écoute jusqu'à ce que je sois rassasiée. Si cela me paraît encore louche à ce moment-là, je m'en vais.

Elaine lui retourna un sourire désarmant. Elle avait des yeux noisette et une peau hâlée. Peut-être était-elle d'origine méditerranéenne, l'Italie, la Grèce ? Mais son accent était du Midwest, américain pur jus. La coupe sophistiquée de ses cheveux gris et courts attirait les regards. Deux hommes à une table voisine n'avaient d'yeux que pour elle. C'était une belle femme, vêtue avec raffinement, loin des standards universitaires du quartier.

— En revanche, je n'ai pas menti pour la proposition d'emploi. C'est pour cette raison que je suis ici, pour vous convaincre d'accepter un travail, un travail encore mieux rémunéré que celui que je vous ai annoncé dans mon e-mail.

— Je suis censée faire quoi ?

— Écrire, terminer votre roman.

— Lequel ?

Le serveur revint à leur table. Les deux femmes commandèrent deux salades César avec de l'eau pétillante. L'employé récupéra les menus et disparut.

— Je vous écoute, annonça Mercer après un silence.

— C'est une longue histoire.

— Alors commençons par le nœud de l'intrigue : vous.

— D'accord. Je travaille pour une société experte en sécurité et investigations. C'est un cabinet important dont vous n'avez évidemment pas entendu parler. Nous ne faisons pas de pub, et n'avons pas de site Internet.

— C'est toujours aussi flou.

— Encore un peu de patience. Ça va se préciser. Il y a six mois, une bande de voleurs a dérobé la collection Fitzgerald à la bibliothèque Firestone de Princeton. Deux ont été attrapés et sont toujours en prison, attendant leur procès. Les autres se sont évanouis dans la nature. Et les manuscrits n'ont pas été retrouvés.

Mercer hocha la tête.

— On en a parlé dans la presse.

— Exact. Les manuscrits, les cinq, étaient couverts par notre client, une grande société d'assurance spécialisée dans l'art et les pièces de collection. Comme nous, je doute que vous ayez entendu parler d'eux.

— Je ne m'intéresse guère au monde des assurances.

— Je vous comprends ! Bref, on enquête depuis six mois, on collabore avec le FBI et leur unité spéciale, la Brigade de répression du vol des œuvres et objets d'art. La pression monte parce que dans six mois notre client sera contraint de faire à Princeton un chèque de vingt-cinq millions de dollars. Princeton ne tient pas réellement à recevoir cet argent. Ce sont les manuscrits qu'ils veulent, des pièces pour eux d'une valeur inestimable. On a quelques pistes, mais ça n'a rien donné jusqu'à présent. Par chance, il n'y a pas trop de joueurs dans le milieu des livres volés. Et on pense peut-être tenir notre homme.

Le serveur revint leur apporter une bouteille de San Pellegrino et deux verres avec de la glace et une rondelle de citron.

Quand il repartit, Elaine poursuivit.

— Et lui, peut-être, vous en avez entendu parler…

— Cela m'étonnerait beaucoup, lâcha-t-elle dans un grognement.

— Vous connaissez bien l'île de Camino. Enfant, vous y passiez tous vos étés avec votre grand-mère, dans son bungalow sur la plage.

— Comment vous savez ça ?

— Vous l'avez évoqué dans vos textes.

Mercer lâcha un soupir et prit la bouteille d'eau. Elle remplit leurs deux verres, les pensées se bousculant dans sa tête.

— Vous avez lu tout ce que j'ai écrit ?

— Non. Juste ce qui a été publié. Cela fait partie du boulot de préparation, et c'était fort agréable de vous lire, soit dit en passant.

— Merci. Mais il n'y aura pas d'autres textes. L'écriture, c'est fini pour moi.

— Allons, vous êtes jeune, pleine de talent. Cela ne fait que commencer pour vous.

— Comme ça, vous vous êtes documentés sur moi ? Voyons jusqu'à quel point…

— Avec plaisir. Votre premier roman, *Pluie d'octobre*, a été publié par Newcombe Press en 2008 quand vous aviez vingt-quatre ans. Cela s'est honorablement vendu : huit mille exemplaires en première édition, le double en poche, quelques copies en version numérique. Cela n'a pas été un best-seller, bien sûr, mais les critiques l'ont aimé.

— Le baiser de la mort !

— Le livre a été nommé au National Book Award et a été finaliste au PEN/Faulkner.

— Et n'a gagné ni l'un ni l'autre.

— Mais peu de premiers romans sont aussi remarqués, et encore moins quand l'auteur est aussi jeune. Le *Times* l'a placé dans sa liste des dix meilleurs livres de l'année. Ensuite, vous avez sorti un recueil de nouvelles, *La Musique des vagues,* que la critique a également encensé, mais comme vous le savez, il n'y a pas de public pour les nouvelles.

— Oui, j'ai vu.

— Après ça, vous avez changé d'agent et d'éditeur. Et le monde attend toujours le prochain roman. Pendant ce temps, vous avez publié trois autres nouvelles dans des revues littéraires, dont une raconte vos aventures quand vous gardiez les œufs de tortue sur la plage avec votre grand-mère Tessa.

— Vous avez aussi enquêté sur Tessa ?

— Mercer, nous savons tout sur vous, et nos sources sont accessibles à n'importe qui. Oui, on a fait pas mal de recherches, mais nous n'avons pas fouillé dans votre vie personnelle, rien au-delà de ce qui a été rendu public. Certes aujourd'hui, avec Internet, la sphère privée est une bulle très perméable.

Les salades arrivèrent. Mercer prit ses couverts. Elle mangea quelques morceaux pendant qu'Elaine sirotait sa San Pellegrino en l'observant.

— Vous ne mangez pas ? demanda finalement Mercer.

— Si, si, bien sûr.

— Alors, qu'est-ce que vous savez sur Tessa ?

— C'est votre grand-mère maternelle. Elle et son mari ont construit ce bungalow sur Camino en 1980. Ils étaient originaires de Memphis ; c'est là que vous êtes née. Et ils passaient leurs vacances sur l'île. Votre grand-père est décédé en 1985, et Tessa a quitté Memphis pour s'installer de façon permanente à Camino. Quand vous étiez enfant, jusqu'à votre adolescence, vous passiez de longs étés avec elle là-bas. Encore, une fois, c'est dans vos livres.

— C'est vrai.

— Tessa a péri en mer en 2005. Son corps a été rejeté sur la plage deux jours après la tempête. On n'a retrouvé ni son compagnon, ni son bateau. C'était dans tous les journaux locaux, en particulier le *Times-Union* de Jacksonville. D'après les registres publics, Tessa a laissé tous ses biens, y compris le bungalow, à ses trois enfants, dont votre mère. Et il appartient toujours à votre famille.

— C'est vrai. J'en possède la moitié d'un tiers. Je n'y suis pas retournée depuis sa mort. J'aurais voulu le vendre, mais ma famille n'est pas fichue de s'entendre sur quoi que ce soit.

— Quelqu'un l'utilise ?

— Oh oui ! Ma tante. Tous les hivers.

— Jane.

— Elle-même ! Et ma sœur y va l'été... Juste par curiosité, qu'est-ce que vous savez sur ma sœur ?

— Connie habite Nashville avec son mari et leurs deux filles. Elle a quarante ans et gère l'entreprise familiale. Son mari a une petite chaîne de magasins qui vend des yaourts glacés et son affaire est prospère. Connie a une licence de psychologie de l'université méthodiste du Sud. C'est là-bas qu'elle a rencontré son mari.

— Et mon père ?

— Herbert Mann a autrefois été le plus gros concessionnaire Ford de Memphis. Il y avait alors de l'argent, de quoi payer les études de Connie dans son université privée, et pas de dettes. Mais les choses ont mal tourné. Herbert a perdu sa concession et, depuis dix ans, il travaille à mi-temps comme chasseur de têtes pour les Orioles de Baltimore. Il habite aujourd'hui au Texas.

Mercer posa son couteau et sa fourchette de part et d'autre de son assiette et poussa un long soupir.

— Je suis désolée, mais c'est vraiment dérangeant. J'ai l'impression qu'on m'a espionnée. Qu'est-ce que vous voulez au juste ?

— Mercer, tous ces renseignements, c'est juste du travail d'enquête classique. On n'a rien vu qui ne soit interdit.

— Ça donne quand même des frissons. Des espions professionnels ont fouillé dans mon passé. Et pour mon présent ? Qu'est-ce que vous savez de ma situation actuelle ?

— Votre contrat est terminé et ne sera pas renouvelé.

— Je cherche donc un job ?

— Je suppose.

— Ce n'est pas encore public. Comment savez-vous qui est embauché ou viré à l'université de Caroline du Nord ?

— On a nos sources.

Mercer fronça les sourcils et écarta sa César de quelques centimètres comme si elle avait fini de manger. Elle croisa les bras sur sa poitrine et regarda fixement Elaine Shelby.

— Je n'aime pas ça. C'est comme… comme un viol.

— Je vous en prie Mercer, écoutez-moi jusqu'au bout. Il faut que vous ayez le maximum d'informations.

— Pour quoi faire ?

— Pour pouvoir accomplir le travail que je vous propose. Si vous refusez, on s'en ira et on jettera votre dossier aux oubliettes. Nous ne divulguerons jamais rien sur vous.

— C'est quoi, ce boulot ?

Elaine piqua une feuille de salade et mâcha un long moment. Elle avala une gorgée d'eau et reprit :

— Revenons aux manuscrits Fitzgerald. Nous pensons qu'ils sont cachés à Camino.

— Et où ça exactement ?

— Tout ce que je vais vous dire à partir de maintenant est strictement confidentiel. Les enjeux sont énormes et un mot lâché ici ou là pourrait causer des dégâts irrémédiables. Le danger n'est pas seulement pour notre client ou pour Princeton, mais pour les manuscrits eux-mêmes.

— À qui voulez-vous que j'en parle ?

— S'il vous plaît, promettez-moi de ne rien dire à personne.

— Il n'y a pas de confidentialité sans confiance. Pour l'instant, vous et votre cabinet m'inspirez plutôt de la méfiance.

— C'est compréhensible. Mais, je vous en prie, laissez-moi tout vous raconter.

— D'accord. Allez-y. Mais je n'ai plus faim. Vous avez intérêt à entrer dans le vif du sujet.

— Très bien. Vous connaissez sans doute cette librairie à Santa Rosa, Bay Books – Livres rares et anciens. Elle appartient à un dénommé Bruce Cable.

Mercer haussa les épaules.

— J'y suis allée quelques fois avec Tessa quand j'étais gamine. Je vous le répète, je ne suis pas retournée à Camino depuis sa mort ; cela remonte à onze ans.

— C'est une librairie très en vogue. L'une des meilleures indépendantes du pays. Cable est bien connu dans le métier et il sait comment s'y prendre. Il a beaucoup de relations et parvient à convaincre des tas d'auteurs de venir faire des dédicaces chez lui.

— J'étais censée m'y rendre pour *Pluie d'octobre*, mais c'est une autre histoire.

— Il se trouve que Cable est aussi un collectionneur d'éditions originales d'auteurs du XXe siècle. C'est un acteur majeur en ce domaine et on pense qu'une bonne part de son argent provient de cette activité. On sait aussi qu'il verse dans les livres volés ; et ils ne sont pas nombreux dans cette niche. Il y a deux mois, il est entré dans notre collimateur suite à des indices fournis par une source proche d'un autre collectionneur de livres rares. Il est probable que Cable a acquis les manuscrits de Fitzgerald, payés en liquide à un intermédiaire qui était pressé de s'en débarrasser.

— Je n'ai vraiment plus faim du tout !

— On ne parvient pas à s'approcher de ce gars. On a envoyé des gens dans sa boutique le mois dernier, pour observer, fureter, prendre des photos et des vidéos, mais cela n'a rien donné. Il y a une grande pièce très cosy au rez-de-chaussée où il garde des livres de valeur, en particulier des ouvrages d'écrivains américains du XXe siècle, et il est prêt à montrer sa collection à des acheteurs sérieux. On a même essayé de lui vendre un livre rare, un exemplaire du premier roman de Faulkner, *Monnaie de singe*, signé et annoté par l'auteur. Il n'existe que quelques exemplaires de cette édition dans le monde – Cable le savait évidemment. On en recense trois dans une bibliothèque du Missouri, un chez un spécialiste de Faulkner, et un autre encore qui est toujours en possession des ayants droit. Au prix du marché, cette pièce valait quarante mille dollars et on a suggéré de la lui céder pour vingt-cinq. Au début, il a semblé intéressé, puis il a commencé à poser plein de questions sur sa provenance. De très bonnes questions. Finalement, il s'est refroidi et a dit non. Depuis, il est devenu très prudent et, en soi, c'est une réaction plus que suspecte. Bref, on n'a pas réussi à entrer dans son monde. Il nous faut quelqu'un dans les murs.

— Et ce quelqu'un ce serait moi ?

— Oui, vous. Les écrivains prennent souvent des congés sabbatiques, s'isolent pour écrire. C'est la couverture idéale. Vous avez quasiment grandi sur cette île. Vous avez des parts dans le bungalow, une réputation dans le petit monde littéraire. Votre couverture est totalement plausible. Vous revenez simplement passer six mois à Camino pour finir le roman que tout le monde attend.

— Ils sont au mieux trois, ceux qui l'attendent !

— On vous paiera cent mille dollars pour ces six mois.

Mercer resta un moment sans voix. Elle secoua la tête, repoussa davantage son assiette, but une gorgée d'eau.

— Désolée, mais je ne suis pas une espionne.

— On ne vous demande pas d'espionner. Juste d'observer. Ce sera parfaitement crédible et naturel. Cable adore les écrivains. Il leur offre à boire, les emmène au restaurant, les aide. Beaucoup d'auteurs en tournée séjournent dans sa maison, qui vaut le détour soit dit en passant. Lui et sa femme aiment organiser de grands dîners avec des amis et des écrivains.

— Et je suis censée entrer dans la danse, gagner sa confiance, et à un moment lui demander s'il a les manuscrits ?

Elaine esquissa un sourire et laissa passer la pique.

— On a la pression, c'est vrai. Je ne sais pas ce que vous apprendrez, mais au point où nous en sommes, tout est bon à prendre. Il y a de fortes chances que Cable et sa femme vous devancent et vous contactent. Ils voudront se lier d'amitié. Tranquillement, vous accéderez à leur cercle d'amis. Cable boit beaucoup aussi. Il peut toujours lâcher quelque chose sans le faire exprès. Ou une de leurs connaissances vous parlera de la chambre forte au sous-sol du magasin.

— Une chambre forte ?

— C'est juste une rumeur. Mais on ne peut débarquer comme ça et lui poser des questions.

— Comment savez-vous qu'il boit trop ?

— Beaucoup d'auteurs vont là-bas et, comme le veut la tradition, ce sont tous de vraies commères. L'info s'est propagée. L'édition est un tout petit monde.

Mercer leva les deux mains, paumes en avant, et recula sa chaise.

— Je suis désolée. Ce n'est pas pour moi. J'ai des défauts, mais je n'ai pas cette fourberie. Je ne sais pas mentir. Je n'arriverais jamais à jouer cette comédie. Vous vous êtes trompés de personne.

— Je vous en prie.

La jeune femme se redressa.

— Merci pour le déjeuner.

— Mercer, je vous en prie, restez.

Mais elle était partie.

2

Pendant le déjeuner, le soleil avait disparu et le vent s'était levé. Une averse de printemps se préparait et Mercer, qui n'avait jamais de parapluie, pressait le pas pour rentrer chez elle. Elle habitait à près d'un kilomètre, dans le vieux quartier de Chapel Hill, près du campus, dans une petite maison qu'elle louait au bout d'une allée gravillonnée derrière une belle demeure. Son propriétaire, qui vivait dans la grande maison, louait uniquement aux étudiants et aux professeurs auxiliaires sans le sou.

Dans un timing parfait, les premières gouttes se mirent à tomber alors qu'elle gravissait les marches de chez elle. Par réflexe, elle jeta un regard circulaire pour s'assurer que personne ne l'espionnait. Qui étaient ces gens ? Oublie tout ça, se dit-elle. Une fois à l'intérieur, elle ôta ses chaussures, se fit du thé, et resta assise sur son canapé un long moment, prenant de grandes inspirations. Tandis que la pluie tintait sur son toit de zinc, elle rejouait la conversation dans sa tête.

La stupeur d'avoir été ainsi épiée commençait à s'effacer. Elaine avait raison : rien n'est jamais privé de nos jours avec Internet, les réseaux sociaux, les hackers, et toute cette politique de la transparence des administrations. Leur plan était ingénieux, elle le reconnaissait. Elle était la recrue parfaite : un écrivain ayant un véritable lien affectif avec cette île. Propriétaire pour un sixième du bungalow. Traînant un roman inachevé comme un boulet. Une âme solitaire n'ayant pas beaucoup d'amis. Jamais Bruce Cable n'aurait de doutes.

Elle se souvenait très bien de lui, un type séduisant, avec des costumes élégants, des nœuds papillons, pas de chaussettes, et de longs cheveux. Et un bronzage permanent. Elle le revoyait à côté de la porte d'entrée, toujours un livre entre les mains, buvant un café tout en surveillant sa boutique. Tessa ne l'aimait pas – Mercer ignorait pourquoi – et allait rarement dans sa librairie. Elle n'achetait guère de livres de toute façon. Pour quoi faire, quand on pouvait les emprunter à la bibliothèque ?

Tournées et dédicaces à Bay Books... quel dommage que Mercer n'ait pas de nouveau livre à faire connaître !

Quand *Pluie d'octobre* était sorti en 2008, Newcombe Press n'avait pas d'argent pour la publicité et la promotion du livre. La maison d'édition avait déposé le bilan trois ans plus tard. Mais après la critique dans le *Times*, quelques libraires appelèrent pour connaître le programme de sa tournée. Newcombe Press en bricola une à la va-vite, et la neuvième ville du voyage de promo devait être Santa

Rosa. Mais la promotion fut une catastrophe quasiment dès le début ; lors de sa première séance de signatures à Washington, onze personnes se présentèrent et seules cinq achetèrent le livre. Et c'était son plus large public ! Lors de la deuxième dédicace, à Philadelphie, il n'y avait que quatre fans. Mercer avait passé la dernière heure à bavarder avec les employés. Sa troisième séance de signature était organisée dans une grande librairie de Hartford. Elle alla boire deux martinis dans le bar en face en attendant que la foule arrive. Fol espoir ! Finalement, elle traversa la rue, entra dans la boutique avec dix minutes de retard, et découvrit que les seules personnes qui attendaient devant sa table étaient des employés. Aucun fan ne s'était déplacé. Pas un seul.

Quelle humiliation ! Plus question de s'imposer ça à nouveau : se retrouver esseulée à une table, flanquée d'une pile de livres en essayant d'éviter les regards des clients gênés qui passaient au large. Elle connaissait d'autres écrivains, quelques-uns, qui avaient vécu ce cauchemar : être accueilli par des vendeurs et des bénévoles tout sourires qui se demandaient combien d'entre eux étaient de vrais clients. Voir ces malheureux jeter des regards inquiets à la recherche de fans potentiels, puis s'éclipser en comprenant que leur invité avait accouché d'une souris. D'une souris rachitique.

Elle avait jeté l'éponge. Elle n'avait guère envie de retourner à Camino de toute façon. Elle avait beaucoup de souvenirs heureux là-bas, mais tout avait été assombri par la mort de sa grand-mère.

3

Des bruits de pas la réveillèrent à 15 heures. Précis comme une horloge, le facteur traversait son perron bringuebalant pour glisser son courrier dans la petite boîte à lettres à côté de sa porte. Elle attendit que le préposé soit parti pour aller chercher son courrier de la journée, sempiternelle collection de publicités et de factures. Elle posa les pubs sur la table basse et ouvrit la lettre de l'université de Caroline du Nord. Elle était signée du chef du département littéraire ; malgré les tournures de phrase plaisantes, on l'informait officiellement qu'elle n'avait plus d'emploi. Elle avait été une collaboratrice « d'une valeur inestimable », un « professeur émérite », « appréciée de tous ses collègues », « adorée de ses étudiants », etc. « Tout le département » voulait qu'elle reste et jugeait que sa présence avait été un grand atout pour l'équipe pédagogique ; malheureusement, le budget était trop serré pour la garder. Il lui souhaitait le meilleur pour la suite et précisait que sa porte serait toujours ouverte si d'aventure « le financement de l'université revenait à un niveau décent ».

La lettre, dans ses grandes lignes, était sincère. Le directeur du département avait été son allié, parfois son mentor, et Mercer était parvenue à survivre dans le champ de mines du microcosme universitaire, en sachant se taire, faire profil bas, et éviter autant que possible ses collègues titulaires.

Mais elle était avant tout un écrivain, pas une enseignante. Il était temps d'aller de l'avant. Vers où ? c'était encore assez flou. Mais, après trois ans de cours, elle brûlait de reprendre sa liberté, de connaître l'ivresse de n'avoir aucune obligation quotidienne sinon celle d'écrire des histoires.

La deuxième enveloppe renfermait son relevé de compte en banque. Pas de découvert. Un combat de chaque jour : frugalité et réduction drastique de toutes les dépenses. Elle évitait ainsi les intérêts faramineux que prélevait la banque sur les débiteurs. Son salaire était tout juste suffisant pour vivre, quand il fallait payer le loyer, l'assurance de la voiture, le garagiste, et une assurance santé hors de prix – qu'elle était tentée de résilier tous les mois quand elle faisait le chèque. Elle aurait pu s'en sortir financièrement, et espérer pouvoir mettre un peu d'argent de côté pour s'acheter quelques vêtements, s'offrir quelques sorties, s'il n'y avait eu la troisième enveloppe…

C'était une missive de la National Student Loan Corporation, une société de crédit qui la harcelait depuis huit ans. Son père était parvenu à payer sa première année d'étude à Sewanee, dans le Tenessee, mais la soudaine faillite paternelle et sa dépression l'avaient mise au pied du mur. Elle avait réussi à financer le reste de ses études avec des prêts étudiants, pléthore de petits boulots, et le maigre héritage de sa grand-mère. L'avance pour *Pluie d'octobre* et *La Musique des vagues* avait servi à payer les intérêts des prêts mais elle devait toujours le capital.

Entre chaque emploi, elle restructurait son crédit, et sa situation empirait. Elle devait cumuler deux ou trois boulots pour se maintenir à flot. La vérité était criante, même si elle ne l'avait dit à personne : elle ne pouvait écrire en croulant sous les dettes. Le matin, la page blanche n'était pas la promesse du nouveau chapitre d'un grand roman, mais l'obligation de produire quelque chose pour rassurer ses créanciers.

Quand elle avait annoncé à un ami avocat qu'elle songeait à se déclarer en faillite personnelle, elle avait appris que, suite au lobbying des banques auprès du Congrès, les prêts étudiants entraient désormais dans une catégorie spéciale et que leur remboursement ne pouvait être exempté. Elle se souvenait encore des paroles de son ami : « C'est dingue ! Même les joueurs de casino peuvent se déclarer en faillite et faire effacer leur ardoise ! »

Ces gens qui l'avaient espionnée, connaissaient-ils sa situation financière ? Cela relevait du domaine privé non ? Mais elle était certaine que ces personnes pouvaient tout savoir – ou presque tout. C'était des pros du renseignement. Les histoires horribles ne manquaient pas. Même les informations dans les dossiers médicaux pouvaient fuiter et tomber entre de mauvaises mains. Les sociétés de cartes de crédit n'hésitaient pas à vendre les données de leurs clients. Qu'est-ce qui était réellement secret et inaccessible aujourd'hui ? Pas grand-chose.

Elle ramassa la pile de publicités pour la jeter à la poubelle, rangea le courrier de l'université, et plaça les deux factures dans un panier à côté du grille-pain. Elle se prépara une autre tasse de thé et s'apprêtait à se plonger dans un roman quand le téléphone sonna.

C'était encore Elaine.

4

— Je vous présente toutes mes excuses pour ce déjeuner, commença-t-elle. Ce n'était en rien un traquenard. Mais je ne voyais pas d'autre façon pour vous parler. Je ne pouvais pas vous sauter dessus sur le campus et vous déballer tout ça.

Mercer ferma les yeux et s'appuya contre le comptoir de la cuisine.

— C'est bon. C'est pas grave. J'ai juste été prise de court.

— Je comprends. Pardon. Mille fois pardon. Mercer, je suis en ville jusqu'à demain. Après je rentre à Washington. J'aimerais vraiment terminer notre conversation. On pourrait dîner ensemble.

— Non merci. Je ne suis pas la bonne personne pour ce job.

— Vous êtes au contraire celle qu'il nous faut, et pour tout vous dire, vous êtes la seule. Laissez-moi tout vous expliquer, je vous en prie. Je n'ai pas eu le temps de finir. Et comme je vous l'ai dit, nous sommes dans une situation très délicate. Nous tentons de sauver les manuscrits avant qu'ils ne soient endommagés ou, pire encore, qu'ils ne soient vendus à des collectionneurs étrangers. Alors ils seront perdus pour de bon. Je vous en conjure, laissez-moi encore une chance.

Mercer ne pouvait nier que cet argent était tentant. Très tentant. Sa volonté vacilla un instant.

— Et c'est quoi, le reste de l'histoire ?

— Il va me falloir un peu de temps. J'ai une voiture et un chauffeur. Je passe vous prendre à 19 heures. Je ne connais pas la ville mais on m'a dit que The Lantern était très bien. Vous y êtes déjà allée ?

Mercer connaissait l'endroit, qui n'était pas dans ses moyens.

— Vous savez où j'habite ? demanda-t-elle, en rougissant aussitôt de sa naïveté.

— Bien sûr. On se retrouve à 19 heures.

5

Évidemment, la voiture, une grosse berline noire, dénotait dans ce quartier. Elle l'attendait dans l'allée. Mercer s'installa rapidement à l'arrière, à côté d'Elaine. Quand la voiture démarra, la jeune femme se tassa sur son siège, craignant qu'il y ait des témoins. De quoi avait-elle peur ? Son bail prenait fin dans trois semaines et elle serait définitivement partie. La première étape de son plan de sortie de crise était un séjour dans le petit appartement aménagé au-dessus d'un garage qu'une de ses amies louait à Charleston. Après ça, le flou total.

Elaine avait changé de tenue. À présent, c'était jean, blazer bleu et escarpins haut de gamme. Elle lui lança un sourire.

— L'un de mes collègues a fait ses études ici, et est toujours un grand supporter de l'équipe de basket. Il est hystérique pendant le championnat universitaire.

— Oui, ils sont assez fanatiques ici, mais ce n'est ni ma fac, ni chez moi.

— Vous vous êtes plu ici ?

Ils étaient sur Franklin Street et traversaient lentement le centre historique, longeant de jolies maisons aux pelouses soignées, puis gagnèrent le quartier des Phi Beta Kappa et autres associations étudiantes où les plus grandes demeures avaient été converties en pensions et foyers universitaires. Il avait cessé de pleuvoir. Les terrasses et les perrons grouillaient de jeunes buvant de la bière en écoutant de la musique.

— Ça allait, répliqua Mercer sans une once de nostalgie. Mais je ne suis pas faite pour le monde universitaire. Plus j'enseigne, plus j'ai envie d'écrire.

— Vous avez dit, dans le journal du campus, que vous comptiez terminer votre roman à Chapel Hill. Vous avez avancé ?

— Comment savez-vous ça ? Cette interview date de trois ans.

Elaine sourit et regarda la rue au-dehors.

— On a tout épluché.

Elle paraissait calme et détendue, parlait d'une voix grave et posée, pleine d'assurance. Elle et son mystérieux cabinet avaient toutes les cartes en main. Combien de missions clandestines Elaine avait-elle déjà menées durant sa carrière ? Sans doute avait-elle eu des cas plus compliqués et dangereux que d'espionner un libraire d'une petite île de Floride.

The Lantern se situait sur Franklin, à quelques encablures du quartier étudiant. Le chauffeur les amena devant les portes. À leur arrivée, la salle, tout en lumières tamisées, était quasiment déserte. Leur table se trouvait près d'une fenêtre donnant sur la rue. Au cours de ces trois années ici, Mercer avait lu des critiques dithyrambiques sur ce restaurant. L'établissement accumulait les récompenses. Elle avait étudié le menu sur Internet et était de nouveau affamée. Une serveuse les accueillit avec chaleur et leur servit un grand verre d'eau du robinet.

— Vous désirez un apéritif ?

Elaine se tourna vers Mercer qui répondit aussitôt :

— Je vais prendre un martini, bien tassé.

— Moi, un manhattan.

Quand la serveuse fut repartie, Mercer demanda :

— Je suppose que vous voyagez énormément.

— Oui, bien trop. J'ai deux enfants à l'université. Mon mari travaille au ministère de l'Énergie. Il est dans un avion cinq jours par semaine. J'en ai assez de vivre dans une maison vide.

— C'est donc ça, votre job ? Retrouver des objets volés ?

— On a plusieurs domaines d'activité ; mais oui, c'est le gros de mes missions. J'ai étudié l'art toute ma vie, et j'ai découvert par hasard ce boulot. La plupart de nos dossiers ont trait à des peintures volées ou copiées. De temps en temps, il s'agit de sculptures, mais c'est rare ; elles sont plus difficilement transportables. Aujourd'hui, il y a une recrudescence des vols de livres, de manuscrits, de cartes anciennes. Mais la collection Fitzgerald, c'est du jamais vu ! Tout le monde est sur le pont, ça tombe sous le sens.

— J'ai beaucoup de questions à vous poser.

Elaine haussa les épaules.

— Et moi, j'ai beaucoup de temps.

— Je vous les pose dans le désordre, comme elles me viennent. Pourquoi le FBI ne s'occupe pas de ce problème ? C'est plus dans leurs cordes.

— Oui, ce sont eux qui ont la main. Leur brigade spécialisée dans les vols d'œuvres d'art fait un travail superbe. Ils ont résolu quasiment toute l'affaire en moins de vingt-quatre heures. L'un des voleurs, un certain Steengarden, a laissé une goutte de sang sur la scène du crime, juste devant la chambre forte. Les fédéraux l'ont attrapé, lui et son partenaire, un certain Mark Driscoll. Ils sont toujours sous les verrous. Leurs complices ont dû avoir peur et se sont évanouis dans la nature, avec les manuscrits. À vrai dire, on trouve que le FBI a agi trop vite. S'ils s'étaient contentés de mettre les deux gars sous surveillance intensive pendant quelques semaines, ils auraient peut-être pu coincer toute la bande. Avec le recul, cela nous paraît même plus que probable.

— Le FBI sait que vous tentez de me recruter ?

— Non.

— Est-ce qu'ils suspectent eux aussi Bruce Cable ?

— Non. Du moins pas à ma connaissance.

— Ils enquêtent donc en parallèle ? Vous d'un côté et eux du leur ?

— On peut dire ça comme ça, puisque nous ne leur communiquons pas toutes nos informations. Oui, on œuvre en parallèle.

— Pourquoi ne pas collaborer ?

Leurs verres arrivèrent. La serveuse leur demanda si elles avaient des questions sur les menus. Aucune des deux femmes n'avait encore ouvert la carte. Elles la prièrent poliment de revenir plus tard. La salle se remplissait vite. Mercer jeta un coup d'œil autour d'elle pour voir si elle reconnaissait quelqu'un. Non, personne.

Elaine but une gorgée, sourit et reposa son verre, réfléchissant à la question de Mercer.

— Si on suspecte qu'un individu détient un objet volé, nous avons de multiples façons de le démontrer. On a à notre disposition ce qui se fait de mieux en matière de technologie, des gadgets dernier cri, et des pointures dans tous les domaines. Certains de nos techniciens sont d'anciens agents de renseignement. Si nous avons la preuve de la présence quelque part d'un objet volé, soit nous prévenons le FBI, soit nous intervenons nous-mêmes. Tout dépend des cas, il n'y en a jamais deux identiques.

— Vous intervenez ?

— Oui. Il faut garder à l'esprit qu'on a affaire à un voleur qui détient quelque chose de très précieux, quelque chose que notre client a assuré une fortune. Cet objet n'appartient pas à l'escroc et il espère s'en débarrasser contre une coquette somme. Chaque fois, c'est assez tendu. Le temps joue contre nous et pourtant nous devons nous montrer patients.

Elle but une autre gorgée. Elle choisissait ses mots avec soin.

— La police et le FBI, reprit-elle, ont des critères à respecter pour obtenir un mandat de perquisition.

Nous, nous ne sommes pas soumis à ce cadre juridique.

— Donc vous entrez par effraction ?

— Jamais par effraction. Mais nous entrons, oui, le plus souvent à fin de vérification. Il y a peu d'endroits que nous ne pouvons visiter discrètement. Quand il s'agit de cacher leur butin, les voleurs ne sont pas si futés que ça.

— Vous mettez les téléphones sur écoute, vous piratez les ordis ?

— Parfois, oui, on a les oreilles et les yeux qui traînent.

— Donc, vous êtes dans l'illégalité.

— On appelle ça opérer en zone grise. On espionne, on visite, on récolte des preuves, et le plus souvent on avertit le FBI. Après, ils reprennent les choses en main, avec mandat et tout le tralala. Et l'œuvre d'art est restituée à son propriétaire. Le voleur va en prison, et les lauriers au FBI. Tout le monde est content, à l'exception peut-être du voleur. Mais c'est le cadet de nos soucis.

Après une troisième lampée, le martini commençait à opérer sa magie et Mercer se détendit.

— Si vous êtes si bons, pourquoi n'entrez-vous pas dans la chambre forte de Cable pour farfouiller ?

— Cable n'est pas un voleur. Et il est beaucoup plus rusé que la moyenne. Il est très prudent, ce qui ne fait qu'accroître nos soupçons. Au moindre faux pas, les manuscrits pourraient disparaître à nouveau.

— Mais vous surveillez le moindre de ses mouvements, non ? Vous ne pouvez pas le coincer ?

— Je n'ai jamais dit qu'on le surveillait à ce point. C'est ce qu'on compte faire, certes, mais d'abord, il nous faut des informations.

— Personne chez vous n'a été poursuivi en justice ?

— Jamais. Je vous le répète, on est en zone grise, et une fois le bien récupéré, qui irait nous chercher des poux ?

— Le voleur peut-être ? Je ne suis pas avocat. Mais il pourrait dire que la méthode était illégale ?

— Vous avez raté votre vocation !

— Tout mais pas ça !

— Et pour vous répondre, non, le voleur et son avocat ignorent notre rôle. Ils ignorent jusqu'à notre existence ; nous ne laissons pas de trace.

Il y eut un long silence. Les deux femmes savourèrent leurs cocktails et étudièrent la carte. La serveuse vint aux nouvelles. Elaine l'informa qu'elles allaient encore prendre leur temps.

— De toute évidence, reprit Mercer, ce travail que vous me proposez sera dans cette zone grise, qui est une façon pudique de dire qu'il sera illégal.

Au moins, elle acceptait d'y réfléchir, songea Elaine. Après le départ précipité de la jeune femme lors du déjeuner, Elaine était convaincue d'avoir raté son coup. Il s'agissait cette fois de ne pas laisser filer le poisson.

— En aucune manière, lui déclara-t-elle. Je ne vois pas ce qui pourrait être illégal.

— À vous de me le dire. Je suis sûre qu'il y a plein de gens à vous là-bas sur place. Et ils ne vont pas plier bagage à mon arrivée. Ils vont me surveiller comme Cable, d'aussi près. On sera tous dans le même bateau, une sorte d'équipe de terrain, et je ne saurai pas ce que ces collègues invisibles vont faire de leur côté.

— Ne vous souciez pas d'eux. Ce sont des professionnels aguerris qui ne se sont jamais fait prendre. Mercer, vous avez ma parole : on ne vous demandera jamais de faire quoi que ce soit de répréhensible. Je vous le promets.

— On ne se connaît pas assez pour se faire des promesses. Je ne sais rien de vous.

Mercer vida son martini.

— J'en veux un autre.

L'alcool était toujours essentiel dans ce genre de rencontre ; Elaine vida donc son verre et appela la serveuse. Quand la deuxième tournée fut servie, elles commandèrent un porc à la vietnamienne et des rouleaux de printemps au crabe.

— Parlez-moi de Noelle Bonnet, demanda Mercer pour détendre l'atmosphère. Je suis certaine que, pour elle aussi, vous avez fait vos petites recherches.

Elaine sourit.

— J'imagine que vous êtes allée sur Internet vous renseigner sur elle cet après-midi…

— Exact.

— Vous savez donc qu'elle a publié quatre livres de décoration intérieure, tous sur le style provençal. Ça en dit long sur elle. Elle voyage beaucoup, donne des conférences et écrit. Elle passe la moitié de l'année en France. Elle et Cable sont ensemble depuis dix ans et semblent heureux. Pas d'enfants. Elle a connu un divorce, lui aucun. Il ne va pas souvent en

France. Il n'aime pas quitter sa librairie. La boutique de Noelle est aujourd'hui juste à côté de Bay Books. Il est propriétaire de l'immeuble. Et il a chassé, voilà trois ans, la mercerie pour qu'elle puisse s'installer. Il ne se mêle pas de ses affaires, et de son côté, elle reste à l'écart des siennes, sauf pour les mondanités. Son quatrième ouvrage est sur la restauration de leur maison, une demeure victorienne en centre-ville, et ça vaut le coup d'œil. Vous voulez des potins ?

— Je suis tout ouïe.

— Depuis dix ans, ils disent à tout le monde qu'ils sont mariés, qu'ils se sont passé la bague au doigt sur les hauteurs de Nice. C'est très romantique, mais totalement faux. Ils ne sont pas mariés, et forment un couple plutôt libre. Il fricote ailleurs, elle aussi, mais ils se retrouvent toujours.

— Comment savez-vous ça ?

— Encore une fois, les écrivains sont de vraies pipelettes. Et beaucoup sont portés sur la bagatelle.

— Ce n'est pas mon cas.

— Je parle en général bien sûr.

— Continuez.

— On a cherché partout. Aucune trace de mariage, ni en France, ni ici. Nombre d'auteurs séjournent chez eux. Bruce s'amuse avec les dames, elle avec les messieurs. Il y a une chambre dans leur tour, au deuxième étage où les invités dorment. Et pas toujours seuls.

— Je suis censée coucher avec lui pour le bien de l'équipe ?

— On vous demande de vous rapprocher. Jusqu'où ? C'est vous qui posez la limite.

Les rouleaux de printemps arrivèrent. Mercer commanda un bouillon aux ravioles de homard. Elaine voulait des crevettes sautées et choisit un sancerre pour accompagner le tout. Mercer prit deux bouchées et s'aperçut que le martini lui avait gâté le palais.

Elaine ignora son deuxième cocktail et demanda :

— Puis-je vous poser une question un peu personnelle ?

Mercer éclata de rire. Un rire peut-être un peu forcé.

— Au point où nous en sommes ! Il y a des choses que vous ignorez encore sur moi ?

— Bien plus que vous ne l'imaginez. Pourquoi n'êtes-vous pas retournée au bungalow après le décès de Tessa ?

Mercer détourna les yeux. Elle se fit grave.

— C'était trop douloureux. J'y ai passé tous mes étés entre six ans et dix-neuf ans, juste Tessa et moi. On se promenait sur la plage, on nageait, on parlait à n'en plus finir. Elle était plus qu'une grand-mère pour moi. Elle était mon roc, ma mère, ma meilleure amie, mon tout. Je passais neuf mois sinistre avec mon père, à compter les jours jusqu'à la fin de l'école dans l'attente de pouvoir m'échapper et rejoindre Tessa. Je suppliais mon père de me laisser vivre là-bas à l'année, mais il n'a jamais voulu. Je suppose que vous savez pour ma mère.

Elaine haussa les épaules.

— Juste ce qu'il y a de public.

— Elle a été internée quand j'avais six ans, à force d'être harcelée par ses démons et peut-être aussi par mon père.

— Comment votre père s'entendait-il avec Tessa ?
Bien ?

— Vous plaisantez ! Ma famille ne connaît que
la zizanie ! Il détestait Tessa. Parce qu'il la trouvait
snob, parce qu'elle considérait que sa fille aurait pu
trouver mieux comme mari. Herbert, mon père, venait
d'un quartier pauvre de Memphis. Il avait fait fortune
en vendant des voitures d'occasion, puis des neuves.
Tessa était issue d'une vieille famille de Memphis,
avec une histoire glorieuse, de grands airs, mais pas
d'argent. Vous connaissez le dicton : « Trop pauvre
pour repeindre, mais trop fière pour passer de la
chaux. » La famille de Tessa, c'était exactement ça.

— Elle a eu trois enfants.

— Oui. Ma mère, ma tante Jane et mon oncle
Holstead. Qui oserait appeler son gamin Holstead ?
Tessa ! Un truc dans les gènes, je suppose.

— Et Holstead habite en Californie ?

— Oui. Il a fui le Sud il y a cinquante ans pour
vivre dans une communauté. Il a finalement épousé
une toxico et ils ont eu quatre enfants, tous des cata-
strophes. À cause de ma mère, ils pensent qu'on est
tous fous, mais ce sont eux les vrais dingues. Une
famille de conte de fées, hein !

— C'est rude, effectivement.

— Et encore, j'embellis le tableau. Personne n'est
venu aux funérailles de Tessa. Je ne les ai donc pas
revus depuis mon enfance. Et je n'ai aucune envie
d'une réunion de famille !

— *Pluie d'octobre* parle d'une famille à problèmes. C'était autobiographique ?

— C'est ce qu'ils croient en tout cas. Holstead m'a écrit une lettre incendiaire que j'ai voulu encadrer. Cela a été le dernier clou du cercueil !

Elle mangea la moitié de son rouleau de printemps et le fit passer avec de l'eau.

— Parlons d'autre chose.

— D'accord. Vous disiez avoir plein de questions à me poser.

— Certes, mais vous m'avez demandé pourquoi je n'étais plus retournée à Camino. Plus rien ne sera comme avant et j'y ai trop de souvenirs. Mettez-vous à ma place. J'ai trente et un ans et les plus beaux jours de ma vie sont derrière moi, dans ce bungalow, avec Tessa. Je ne suis pas sûre d'avoir la force d'affronter tout ça.

— Vous n'êtes pas obligée d'y habiter. Nous pouvons vous louer un joli endroit pour six mois. Mais ce serait effectivement mieux pour la couverture de vivre dans votre bungalow.

— À supposer que je le puisse. Ma sœur y va deux semaines tous les mois de juillet, et il y aura peut-être des locations. Tante Jane s'occupe de ça et le loue parfois à des amis. Une famille canadienne le réserve toujours en novembre. Jane y passe l'hiver, de janvier à mars.

Elaine avala une bouchée et prit une gorgée de son cocktail.

— Juste par curiosité, demanda Mercer. Vous l'avez vu ?

— Oui. Il y a deux semaines. Cela faisait partie de la préparation.

— Dans quel état il est ?

— Il est très joli. Bien entretenu. J'aimerais bien y passer des vacances.

— Il y a toujours autant de maisons de location le long de la côte ?

— Oh oui ! Je ne pense pas que cela ait beaucoup changé en onze ans. L'endroit a ce charme suranné des vieilles stations balnéaires. La plage est magnifique et il n'y a pas trop de monde.

— On passait tout notre temps sur cette plage. Tessa me levait avec le soleil, et on allait repérer les tortues, celles qui étaient venues pondre pendant la nuit.

— Vous avez écrit là-dessus. Une jolie histoire.

— Merci.

Elles terminaient leurs cocktails quand les plats arrivèrent. Elaine goûta le vin et la serveuse remplit leur verre d'eau. Mercer mangea un morceau et posa sa fourchette.

— Elaine, je ne suis pas de taille. Vous vous adressez à la mauvaise personne. Je mens comme un pied et je ne sais pas duper les gens. Ce n'est pas dans mon ADN. Moi, m'immiscer dans l'intimité de Bruce Cable et de Noelle Bonnet, pénétrer leur petit groupe d'amis lettrés ? Je ne suis pas Mata Hari !

— Vous êtes écrivain et venez vivre quelques mois au soleil dans le bungalow de la famille. Vous êtes en plein dans l'écriture de votre roman. C'est la meilleure couverture qui soit, parce qu'elle est vraie. Et vous êtes précisément la bonne personne, parce que vous êtes honnête et authentique. Si on avait voulu une arnaqueuse, on serait allés trouver quelqu'un d'autre. Vous avez peur, c'est ça ?

— Non. Enfin je ne crois pas. Je devrais ?

— Non. Je vous le promets. Vous n'auriez rien à faire d'interdit ni de dangereux. Je vous verrai toutes les semaines et…

— Vous serez sur place ?

— Je ferai des allers-retours. Et si vous avez besoin de renfort, homme ou femme, on vous fournira ça.

— Je n'ai pas besoin de baby-sitter. Et je n'ai peur de rien sinon de l'échec. Vous allez me payer une fortune pour accomplir une mission qui me dépasse, un truc très important pour vous, et vous attendez évidemment des résultats. Et si Cable se révèle aussi futé et secret que vous le dites et ne lâche rien ? Et si je commets une erreur, qu'il commence à se douter de quelque chose et qu'il déplace les manuscrits ? Je vois mille façons de tout faire capoter. Je n'ai aucune expérience en la matière.

— Et j'aime votre honnêteté. C'est la raison pour laquelle vous êtes parfaite, Mercer. Vous êtes directe, sincère, et sans filtre. Et vous êtes très séduisante. Cable va vous apprécier immédiatement.

— On parle à nouveau de sexe ? Ça fait partie du job, c'est ça ?

— Non. Encore une fois, ce sera à vous de décider.

— Vous en avez de bonnes ! Je ne sais même pas où je mets les pieds ! protesta Mercer en élevant la voix. (Elle s'attira quelques regards de la table à côté.) Pardonnez-moi.

Elles mangèrent en silence pendant quelques minutes.

— Comment trouvez-vous le sancerre ? demanda Elaine.

— Très bon. Merci.

— C'est l'un de mes vins préférés.

— Et si je refuse toujours ? Qu'est-ce que vous allez faire ?

Elaine tamponna ses lèvres avec sa serviette et but un peu d'eau.

— Nous n'avons pas beaucoup d'autres prétendants au poste, pas un seul pour tout dire. Pour être honnête, nous sommes si convaincus que vous êtes la personne idéale que nous avons tout misé sur vous. Si vous dites non, on laissera tomber et on adoptera le plan B.

— Qui est ?

— Je ne peux vous le dire. Nous avons d'autres moyens et nous sommes sous pression. On changera alors notre fusil d'épaule.

— Cable est votre seul suspect ?

— Pardon, je ne peux rien vous révéler de plus. Mais vous en saurez bien davantage quand vous serez sur le terrain, à fond avec nous, et qu'on marchera sur la plage toutes les deux. J'ai un tas d'infos à vous donner, dont quelques idées d'approche. Mais il est trop tôt pour aborder ces sujets. Tout ça est top secret.

— J'ai compris. Et je sais tenir ma langue. C'est la première chose qu'on apprend dans ma famille.

Elaine lui adressa un sourire complice, comme si elle lui faisait déjà entièrement confiance. La serveuse remplit leur verre de vin et elles attaquèrent leur plat. Après un silence, le plus long du repas, Mercer avala une dernière bouchée en grimaçant, prit une grande inspiration, et déclara :

— J'ai un prêt étudiant à rembourser. Soixante mille dollars. Et je me traîne ça comme un boulet. Ça me pourrit toute mon existence.

Elaine sourit de nouveau. Était-elle au courant de ça aussi ? Mercer faillit la questionner, mais préféra ne pas entendre la réponse. Elaine posa sa fourchette, cala son menton dans ses mains, et tapota doucement des doigts.

— On va s'occuper de ce prêt, en plus des cent mille dollars. Cinquante maintenant, cinquante dans six mois. En liquide, en chèque, en lingots, comme vous préférez. Et, bien sûr, non imposables.

Aussitôt, le poids sur ses épaules s'évanouit. Elle eut un hoquet, porta sa main à sa bouche, battit des paupières pour chasser la venue des larmes. Elle voulut parler, mais il n'y avait rien à dire. Elle but une gorgée d'eau car elle avait soudain la bouche sèche. Elaine la regardait avec intensité, calculant le prochain coup.

Mercer se sentait pousser des ailes. Elle pouvait se libérer de ce joug, cette ombre qui l'oppressait depuis huit ans. Elle prit une longue inspiration – d'un coup respirer lui paraissait plus facile. Était-ce une impression ? – et attaqua une autre raviole de homard qu'elle fit descendre avec une rasade de vin. Pour la première fois, elle perçut le goût du sancerre. Un délice. Il faudrait qu'elle s'en achète une ou deux bouteilles pour chez elle.

Mercer était mûre. Elaine porta l'estocade :

— Dans combien de temps pensez-vous pouvoir être là-bas ?

— Les examens seront finis dans quinze jours. Mais je veux d'abord laisser passer la nuit avant de vous donner ma réponse.

— Bien sûr. Je comprends.

La serveuse s'approcha pour la commande des desserts.

— Je vais essayer la panna cotta. Et vous Mercer ?

— Pareil. Avec un verre de muscat pour accompagner.

6

En quelques heures, elle avait chargé sa Coccinelle de ses maigres possessions : vêtements, ordinateur, imprimante, livres, quelques casseroles et ustensiles de cuisine. Mercer quitta Chapel Hill sans une once de nostalgie. Elle ne laissait derrière elle aucun souvenir poignant, juste deux amies. Elles resteraient en contact durant quelques mois, puis s'oublieraient. Elle avait déménagé tant de fois, tant de fois fait ses adieux… elle savait d'instinct quelles amitiés résisteraient à l'éloignement. Ces deux-là, elle ne les reverrait jamais.

Elle mettrait cap au sud plus tard, dans deux jours. Pour l'instant, elle prit la direction de l'ouest et s'arrêta déjeuner à Asheville, une charmante bourgade où elle fit une promenade digestive, puis emprunta des petites routes de montagne pour rejoindre le Tennessee. Il faisait nuit quand elle arriva dans un motel aux abords de Knoxville. Elle paya en liquide une petite chambre et alla dîner dans le Tex-Mex à côté. Elle dormit huit heures d'affilée, sans la moindre insomnie, et se réveilla à l'aube, prête à une nouvelle journée de route.

Hildy Mann, sa mère, était internée à Eastern State depuis les vingt dernières années. Mercer lui rendait visite au moins une fois par an, parfois deux, mais jamais plus. Hildy n'avait aucun autre visiteur. Quand Herbert comprit que sa femme ne rentrerait jamais à la maison, il engagea une procédure de divorce. Personne ne pouvait le lui reprocher. Sa sœur Connie habitait à seulement trois heures de route, mais n'était pas venue depuis des années. En sa qualité d'aînée, Connie était la légataire universelle de sa mère, mais bien trop occupée pour aller la voir.

Mercer se plia aux multiples formalités administratives avant d'être autorisée à entrer. Elle rencontra un médecin pendant un quart d'heure. Toujours le même diagnostic – sinistre. Sa mère souffrait d'une forme aiguë de schizophrénie, était coupée de la réalité, hantée par des voix, des hallucinations, des crises de délire. Son état ne s'était pas amélioré en vingt-cinq ans et il n'y avait aucune rémission à espérer. Elle était lourdement médicamentée et à chacune de ses visites, Mercer se demandait quels ravages supplémentaires ces substances chimiques auraient eus sur le cerveau fragile de sa mère. Mais il n'y avait pas d'autres options. Hildy était dans l'aile des résidents permanents de l'HP et y resterait jusqu'à sa mort.

Pour sa venue, les infirmières lui avaient ôté sa blouse blanche de malade pour lui enfiler une robe – une bleue – l'une des nombreuses que Mercer avait apportées au fil des années. Sa mère était assise sur le bord du lit, pieds nus, tête baissée, quand la jeune femme entra dans la chambre et l'embrassa sur le front.

Hildy répondit par un gentil sourire. Comme de coutume, Mercer eut un choc. Elle faisait si vieille ! Elle n'avait que soixante-quatre ans mais en paraissait quatre-vingts. Elle était émaciée, presque squelettique, avec des cheveux blancs et une peau pâle et translucide. Rien d'étonnant ! Elle ne voyait jamais le soleil. Des années plus tôt les infirmières l'emmenaient en promenade tous les jours, mais Hildy s'était révoltée. Quelque chose dehors la terrifiait.

Mercer commença son soliloque, lui narrant sa vie, son travail, ses amis, agrémentant son récit de quelques anecdotes réelles ou inventées, mais rien n'attira son attention. Hildy semblait ne rien entendre. Son visage restait inerte, figé dans ce même sourire, les yeux rivés au sol. Mercer se disait que sa mère reconnaissait sa voix, mais ce n'était qu'une supposition. Souvent, elle se demandait pourquoi elle lui rendait encore visite.

Par culpabilité ! Connie parvenait à occulter sa mère mais Mercer se reprochait de ne pas venir plus souvent.

Hildy ne lui avait pas adressé la parole depuis cinq ans. À l'époque, elle la reconnaissait, prononçait son nom, et la remerciait même de lui rendre visite. Quelques mois plus tard, Hildy avait fait une crise de colère devant Mercer, les infirmières avaient dû intervenir. Ne doublaient-ils pas les doses de médicaments quand elle venait ?

Au dire de Tessa, quand Hildy était jeune elle adorait Emily Dickinson. Durant les premières années de son internement, Tessa passait souvent la voir et lui lisait à chaque fois des strophes de la poétesse. Hildy écoutait, et réagissait, mais avec le temps, son état s'était détérioré.

— Je te lis un poème, M'man ? s'enquit Mercer en sortant de son sac un recueil de poésies, un gros ouvrage à la couverture usée.

C'était ce même livre que Tessa avait apporté à Eastern State pendant des années. Mercer tira le rocking-chair et s'installa près du lit.

Hildy sourit tout le temps de la lecture, mais ne prononça pas un mot.

7

À Memphis, Mercer déjeuna avec son père dans un restaurant du centre-ville. Herbert habitait quelque part au Texas, avec une nouvelle épouse ; Mercer ne tenait pas à la rencontrer. Quand il était un vendeur

Ford, son père parlait voitures. Aujourd'hui qu'il était recruteur pour les Orioles, il parlait baseball. Elle n'aurait su dire lequel des deux sujets l'intéressait le moins, mais elle faisait bonne figure et tentait de rendre le repas agréable. Elle voyait son père une fois par an, et après une demi-heure avec lui, elle se rappelait pourquoi elle lui rendait si peu visite. Il était en ville pour « gérer ses affaires », mais elle en doutait fortement. La concession avait sombré durant la première année d'université de Mercer, la jetant en pâture aux sociétés de prêts étudiants.

La jeune femme avait encore besoin de se pincer pour être sûre qu'elle ne rêvait pas. Elle n'avait plus de dettes !

Herbert revint au baseball et monologua sur les jeunes prodiges qu'il avait dénichés dans des lycées, sans jamais lui poser la moindre question sur son dernier livre ou ses projets. Elle ne savait même pas s'il avait lu un seul de ses textes.

Après une heure de supplice, qui lui parut durer une éternité, Mercer en vint à regretter ses visites à Eastern State. Incapable de parler, sa pauvre mère restait moins ennuyeuse que son père totalement égotiste. Mais ils se quittèrent en bons termes. Ils s'enlacèrent, s'embrassèrent, en se promettant de se voir plus souvent. Elle lui annonça qu'elle partait pour Camino quelques mois terminer son roman mais il avait déjà son téléphone à l'oreille et ne l'écoutait plus.

Après le déjeuner, elle se rendit au Rosewood Cemetery et déposa des fleurs sur la tombe de Tessa. Elle s'adossa à la stèle et pleura un bon coup. Tessa avait soixante-quatorze ans quand elle était morte, mais était encore jeune en bien des domaines. Elle en aurait eu quatre-vingt-quatre aujourd'hui, nul doute qu'elle aurait été encore pétillante de vie, à arpenter la plage pour ramasser des coquillages, défendre les nids de tortue, à arroser son jardin, à attendre le retour de sa petite-fille avec les beaux jours.

Mercer allait retourner là-bas, entendre à nouveau la voix de Tessa, toucher ses affaires, marcher dans ses traces. Ce serait douloureux au début, mais tôt ou tard, ce jour devait arriver. Depuis onze ans, elle s'y préparait.

Elle dîna avec une vieille amie du lycée, dormit dans sa chambre d'amis, et partit le lendemain matin. Encore quinze heures de route pour rejoindre Camino.

8

Elle passa la nuit dans un motel à l'entrée de Tallahassee et arriva au bungalow vers midi, comme prévu. Pas grand-chose n'avait changé, sinon que la maison avait été repeinte – en blanc. Elle n'était plus de ce jaune que Tessa aimait tant. La petite allée de coquilles d'huîtres pilées était bordée d'un gazon bien entretenu. Tante Jane lui avait dit que Larry, le jardinier, s'occupait toujours de la maison. Et qu'il viendrait la saluer. La porte d'entrée était toute proche de la rue et, pour avoir un peu d'intimité, Tessa avait planté une haie de palmettos nains et de sureaux. Ils étaient maintenant si grands qu'on ne voyait plus les maisons des voisins le long de Fernando Street. Les massifs si chers à Tessa étaient toujours là : des bégonias, des herbes à chat, de la lavande. Les poteaux du perron étaient couverts de glycines. Un liquidambar avait tellement poussé qu'il recouvrait de son ombre presque toute la pelouse devant la maison. Tante Jane et Larry avaient fait du beau travail. Tessa aurait été contente, même si elle aurait forcément eu des idées pour parfaire tout ça.

La clé fonctionnait, mais la porte était coincée. Mercer dut la pousser d'un coup d'épaule. Elle entra dans la grande pièce : un vieux canapé et des fauteuils dans un coin, face à une télévision et, de l'autre côté, une table rustique que Mercer ne connaissait pas. Au fond, la zone cuisine, ceinte de baies vitrées qui donnaient sur l'océan à cent mètres de là, derrière les dunes. Tous les meubles avaient changé, comme les tableaux aux murs et les tapis. Le bungalow ressemblait plus à une maison de location qu'à un véritable foyer, mais Mercer s'y attendait. Tessa avait vécu là pendant près de vingt ans. Aujourd'hui, c'était un lieu de vacances qui avait grand besoin d'un coup de balai. Mercer traversa la cuisine et sortit sur la terrasse, avec ses vieux meubles en rotin, ses palmiers et ses lilas des Indes. Elle ôta les toiles d'araignée d'un rocking-chair et s'assit, contemplant les dunes et l'océan Atlantique. Elle distinguait au loin la rumeur des vagues. Elle s'était interdit de pleurer, et elle tint sa promesse.

Des enfants riaient et jouaient sur la plage. Elle les entendait sans pouvoir les voir. Les dunes barraient la vue. Les mouettes et les corneilles de rivage lançaient leurs appels en voletant au-dessus de l'eau.

Les souvenirs étaient partout, reliques précieuses et chéries d'une autre vie. Tessa avait quasiment adopté Mercer quand elle avait perdu sa mère et l'avait fait venir avec elle ici, du moins trois mois par an. Les neuf autres mois, Mercer se languissait de cet endroit, rêvant de pouvoir se prélasser encore sur ces fauteuils de rotin en fin d'après-midi, quand le soleil descendait enfin dans le ciel derrière eux. Le crépuscule avait toujours été son moment préféré. La touffeur s'éloignait, la plage se vidait. Grand-mère et petite-fille allaient alors se promener, marchaient jusqu'à la jetée. Elles ramassaient en chemin des coquillages, pataugeaient dans l'eau, bavardaient avec des amis de Tessa, d'autres résidents de l'île qui sortaient comme eux à la fraîche.

Ses amis n'étaient plus là non plus. Ils avaient quitté ce monde, ou avaient été placés en maison de retraite.

Mercer se balança un long moment, puis se releva et visita le reste de la maison. Il ne restait plus grand-chose de Tessa. Et c'était tant mieux. Pas une seule photo de sa grand-mère. Juste quelques clichés sous cadre de sa tante Jane et de sa famille dans une chambre. Après les funérailles, Jane lui avait envoyé, en souvenir, un carton contenant des dessins, des photos. Mercer en avait gardé quelques-unes dans un album. Elle défit ses bagages, rangea ses affaires, puis alla à l'épicerie se procurer le nécessaire. Elle se prépara à manger, tenta de lire mais, ne parvenant pas à se concentrer, elle fit la sieste dans un hamac sur la terrasse.

Larry la réveilla en montant les marches sur le côté. Après une brève accolade, ils se dirent à quel point les années leur avaient réussi à l'un et l'autre. Elle était aussi jolie qu'avant, insistait-il, mais en plus elle était devenue une « vraie femme ». Lui n'avait pas changé, les cheveux un peu plus gris peut-être, quelques rides de plus, la peau toujours aussi tannée. Il était petit et sec, et semblait porter le même chapeau de paille que lorsqu'elle était enfant. Il y avait quelque chose de sombre dans son passé – Mercer ne se souvenait plus quoi. Larry s'était réfugié en Floride. Il avait fui le nord, peut-être le Canada. Il était jardinier, homme à tout faire. Lui et Tessa se chamaillaient souvent quand il s'agissait de s'occuper des massifs de fleurs, chacun pensant savoir mieux que l'autre.

— Tu aurais dû revenir plus tôt.

— Sans doute. Tu veux une bière ?

— Non. J'ai arrêté il y a quelques années. À cause de ma femme.

— Change de femme.

— Déjà fait !

Il avait eu plusieurs épouses. Et Tessa disait qu'il était un coureur impénitent. Elle tira un fauteuil.

— Assieds-toi et parlons.

— D'accord.

Ses baskets étaient toutes vertes et ses chaussettes constellées de brins d'herbe coupée.

— Et je veux bien un verre d'eau.

Mercer sourit et alla chercher les boissons. Pour elle, ce serait une bière.

— Alors qu'est-ce que tu as fait de beau, tout ce temps ?

— Comme d'hab. Et toi ?

— J'ai enseigné. J'ai écrit.

— J'ai lu ton livre. J'ai bien aimé. Quand j'ai vu ta photo derrière, sur la couverture, j'ai dit : « Ouah, je la connais ! Je l'ai fait sauter sur mes genoux ! » Tessa aurait été si fière.

— Je crois, oui. Qu'est-ce qui se raconte sur l'île ?

Il rit.

— Tu es partie depuis une éternité et maintenant tu veux des ragots !

— Qu'est-il arrivé aux Bancroft ? demanda-t-elle en désignant la maison voisine.

— Lui, il est mort il y a deux ans. Un cancer. Elle, elle tenait le coup, mais ils l'ont envoyée en maison de retraite. Les enfants ont vendu la maison. Les nouveaux propriétaires ne m'aiment pas. Et c'est réciproque.

Comme autrefois, Larry parlait sans détour, et appelait un chat un chat.

— Et les Henderson de l'autre côté de la rue ?

— Morts.

— On s'est écrit pendant quelques années après l'accident de Tessa, puis on n'a plus rien eu à se dire. Les choses n'ont pas beaucoup changé.

— C'est l'île qui veut ça. Quelques nouvelles maisons ici et là. Tous les terrains sur la plage ont été construits, il y a des appartements grand luxe à côté du Ritz. Le tourisme prospère. Faut croire que c'est une bonne chose. Jane dit que tu es là pour quelques mois ?

— C'est l'idée. On verra bien. Je suis entre deux boulots et je veux terminer mon roman.

— Tu as toujours aimé les livres. Il y en avait des tas dans la maison, quand tu étais petite.

— Tessa m'emmenait à la bibliothèque deux fois par semaine. Quand j'étais en CM2, il y avait eu un concours de lecture. J'avais lu quatre-vingt-dix-huit romans cet été-là, et j'avais gagné ! Michael Quon était arrivé deuxième avec cinquante-trois. J'aurais bien voulu arriver à cent.

— Tessa disait que tu avais trop l'esprit de compétition. Les dames, les échecs, le Monopoly. Il fallait toujours que tu gagnes.

— C'est vrai. Ça paraît un peu idiot maintenant.

Larry but une gorgée d'eau, s'essuya la bouche sur sa manche.

— Elle me manque vraiment cette tête de mule, articula-t-il en contemplant l'océan. On n'arrêtait pas de se disputer sur les questions de jardinage, mais elle m'aurait donné sa chemise.

Mercer hocha la tête sans répondre.

— Désolé d'avoir parlé de ça, annonça-t-il après un long silence. Je sais que c'est encore dur pour toi.

— Raconte-moi, Larry. Personne ne m'a parlé de l'accident de Tessa. Après les funérailles, j'ai lu ce

qu'il y avait dans le journal, bien sûr. Mais c'est tout.
On en sait plus aujourd'hui ? Tu as eu des infos ?

— Personne ne sait rien. Elle et Porter étaient sortis en mer, à quatre ou cinq milles d'ici. Je suis sûr
qu'ils voyaient encore la terre. Et il y a eu un coup
de tabac. Comme il y en a parfois à la fin de l'été. Un
méchant.

— Où tu étais ?

— À la maison, à bricoler. Avant d'avoir eu le
temps de dire ouf le ciel est devenu noir et le vent
s'est levé. Une vraie tornade. Il pleuvait fort. Ça souf-
flait dans tous les sens. Des arbres ont été couchés.
Le courant a été coupé. Il paraît que Porter a lancé un
SOS mais j'imagine qu'il était trop tard.

— Je suis montée sur ce bateau au moins dix fois.
La voile, ce n'est vraiment pas mon truc. J'ai toujours
trouvé ça trop compliqué, carrément rasoir.

— Porter était un bon marin et, comme tu le sais,
il était raide dingue de Tessa. Un amour platonique,
bien sûr. Il avait vingt ans de moins qu'elle.

— « Platonique », c'est vite dit. Ils étaient vraiment très proches et, en grandissant, j'ai commencé à
avoir des doutes. J'ai trouvé une de ses vieilles paires
de chaussures bateau dans son armoire un jour. J'ai
commencé à fureter, comme n'importe quelle gosse.
Je n'ai rien dit bien sûr, mais j'avais les oreilles qui
traînaient. J'avais l'impression que Porter passait pas
mal de temps dans la maison quand je n'étais pas là.

Larry secoua la tête.

— Non. Je le saurais quand même.

— Certes.

— Je venais trois fois par semaine et je surveillais la maison. Si un type traînait dans les parages, je l'aurais vu.

— D'accord. N'empêche qu'elle aimait beaucoup Porter.

— Tout le monde l'aimait bien. C'était un chic type. On l'a jamais retrouvé, ni lui, ni son voilier.

— Ils ont cherché pourtant ?

— Oh oui. La grosse opération. Tous les bateaux de Camino sont sortis dont le mien, pour explorer le secteur. Il y a eu les garde-côtes, des hélicoptères. Un joggeur a trouvé Tessa sur la jetée nord au lever du soleil. Deux ou trois jours plus tard, si je me souviens bien.

— C'était une bonne nageuse, mais ils ne mettaient jamais de gilet de sauvetage.

— Cela n'aurait pas changé grand-chose avec cette tempête. Donc, non, on ne saura jamais. Désolé d'avoir mis ça sur le tapis.

— C'est moi qui ai posé la question.

— Il faut que j'y aille. Tu as besoin de quelque chose ?

Il se leva lentement, s'étira, et ajouta :

— Tu as mon numéro de téléphone…

Mercer se leva à son tour et l'enlaça un court instant.

— Merci, Larry. Ça m'a fait plaisir de te revoir.

— Bienvenue chez toi.

— Merci.

9

Plus tard dans la journée, Mercer retira ses sandales et se rendit à la plage. L'allée de bois commençait juste devant la terrasse et serpentait entre les dunes, qui étaient une zone naturelle protégée, interdite au public. Elle suivit la passerelle, cherchant par réflexe à repérer des tortues gaufrées. Elles étaient en danger et Tessa était une protectrice acharnée de leur habitat. Ces animaux vivaient dans les herbes des dunes, parmi les unioles maritimes et les spartines. Quand elle avait huit ans, Mercer connaissait tous les noms des plantes de l'île : les cenchrus, les cyperus, les yuccas, les baïonnettes espagnoles. Tessa lui avait tout appris sur ces plantes, et attendait qu'elle se souvienne des leçons d'été en été. Onze ans plus tard, elle n'avait rien oublié.

Mercer ferma le portillon derrière elle, se dirigea vers l'eau et longea le rivage vers le sud. Elle croisa quelques promeneurs. Tous la saluèrent avec de grands sourires. La plupart avaient des chiens en laisse. Devant, une femme arrivait dans sa direction. Avec son short kaki impeccable, sa chemise en chambray et son pull jeté sur ses épaules, on aurait dit un mannequin sorti tout droit d'un catalogue de prêt-à-porter. Peu à peu, elle la reconnut. C'était Elaine Shelby. Elles se serrèrent la main et marchèrent côte à côte, pieds nus dans l'écume.

— Dans quel état était le bungalow ?

— Bien entretenu. Tante Jane veille au grain.

— Elle vous a posé des questions ?

— Pas vraiment. Elle était contente que je veuille y aller.

— Et la maison est libre jusqu'en juillet ?

— Jusqu'au 4. Après Connie et sa famille débarquent pour deux semaines. Je ne pourrais donc pas rester.

— On vous trouvera une chambre dans le coin. Il y a d'autres locations prévues ?

— Non. Rien avant novembre.

— Vous en aurez terminé alors. Happy end ou pas.

— Si vous le dites.

— J'ai deux tactiques à vous proposer, reprit Elaine, entrant aussitôt dans le vif du sujet.

De loin, c'était juste deux femmes se promenant sur la plage, mais c'était en fait un briefing avant départ en mission. Un golden retriever en laisse voulut leur dire bonjour. Elles lui frottèrent la tête, échangèrent les plaisanteries d'usage avec le maître, et reprirent leur chemin.

— D'abord, si j'étais vous, je ne m'approcherais pas de la librairie. Il est important que ce soit Cable qui vienne à vous, et non l'inverse.

— Et comment je fais ça ?

— Il y a une femme sur l'île, Myra Beckwith, une écrivaine. Vous la connaissez peut-être ?

— Non.

— Le contraire m'eût étonnée. Elle a pondu des tas de livres, des histoires d'amour vraiment torrides, sous une dizaine de pseudos. Elle vendait beaucoup dans son créneau, mais avec le temps, ça a diminué. Elle habite avec sa copine dans l'une des vieilles maisons du centre-ville. C'est un grand format, un mètre quatre-vingts, taillée comme un déménageur. Quand on la voit, on ne l'imagine pas avoir des relations sexuelles avec qui que ce soit, mais elle a une imagination débordante. Un vrai personnage, excentrique et bruyante. C'est un peu la reine mère de la communauté littéraire de l'île. Bien sûr Cable et elle sont de vieux amis. Envoyez-lui un mot, présentez-vous, dites ce que vous êtes venue faire ici, la routine quoi. Puis que vous aimeriez passer la saluer. Cable sera au courant dans les vingt-quatre heures.

— Et sa copine, qui est-ce ?

— Leigh Trane, une autre écrivaine. Ça vous dit quelque chose ?

— Non.

— Je m'en doutais aussi. Elle se targue d'écrire de la grande littérature, des trucs incompréhensibles que personne n'achète. Son dernier livre s'est vendu à trois cents exemplaires et cela date de huit ans. Elles forment un couple improbable, dans tous les sens du terme, mais elles sont marrantes. Dès qu'elles feront connaissance avec vous, Cable ne sera pas loin derrière.

— Ça paraît jouable.

— L'autre idée est un peu plus risquée, mais je suis sûre que ça peut fonctionner. Il y a une jeune auteure – Serena Roach...

— Bingo ! Celle-là, j'en ai entendu parler ! Je ne l'ai jamais rencontrée, mais on avait le même éditeur.

— C'est exact. Son dernier roman vient de sortir.

— J'ai vu les critiques. Elle s'est fait descendre.

— On s'en fiche. Ce qui importe, c'est qu'elle est en tournée de promotion et qu'elle sera ici mercredi prochain. J'ai son e-mail. Envoyez-lui un message, faites-lui du baratin, que vous aimeriez prendre un café avec elle, et tout le tralala. Elle a à peu près votre âge, elle est célibataire, et cela pourrait être amusant. Sa séance de dédicaces sera alors une excellente raison de vous rendre à la librairie.

— Et puisqu'elle est jeune et célibataire, on peut être sûr que Cable va sortir le grand jeu.

— Avec vous en ville, et Serena Roach en tournée, il y a de fortes chances que Cable et Noelle organisent un dîner après la séance de signature. Noelle est ici en ce moment.

— Je ne vous demande pas comment vous savez ça.

— C'est tout simple. On est allés à sa boutique cet après-midi.

— Vous disiez que c'était risqué…

— Pendant le repas, Serena peut toujours lâcher que vous ne vous êtes jamais rencontrées auparavant. La coïncidence pourrait paraître un peu grosse. Ou pas.

— Je ne crois pas que cela pose problème, répondit Mercer. Nous avons le même éditeur. C'est normal que je passe lui dire bonjour.

— Parfait. Un colis vous sera livré demain matin à dix heures. Ce sont des livres, les quatre de Noelle et les trois de Serena.

— Mes devoirs à la maison !

— Vous aimez la lecture, non ?

— Ça fait partie du métier.

— J'ai ajouté aussi quelques titres de Myra, juste pour rire. Littérairement, c'est de la ragougnasse infâme, mais on en redemande ! Je n'ai pu trouver qu'un exemplaire de Leigh Trane. Il sera dans le lot. Je suis certaine qu'elle ne sera jamais rééditée et c'est tant mieux. Je n'ai pas pu terminer le premier chapitre.

— Vous me donnez l'eau à la bouche ! Combien de temps vous restez ici ?

— Jusqu'à demain.

Elles marchèrent un moment en silence, toujours au bord de l'eau. Deux gamins jouaient dans les vagues avec des planches.

— Quand on dînait à Chapel Hill, vous vouliez en savoir plus sur l'origine de cette opération. Je ne peux pas vous dire grand-chose, hormis que, discrètement, on est allés à la pêche aux infos, contre récompense. Il y a deux mois, on a eu une touche. Une femme qui habite la région de Boston. Elle était mariée autrefois à un collectionneur de livres anciens dont la provenance est souvent trouble. Ils viennent de divorcer et, à l'évidence, elle a quelques rancœurs. Elle nous a dit que son ex-mari en sait long sur les manuscrits de Fitzgerald. Elle pense qu'il les a achetés aux voleurs, puis qu'il a pris peur et qu'il s'en est débarrassé. Il en aurait tiré un million de dollars, mais on n'a trouvé aucune trace de l'argent. Comme elle. Si c'est le cas, la transaction s'est faite à l'étranger, et la somme est sur un compte offshore. On cherche toujours.

— Vous avez parlé à l'ex en question ?

— Pas encore.

— Et il les aurait refourgués à Bruce Cable ?

— Elle nous a donné son nom. Elle travaillait avec son mari jusqu'à ce que leur histoire tourne au vinaigre. Elle était donc aux premières loges.

— Pourquoi Cable les aurait apportés à Camino ?

— Pourquoi pas ? C'est chez lui, et il se sent en sécurité. On suppose que les manuscrits sont toujours ici, mais ce n'est qu'une hypothèse. Comme je vous l'ai dit, Cable est très rusé, et il n'agit jamais à la légère. Il a sans doute pris la précaution de les mettre dans un lieu sûr, sans lien patent avec lui. S'il y a bel et bien une chambre forte au sous-sol de la librairie, je doute qu'il les ait mis là. Mais on ne sait jamais. On en est réduits aux conjectures. Sans informations supplémentaires, on est coincés.

— Quel genre d'infos ?

— Nous avons besoin d'une taupe dans la librairie, en particulier dans la salle des Éditions originales. Quand vous aurez fait connaissance tous les deux et que vous serez une habituée de Bay Books, pour acheter des livres, assister aux signatures, et que sais-je encore… vous commencerez à vous intéresser à ses livres rares. Vous aurez, vous-même, quelques vieux livres à faire estimer, un legs de Tessa, et ce sera votre sésame. Combien valent-ils ? Est-ce qu'il veut vous les acheter ? On ignore jusqu'où ces conversations pourront vous mener mais, au moins, on aura quelqu'un dans les murs, un informateur qu'il ne soupçonnera pas. À un moment, vous surprendrez quelque chose. On ne sait ni où ni quand, mais ça finira par arriver. Au cours d'un dîner, on parlera peut-être du vol des manuscrits de Fitzgerald. Comme je vous l'ai dit, il boit beaucoup et avec l'alcool, les langues se délient. Un truc peut lui échapper.

— Ça paraît un peu gros.

— L'info ne viendra peut-être pas de lui, mais de quelqu'un de son entourage. L'important c'est d'avoir des yeux et des oreilles dans les murs.

Les deux femmes s'arrêtèrent devant la jetée sud et firent demi-tour.

— Suivez-moi, dit Elaine en indiquant une passerelle.

Elle ouvrit le portillon et grimpa quelques marches. Elle désigna un petit bâtiment abritant trois duplex.

— Celui de droite nous appartient, pour l'heure du moins. C'est là que je suis. Dans deux jours quelqu'un d'autre me remplacera. Je vous enverrai son numéro.

— On va me surveiller ?

— Non. Vous serez livrée à vous-même, mais un ami ça peut toujours servir. Et j'aimerais aussi que vous m'envoyiez un e-mail tous les soirs, pour me tenir au courant. D'accord ?

— Pas de problème.

— Je vous laisse, maintenant. (Elle lui serra la main.) Bonne chance, Mercer. Et tâchez de voir ça comme des vacances à la mer. Une fois que vous connaîtrez Cable et Noelle, vous pourriez bien les apprécier et passer de bons moments avec eux.

Mercer haussa les épaules.

— Si vous le dites.

10

La galerie Dumbarton se trouvait à côté de la Wisconsin Avenue, à Georgetown. C'était une petite galerie en rez-de-chaussée, dans une maison de ville en brique, qui avait grand besoin d'un coup de peinture, et peut-être d'un nouveau toit. Malgré le monde sur les trottoirs à cent mètres de là, la galerie était le plus souvent déserte, et ses murs quasiment nus. Son créneau était l'art minimaliste. À l'évidence, cela n'attirait pas les foules, du moins pas dans ce quartier de Washington. Le propriétaire s'en fichait un peu. Il s'appelait Joel Ribikoff, avait cinquante-deux ans, un ancien repris de justice, arrêté deux fois pour vol et recel d'objets d'art.

Sa galerie au rez-de-chaussée était une couverture, un leurre destiné à convaincre les curieux – parce qu'après deux condamnations et huit ans de cellule, Joel était persuadé qu'on l'observait. Officiellement donc, il avait repris le droit chemin et était devenu un galeriste respectable comme il y en avait pléthore à Washington, un brave commerçant qui luttait pour survivre. Il jouait le jeu, organisait quelques vernissages, connaissait une poignée d'artistes, et avait même deux ou trois clients. Il tenait à jour son site Internet, encore une fois pour faire illusion.

Il habitait au deuxième étage. Au premier, il avait son bureau où il s'occupait de ses véritables affaires, à savoir le négoce de pièces volées : tableaux, gravures, photographies, livres, manuscrits, cartes, sculptures, et même de fausses lettres prétendument écrites par des célébrités passées de vie à trépas. Malgré l'horreur de la prison, Joel Ribikoff ne parvenait pas à suivre les règles. À ses yeux, il était beaucoup plus excitant de vivre dans le monde clandestin – et plus rentable – que de se soucier d'une petite galerie et de s'échiner à vendre des tableaux dont personne ne voulait. Il aimait le frisson, établir le contact entre voleurs et victimes, ou entre voleurs et intermédiaires, ou encore organiser des tractations complexes où les œuvres voyageaient dans l'ombre et où l'argent migrait secrètement vers des paradis fiscaux. Il gardait rarement le butin en sa possession ; il préférait jouer les médiateurs de confiance et ainsi ne pas se salir les mains.

Le FBI était passé à sa boutique après le vol de la collection Fitzgerald. Bien sûr, Joel ne savait rien. Un mois plus tard, ils étaient repassés, et il ne savait toujours rien. Après ça, toutefois, il en apprit beaucoup. Craignant que les fédéraux ne l'aient mis sur écoute, Joel avait quitté la région pour se faire oublier. Avec des téléphones à cartes prépayées, il était entré en contact avec le chef de la bande. Il l'avait rencontré dans un motel à côté d'Aberdeen dans le Maryland. Le gars s'appelait Denny et son complice Rooker. Deux types à prendre au sérieux. Sur un lit défoncé dans une chambre double à soixante-dix-neuf dollars la nuit, Joel avait pu examiner les cinq manuscrits qui valaient bien plus qu'aucun des trois ne l'imaginait.

À l'évidence, Denny, le chef de la bande, du moins ce qu'il en restait, était sous pression. Il voulait se débarrasser au plus vite de ces pièces et quitter le pays.

— J'en veux un million de dollars.

— Je ne peux pas trouver autant, avait répliqué Joel. Je ne connais qu'une personne, une seule, qui sera prête à s'approcher de ces pièces. Tous les autres sont terrifiés. Les fédéraux sont partout. Ma meilleure offre – non ma seule – c'est un demi-million.

Denny avait piqué une crise, et arpenté furieux la chambre, en jetant de temps en temps des coups d'œil à la fenêtre pour surveiller le parking. Joel en eut vite assez de ce petit jeu et annonça qu'il s'en allait. Denny céda. Ils mirent alors au point la transaction. Joel repartit avec rien dans sa mallette. Le soir, Denny quitta le motel avec les manuscrits. Il devait se rendre à Providence et attendre là-bas. Rooker, son ancien copain de l'armée, reconverti aussi dans le crime, le retrouverait là-bas. Trois jours plus tard, avec l'assistance d'un autre intermédiaire, le butin changea de main.

Aujourd'hui Denny revenait à Georgetown, accompagné de Rooker, pour récupérer son trésor. Ribikoff l'avait bien arnaqué la première fois. Cela ne se reproduirait plus. À 19 heures le mercredi 25 mai, au moment où la galerie fermait, Denny passa les portes pendant que son acolyte s'introduisait par une fenêtre du bureau de Joel. Quand les grilles furent baissées, et les lumières éteintes, ils emmenèrent Joel dans son appartement au deuxième, l'attachèrent et lui mirent un bâillon. Puis entreprirent de le faire parler – un travail peu ragoûtant.

IV

LA GARDIENNE DE LA PLAGE

1

Avec Tessa, la journée commençait à l'aube. Elle tirait Mercer du lit et elles prenaient le café ensemble sur la terrasse, en attendant que les premiers rayons du soleil percent l'horizon. Dès l'aurore, elles descendaient la passerelle au milieu des dunes et arpentaient la plage. Plus tard dans la matinée, tandis que Tessa s'occupait de ses fleurs à l'ombre du bungalow, Mercer retournait au lit faire la sieste.

Avec l'accord de Tessa, Mercer avait bu sa première tasse de café à dix ans, et son premier martini à quinze. « Avec modération, tout est bon », c'était le dicton préféré de sa grand-mère.

Mais Tessa n'était plus. Et Mercer avait vu suffisamment de levers de soleil. Elle dormit jusqu'à 9 heures et s'extirpa du lit à contrecœur. Pendant que le café passait, elle déambula dans la maison à la recherche d'un endroit pour écrire, mais n'en trouva aucun à son goût. Aucune pression. Elle n'écrirait que si elle avait vraiment quelque chose à dire. Cela faisait trois ans que son roman aurait dû être terminé. À New York, ils n'étaient plus à un an près ! Son agent venait de temps en temps aux nouvelles, mais de moins en moins souvent. Leur dernière conversation avait été brève. Durant son long voyage de Chapel Hill à la Floride, avec son crochet par Memphis, elle avait eu le temps de réfléchir à son roman et, à un moment, elle avait eu l'impression d'avoir trouvé une nouvelle voie. Elle comptait jeter toutes ses anciennes notes et recommencer à zéro, avec un tout nouveau début. Maintenant qu'elle n'avait plus ce poids des dettes sur les épaules, ni à s'inquiéter pour son avenir à court terme, son imagination pourrait s'exprimer sans les entraves du quotidien. Quand elle serait installée, et reposée, elle se mettrait à l'œuvre. Son objectif : mille mots par jour.

En revanche, pour son travail immédiat, celui pour lequel elle était grassement payée, elle ne savait ni comment faire, ni combien de temps il faudrait lui consacrer ; autant s'y attaquer sans tarder. Elle alla donc sur Internet et consulta ses e-mails. Comme elle s'y attendait, Elaine lui avait laissé une note dans la nuit, pour lui donner quelques adresses utiles.

Mercer envoya un message à la « reine mère » : « Chère Myra Beckwith, je m'appelle Mercer Mann, je suis écrivaine et je pose mes valises pour quelques mois sur l'île pour m'atteler à mon prochain livre. Comme je ne connais personne ici, je prends le risque de vous envoyer ce petit bonjour. On pourrait peut-être prendre un verre ensemble, vous, Mlle Trane et moi. J'apporterai le vin. »

À 10 heures précises, on sonna à la porte. Elle trouva un colis sur le perron. Mais point de livreur.

Elle déposa le carton sur la table de la cuisine et l'ouvrit. Comme promis, il y avait à l'intérieur les quatre ouvrages illustrés de Noelle Bonnet, les trois romans de Serena Roach, les maigres publications de Leigh Trane, et une demi-douzaine de romans érotiques, tous avec des couvertures suggestives : des beautés voluptueuses flanquées de leurs amants à tablettes de chocolat. Tous signés d'un auteur différent, mais tous écrits par Myra Beckwith.

Rien de tout cela ne lui donnait envie de reprendre son propre roman.

Elle mangea quelques barres de céréales en feuilletant le livre de Noelle sur la rénovation de la maison des Marchbanks.

À 10 h 37 son téléphone sonna. Appel inconnu. Elle eut à peine le temps de dire « allô ? » qu'une voix aiguë et enjouée lança :

— On ne boit pas de vin ! Moi c'est bière et Leigh c'est rhum. Et notre bar est plein ! Surtout n'apportez rien. Bienvenue sur Camino ! C'est Myra au fait.

Mercer étouffa un petit rire.

— Enchantée de faire votre connaissance. Je ne m'attendais pas à ce que vous me rappeliez si vite.

— C'est qu'on s'ennuie à mourir ici ! La moindre nouvelle tête nous met en joie. Vous pouvez tenir jusqu'à 18 heures ? On ne boit jamais avant.

— Je vais faire de mon mieux.

— Vous savez où on habite ?

— Sur Ash Street.

— Alors à ce soir.

Mercer raccrocha et tenta de localiser l'accent de Myra. Il venait du Sud, peut-être le Texas. Elle choisit l'un des livres de poche, soi-disant écrit par une certaine Runyon O'Shaughnessy et commença à lire. Le héros « à la beauté sauvage » s'ennuyait dans un château où il n'était pas le bienvenu. À la page 4, il avait déjà culbuté deux femmes de chambre et en harcelait une troisième. À la fin du premier chapitre, tout le monde était pantelant et épuisé, y compris Mercer. Elle sentait son pouls s'affoler. Elle n'était pas sûre d'avoir la force d'endurer ça pendant cinq cents pages.

Elle prit le roman de Leigh Trane et alla s'installer sur la terrasse, sous un parasol. Il était plus de 11 heures, la mi-journée en Floride, et le soleil tapait fort. Tout ce qui n'était pas à l'ombre était brûlant. Le récit de Leigh parlait d'une jeune femme célibataire qui se réveillait un jour enceinte sans savoir qui était le père. Elle avait beaucoup bu l'année précédente, fréquenté des tas d'hommes, et sa mémoire lui jouait des tours. Avec un calendrier, elle remonta le passé et trouva finalement trois prétendants possibles à la paternité. Elle enquêta sur chacun d'eux, avec le projet, un jour, quand l'enfant serait né, d'attaquer le vrai père en justice et de demander une pension. C'était une bonne intrigue, mais l'écriture était si contournée, si pompeuse, qu'on avait du mal à entrer dans l'histoire. Les scènes étaient confuses, on ne savait jamais vraiment ce qui se passait. Leigh Trane, à l'évidence, avait une plume dans une main et un dictionnaire dans l'autre, car le texte était émaillé de mots compliqués, pour la plupart inconnus de Mercer. Pour rendre le tout encore plus indigeste, les dialogues n'étaient pas identifiés, aucun guillemet ! Souvent, on ne savait pas qui parlait.

Après vingt minutes d'efforts, Mercer, épuisée, finit par s'endormir.

Elle s'éveilla en sueur, et sentit l'ennui poindre son nez. Et l'ennui n'avait pas droit de cité. Elle avait toujours vécu seule et avait appris à s'occuper. Le bungalow avait besoin d'un grand ménage mais cela pouvait attendre. Tessa était une fée du logis pas Mercer ! Elle n'avait pas hérité ça de sa grand-mère. Puisqu'elle habitait toute seule, quelle importance si tout n'était pas immaculé ? Elle enfila un maillot de bain et remarqua la pâleur de sa peau dans le miroir. Il était grand temps de régler ça ! Elle partit d'un bon pas vers la plage. C'était vendredi. Les touristes du week-end arrivaient, mais sa portion de plage était encore déserte. Elle se baigna longtemps, fit une petite marche, puis rentra se doucher avant d'aller déjeuner en ville. Elle enfila une robe d'été, se maquilla à peine, juste un coup de rouge à lèvres.

Fernando Street longeait la plage sur huit kilomètres. Du côté des dunes, la rue était bordée de studios à louer et de motels. Il y avait quelques nouvelles maisons, des appartements, et çà et là un bed & breakfast. De l'autre côté de la rue, il y avait encore plus d'habitations, des boutiques en pagaille, quelques bureaux, d'autres motels, des restaurants et des snacks. Elle roulait doucement, sans jamais dépasser les cinquante kilomètres à l'heure. Finalement Camino n'avait pas vraiment changé. L'île était comme dans ses souvenirs. Santa Rosa avait résisté et prospéré. Tous les deux cents mètres, un petit parking offrait un accès à la plage.

Derrière elle, vers le sud, il y avait les grands hôtels, le Ritz et le Marriott côte à côte, flanqués d'immeubles de standing, et de lotissements de luxe dont Tessa n'avait jamais approuvé la construction, parce que toutes ces lumières dérangeaient la ponte des tortues vertes et des caouannes. Tessa était un membre actif de la Turtle Watch, et de nombreuses autres organisations écologistes de l'île.

Mercer n'avait pas l'âme d'une militante. Elle était allergique aux réunions. Une bonne raison – encore une – pour ne plus s'approcher d'un campus et du milieu universitaire ! Elle entra en ville et se coula dans la circulation sur Main Street. Elle passa devant la librairie et la boutique d'antiquités provençales de Noelle Bonnet. Elle se gara dans une ruelle et trouva un petit restaurant avec une terrasse côté jardin. Après un long déjeuner à l'ombre et dans le calme, elle partit faire les boutiques, se mêlant aux flots de touristes, sans rien acheter. Elle poussa la promenade jusqu'au port et regarda les bateaux aller et venir. Elle venait souvent ici avec Tessa, pour retrouver Porter, leur ami navigateur qui avait un sloop de dix mètres, toujours prêt à les emmener en mer. Ces sorties, qui n'en finissaient pas, étaient d'un ennui à mourir, du moins pour Mercer. Il n'y avait jamais assez de vent à son goût et les deux autres passaient leur temps à faire bronzette. Elle tentait de se réfugier dans la cabine mais il n'y avait pas l'air conditionné et la chaleur était étouffante. Porter avait perdu sa femme, emportée par une maladie horrible. Il n'en parlait jamais et s'était exilé en Floride pour oublier ce cauchemar. Tessa disait qu'il y avait toujours de la tristesse dans ses yeux.

Mercer n'avait jamais jugé Porter responsable de ce qui était arrivé. Tessa adorait naviguer avec lui et elle connaissait les risques. La terre était en vue et il n'y avait eu aucun bulletin d'alerte.

Pour fuir la chaleur, elle entra dans le restaurant du port et but un thé glacé au bar désert. Elle contempla le bassin et regarda un bateau de pêche au gros accoster avec un tas de coryphènes et quatre pêcheurs ravis et cramoisis. Un groupe en jet-ski quitta la marina, à une allure bien trop rapide dans cette zone du port où la vitesse était limitée pour éviter de générer des remous. Puis elle aperçut un sloop sortir de la marina. Il était de la même taille que celui de Porter, et de la même couleur. Deux personnes se trouvaient à bord : un homme élégant, d'un certain âge, à la barre, et une femme avec un chapeau de paille. L'espace d'un instant, c'était Tessa, paressant au soleil, un verre à la main, donnant un conseil au capitaine sans qu'on l'ait sollicitée, et les années s'évanouirent. Tessa était de nouveau vivante. Elle lui manquait tant. La serrer dans ses bras, rire avec elle… Son estomac se noua, mais la magie de l'instant s'estompa. Elle regarda le voilier disparaître, paya son thé et quitta le port.

Elle s'installa dans un coffee-shop en face de la librairie et observa la boutique. Les grandes vitrines étaient couvertes de livres. Une bannière annonçait la prochaine dédicace d'un auteur. Il y avait toujours du passage, des gens qui entraient, qui sortaient.

Comment croire que les manuscrits de Fitzgerald étaient ici, cachés dans une pièce au sous-sol ? Et elle était censée les récupérer ! C'était encore plus inconcevable.

Elaine lui avait conseillé d'éviter Bay Books et d'attendre que Cable fasse le premier pas. Mais Mercer était seule en scène désormais, c'était elle l'espionne, elle qui inventait les règles du jeu. Elle n'était guère encline à suivre les ordres. Quels ordres ? Il n'y avait même pas de plan d'attaque ! Pas de stratégie. Mercer avait été lâchée au front et on attendait d'elle de l'improvisation, de la réactivité. À 17 heures, un homme dans un costume en seersucker avec un nœud papillon, sans doute Bruce Cable, sortit de la librairie. Mercer attendit qu'il ait disparu pour traverser la rue et entrer dans la boutique. Sa première visite depuis des années. La dernière fois qu'elle avait franchi ces portes, elle devait avoir dix-sept ou dix-huit ans.

Comme à son habitude quand elle était dans une librairie, la jeune femme déambula entre les rayonnages jusqu'à trouver la section romans, et parcourut rapidement les ouvrages rangés par ordre alphabétique jusqu'aux « M » pour voir si son livre était là. Elle eut un sourire. Il y avait un exemplaire de *Pluie d'octobre*. Pas trace, en revanche, de *La Musique des vagues*, mais cela n'avait rien d'étonnant. Une semaine après sa sortie, son recueil de nouvelles avait disparu des rayons.

Forte de cette petite victoire, elle se promena dans la boutique, savourant l'odeur des livres neufs, celle du café mêlée à un soupçon d'odeur de pipe dont elle ne pouvait distinguer l'origine. Elle aimait ces étagères qui ployaient sous le poids des volumes, les piles par terre, les tapis anciens, les rayons de livres de poche, les couleurs chatoyantes de la section best-sellers – vendus avec un rabais de vingt-cinq pour cent. Au fond du magasin, elle découvrit la salle des Éditions originales, une pièce élégante avec de beaux lambris, des vitrines, et des centaines d'ouvrages de grande valeur. À l'étage, elle acheta une bouteille d'eau gazeuse et s'aventura sur le balcon où des gens paressaient en prenant un café. Au bout, elle repéra un homme grassouillet qui fumait la pipe. Il feuilletait un guide touristique de l'île et regardait souvent sa montre.

À 17 h 55, Mercer redescendit à la boutique et aperçut Bruce Cable au comptoir, en pleine discussion avec un client. Il y avait peu de chance qu'il la reconnaisse. Son seul indice était sa photo en noir et blanc au dos de *Pluie d'octobre*, un roman qui datait de sept ans et qui n'avait rapporté que quelques dollars à la librairie. Mais une dédicace avait été programmée lors de sa tournée avortée, et Cable avait la réputation de tout lire. Il connaissait sans doute le lien de Mercer avec l'île et, plus important, du moins pour Cable, elle était une jeune femme séduisante. Alors, tout était possible.

Mais il ne lui accorda pas un regard.

2

Ash Street était à cent mètres au sud de Main Street. La maison occupait l'angle avec Fifth Street. C'était une ancienne demeure, avec une débauche de chiens assis, ceinte sur trois côtés par de grands balcons. Elle était rose bonbon, avec des huisseries bleu marine. Un petit panneau au-dessus de la porte d'entrée annonçait : « Vicker House 1867. »

Mercer ne se souvenait pas d'avoir vu de maison rose dans le centre de Santa Rosa, mais cela n'avait aucune importance. À cause de l'air marin, on repeignait les maisons tous les ans.

Elle toqua à la porte ce qui souleva un concert d'aboiements de l'autre côté. Une géante ouvrit le battant, lui tendit sa grosse main.

— Je suis Myra. Entrez ! Faites pas attention aux chiens. Personne ne mord ici à part moi.

— Bonjour. Je suis Mercer, dit-elle en lui serrant la main.

— Sans blague ! Entrez donc !

Les chiens s'égaillèrent quand la jeune femme pénétra dans le vestibule.

D'une voix perçante Myra appela :

— Leigh ! C'est ici que ça se passe ! Leigh !

Voyant que Leigh n'arrivait pas, elle se tourna vers Mercer.

— Attendez. Je vais la chercher.

Elle disparut dans le salon, laissant Mercer seule face à un bâtard de la taille d'un rat qui, une fois réfugié sous une table de couture, se mit à grogner en montrant ses petits crocs. Mercer tenta d'ignorer l'animal et jeta un regard circulaire à la pièce. L'air sentait le tabac froid et le chien mouillé. Un mélange guère agréable. Les meubles provenaient de brocantes, mais tous avaient un certain charme décalé. Les murs étaient décorés de vilains tableaux, des huiles, des aquarelles par dizaines – pas un seul motif marin.

Dans les profondeurs de la maison, Myra appela à nouveau. Une femme avec des mensurations beaucoup plus modestes apparut sur le seuil de la salle à manger.

— Bonjour, je suis Leigh Trane, dit-elle d'une voix douce, sans lui tendre la main.

— Enchantée. Mercer Mann.

— J'aime beaucoup votre livre, déclara Leigh dans un sourire qui dévoila deux rangées de dents parfaites, jaunies par le tabac.

Cela faisait longtemps qu'on ne lui avait pas dit ça. Elle fut prise de court.

— Heu… merci, bredouilla-t-elle.

— J'ai acheté un exemplaire il y a deux heures, à la librairie. Un vrai livre. Myra est addict à sa tablette et lit tout dessus.

C'était le moment de dire quelque chose de gentil sur le roman de Leigh, quitte à mentir, mais heureusement Myra la tira de l'embarras :

— Ah tu es là ! lança-t-elle en revenant dans l'entrée. Maintenant que vous avez fait connaissance les filles, allons ouvrir le bar ! Il me faut une chopine. Mercer ? Qu'est-ce que je vous sers ?

Sachant que les deux femmes ne buvaient pas de vin, elle répondit :

— Il fait chaud. Une bière fraîche, c'est bien.

Les deux femmes se raidirent comme si Mercer les avait offensées.

— Bon, il vaut mieux que je vous le dise, annonça Myra. Je brasse ma propre bière, et elle est un peu spéciale.

— Une horreur ! précisa Leigh. J'aimais la bière avant de goûter la sienne. Maintenant, j'en suis dégoûtée à jamais.

— Va donc écluser ton rhum, chérie et ne gâche pas le plaisir des autres. (Myra se tourna vers Mercer :) C'est une bière forte, dans les huit pour cent. Cela vous fout le cul par terre en un rien de temps !

— Qu'est-ce qu'on fait encore dans l'entrée ? s'impatienta Leigh.

— Excellente remarque ! s'écria Myra en agitant le bras. Par ici la compagnie !

De dos, elle ressemblait à un arrière de football américain. Elles la suivirent dans le couloir jusqu'au salon : une télévision, une cheminée et, dans un angle, un vrai bar avec un comptoir de marbre.

— On a du vin, vous savez, précisa Leigh.

— Alors, je veux bien un peu de vin blanc.

Tout sauf la bière maison.

Myra alla s'affairer derrière le comptoir et commença son petit interrogatoire :

— Alors ? Pourquoi Camino ?

— Vous ne vous souvenez sans doute pas de ma grand-mère, Tessa Magruder. Elle habitait un bungalow, sur Fernando Street.

Les deux femmes secouèrent la tête.

— Le nom me dit quelque chose, répondit Myra.

— Elle est décédée il y a onze ans.

— On n'est ici que depuis dix ans, précisa Leigh.

— La maison est toujours dans la famille, c'est pour cela que je suis venue ici.

— Vous restez longtemps ?

— Quelques mois.

— Pour finir votre roman ?

— Ou pour en commencer un nouveau.

— On en est tous là ! lança Leigh. À se poser la même question.

— Vous êtes encore sous contrat ? s'enquit Myra en farfouillant dans ses bouteilles.

— J'en ai bien peur.

— Il y en a plein qui aimeraient être à votre place ! Qui c'est votre éditeur ?

— Viking.

Myra s'extirpa du bar et tendit leurs verres à Leigh et Mercer. Elle attrapa un broc empli d'une bière trouble et épaisse.

— Allons dehors, proposa-t-elle. On pourra s'en griller une.

Juste pour la forme. Vu l'odeur, il était évident qu'elles fumaient à l'intérieur depuis des années.

Une fois sur la terrasse de bois, elles s'installèrent à une table de fer forgé flanquée d'une fontaine – deux grenouilles de bronze crachant un jet d'eau. De vieux liquidambars les nimbaient d'ombre, bruissant sous la brise. Le portillon ne fermant pas, les chiens allaient et venaient.

— C'est charmant, déclara Mercer alors que les deux femmes allumaient leur cigarette.

Celle de Leigh était longue et fine, celle de Myra était grosse et brunâtre.

— Désolée pour la fumée, annonça Myra, mais c'est une drogue. On ne peut y renoncer. Une fois, dans une autre vie, on a essayé d'arrêter, mais c'est de l'histoire ancienne. Tous ces efforts, toute cette souffrance… finalement c'était trop. Il faut bien mourir de quelque chose, non ?

Elle tira une longue bouffée, souffla avec un plaisir évident un gros nuage de fumée, et fit passer le tout avec une lampée de bière.

— Vous voulez goûter ? Allez-y.

— À votre place, je m'abstiendrais, intervint Leigh.

Mercer s'empressa de boire une gorgée de son vin.

— Non merci, sans façon.

— Ce bungalow… vous dites qu'il appartient à votre famille ? reprit Myra. Vous êtes donc souvent venue ici ?

— Depuis que je suis petite. Je passais tous les étés avec ma grand-mère, Tessa.

— Comme c'est mignon.

Myra avala une nouvelle rasade de bière. Elle perdait ses cheveux. Ses mèches s'arrêtaient deux centimètres au-dessus de ses oreilles et elles oscillaient de part et d'autre de sa tête comme deux moignons d'ailes. Myra était toute grisonnante et de l'âge de Leigh. Mais Leigh avait encore de longs cheveux qu'elle rassemblait en queue-de-cheval. D'un brun sans la moindre trace grise.

Les deux femmes semblaient vouloir l'assaillir de questions, alors Mercer contre-attaqua :

— Et vous ? Qu'est-ce qui vous a amenées sur l'île ?

Les deux femmes échangèrent un regard comme si c'était une longue histoire.

— On a vécu longtemps du côté de Fort Lauderdale. Puis on en a eu assez de la foule et des voitures. La vie ici est beaucoup plus tranquille. Les gens sont moins agressifs. Et l'immobilier moins cher. Et vous ? Où habitez-vous normalement ?

— J'étais à Chapel Hill pendant trois ans. J'étais prof à la fac. Je suis dans une sorte de transition…

— Une transition ? C'est vague, insista Myra.

— En clair, je n'ai plus de logement, plus de boulot et je veux terminer mon roman.

Leigh eut un petit gloussement enjoué. Myra partit d'un grand rire, la fumée lui sortant par tous les orifices.

— On a connu ça ! reprit-elle. On s'est rencontrées il y a trente ans, on était fauchées comme les blés, l'une comme l'autre. J'essayais d'écrire des romans historiques et Leigh pondait les mêmes textes imbitables qu'aujourd'hui, et on ne vendait rien. On vivait grâce aux allocs et aux tickets repas. On faisait des petits boulots payés une misère. Bref, on était mal parties. Et un jour, alors qu'on se promenait dans une galerie marchande, on a vu une longue queue, rien que des femmes de quarante cinquante ans. Elles attendaient quelque chose. La file commençait devant une librairie, une boutique de la chaîne Walden comme on en trouvait dans tous les centres commerciaux. Assise à une table, visiblement ravie, il y avait Roberta Doley. À l'époque, c'était une pointure en roman érotique pour femmes. Elle vendait un max. Je me suis mise dans la queue – Leigh, évidemment, était trop snob pour s'abaisser à ça ! – et j'ai acheté le livre. On l'a lu toutes les deux. C'était l'histoire d'un pirate qui écumait les Caraïbes, mettant la région à feu et à sang et qui avait toute l'Angleterre à ses trousses. Et bien sûr, il y avait une jeune et jolie vierge qui brûlait de voir le loup. De la grosse daube ! On a alors inventé cette histoire de jouvencelle du Sud qui fricotait un peu trop avec ses esclaves et qui se retrouvait enceinte. On s'y est mises à fond.

— J'ai même dû acheter quelques magazines cochons, ajouta Leigh. Pour mieux cerner le sujet. Il y avait des tas de choses qu'on ignorait.

Myra rit de bon cœur et continua :

— On l'a terminé en trois mois et, un peu gênée, je l'ai envoyé à mon agent de New York. Une semaine plus tard, elle m'a appelée pour m'annoncer qu'un dingue nous offrait une avance de cinquante mille pour le publier. On l'a sorti sous le pseudo Myra Leigh. Futé, non ? En un an, on avait amassé plein de fric. Et on ne s'est plus posé de questions.

— Vous écrivez donc ensemble ? demanda Mercer.

— Non, c'est elle qui écrit, s'empressa de répondre Leigh, comme pour prendre ses distances. On travaille ensemble sur l'histoire. Ce qui nous prend en gros dix minutes. Et c'est elle qui va au charbon. Du moins avant.

— Leigh ne veut pas se salir les mains ! Mais l'argent, elle veut bien y toucher.

— Allons, Myra, la reprit Leigh avec un sourire.

Myra s'emplit les poumons et souffla un gros nuage de fumée par-dessus son épaule pour ne pas incommoder Mercer.

— Quelle époque ! On a sorti une centaine de bouquins sous divers noms. Je n'arrivais plus à fournir ! Plus c'était cru, mieux c'était. Vous devriez essayer. Écrire un truc bien crade !

— Vous me donnez l'eau à la bouche, répliqua la jeune femme.

— Ne faites pas ça, intervint Leigh. Vous êtes trop brillante pour ça. Et j'aime ce que vous écrivez.

Mercer fut encore une fois touchée par le compliment.

— Merci, répondit-elle simplement.

— Puis on a dû lever le pied, poursuivit Myra. On a été poursuivies en justice deux fois par l'autre salope. Elle disait qu'on l'avait plagiée. Ce qui n'était pas vrai. Nos merdes étaient juste meilleures que les siennes. Mais nos avocats ont eu les chocottes et ont préféré passer un accord. Bref, ça a été la guerre avec notre éditeur, puis avec notre agent, et tout est parti en sucette. On a eu la réputation d'être des plagiaires, moi du moins. Leigh s'est débrouillée pour se cacher derrière moi, et j'ai pris tous les coups. Sa réputation d'écrivaine est donc toujours intacte. Bien joué.

— Allons, Myra, répéta doucement Leigh.

— Alors vous avez arrêté d'écrire ? s'enquit Mercer.

— Disons que j'ai ralenti considérablement la production. Il y a de l'argent sur le compte et certains titres se vendent encore pas mal.

— Moi, j'écris tous les jours, annonça Leigh. Sans ça, ma vie serait tellement vide.

— Et elle serait plus vide encore si je ne vendais pas !

— Allons, Myra.

Le plus gros chien de la meute, une chose informe à poils longs d'au moins vingt kilos, s'accroupit juste à côté de la terrasse et déposa un énorme étron. Myra le vit, ne dit rien, et souffla un nuage de fumée dans cette direction, comme pour occulter cette image.

Mercer changea de sujet :

— Il y a d'autres écrivains sur l'île ?

Leigh acquiesça dans un sourire mais c'est Myra qui répondit :

— Oh oui, bien trop !

Elle avala une lampée de bière avec un claquement de langue satisfait.

— Il y a Jay, dit Leigh. Jay Arklerood.

Visiblement la mission de Leigh était de faire des suggestions pour que Myra puisse raconter l'anecdote.

— Tu veux commencer par lui ? D'accord. Un autre snob comme toi qui ne vend rien, mais méprise tout le monde. Il est aussi poète à ses heures. Vous aimez la poésie, Mercer ?

À son ton, il était évident qu'elle ne goûtait guère cet exercice.

— Je n'en lis pas beaucoup, affirma la jeune femme avec précaution.

— Fuyez la sienne ! Si tant est qu'on puisse encore trouver ses poèmes.

— Je ne connais pas cet auteur.

— Pas étonnant ! Il vend encore moins que Leigh.

— Allons, Myra…

— Et Andy Adam ? avança Mercer. Il vit ici, je crois.

— Quand il n'est pas en désintox. Il avait une jolie villa à la pointe sud, mais il l'a perdue suite à son divorce. C'est une épave, mais c'est un bon écrivain. J'adore sa série des Captain Clyde. C'est vraiment du bon polar. Même Leigh s'abaisse à les lire.

— Un homme charmant, précisa Leigh. Quand il est à jeun. Malheureusement, il a l'alcool mauvais. Il provoque toujours des bagarres.

Évidemment, Myra enchaîna :

— Le mois dernier, il a été pris dans une rixe au saloon sur Main Street. Un gars de la moitié de son âge lui a fichu une rouste et les flics l'ont embarqué. C'est Bruce qui a payé la caution.

— Bruce ? Qui est-ce ? demanda aussitôt Mercer.

Myra et Leigh échangèrent un soupir et burent chacune une gorgée, comme si c'était un vaste sujet.

— Bruce Cable, répondit finalement Leigh. C'est le propriétaire de la librairie. Vous ne le connaissez pas ?

— Je ne crois pas. Je me souviens d'être allée quelques fois là-bas quand j'étais petite, mais pas de l'avoir rencontré.

— Pour les livres et les écrivains, reprit Myra, Bay Books est le centre du monde. Et Bruce est son soleil. C'est lui le tôlier.

— Et c'est une bonne chose ?

— Oh, Bruce, on l'adore ! Il a la meilleure librairie du pays et il aime vraiment les écrivains. Il y a des années, avant qu'on ne s'installe ici, à l'époque où je publiais beaucoup, il m'a invitée pour une séance de dédicaces. Ce qui faisait un peu tache. Les romans érotico-romantiques, ce n'est pas trop dans le style de la maison, mais Bruce s'en fichait. Cela a été super, on a vendu un tas de livres, et on a passé notre temps à écluser du mauvais champagne. À minuit, la librairie était encore ouverte ! Il a même organisé une séance pour Leigh, c'est dire !

— Allons, Myra…

— C'est vrai. Et elle a signé quatorze exemplaires.

— Quinze. Jamais, je n'en ai vendu autant d'un coup.

— Mon record, c'est cinq, annonça Mercer. Et c'était ma première dédicace. Quatre à la suivante et zéro à la troisième. Après ça, j'ai appelé mon éditeur pour arrêter les frais.

— C'est vrai ? lança Myra. Vous avez déclaré forfait ?

— Oui. Et si jamais je publie un autre roman, je refuserai la moindre tournée de promotion.

— Il fallait venir à Camino. Chez Bay Books.

— C'était au programme, mais j'ai trop flippé. J'ai tout annulé.

— Vous auriez dû commencer par ici. Bruce n'a pas son pareil pour rameuter les foules. Il nous appelle tout le temps, pour nous prévenir de la venue d'un auteur, pour nous vanter son livre. Et le sous-texte, c'est : ramenez vos fesses et achetez son livre. Et on répond toujours présentes !

— C'est comme ça qu'on a un tas de livres, tous dédicacés et presque jamais ouverts.

— Vous êtes passée à la boutique ? s'enquit Myra.

— J'y ai fait un saut avant de venir ici. L'endroit est charmant.

— C'est la civilisation, une oasis dans le désert ! Allons déjeuner là-bas. Je vous présenterai Bruce. Vous allez l'adorer et ce sera réciproque. Il aime tous les auteurs, mais les jeunes et jolies écrivaines ont sa préférence.

— Il est marié ?

— Oh oui. Sa femme s'appelle Noelle. Elle est souvent là. Un sacré personnage.

— Moi, je l'aime bien, annonça Leigh, comme si c'était une exception.

— Qu'est-ce qu'elle fait dans la vie ? demanda Mercer jouant l'innocente.

— Elle est antiquaire. Spécialisée dans le mobilier provençal. Sa boutique est juste à côté de Bay Books, répondit Myra. Qui veut un autre verre ?

Mercer et Leigh avaient à peine bu. Myra partit de son pas de pachyderme remplir son pot de bière. Trois chiens la suivirent. Leigh alluma une autre cigarette.

— Parlez-moi de votre roman. Ça avance ?

Mercer avala une gorgée de son chablis tiède.

— Je ne peux rien vous dire, mille excuses. C'est une règle que je m'impose. Je déteste les écrivains qui parlent de leur travail. Je trouve ça rasoir, pas vous ?

— Certes. En tout cas, moi, j'aimerais bien échanger sur ce que j'écris, mais ça n'intéresse pas Myra. Pourtant discuter de son travail, ça motive. Je suis bloquée depuis huit ans. L'angoisse de la page blanche ! (Elle lâcha un petit rire et tira une bouffée nerveusement.) Mais pour ça Myra ne m'est pas d'une grande aide. Pire même, c'est comme si je n'osais pas écrire à cause d'elle.

Mercer eut de la compassion et faillit se proposer de lire ses textes, mais elle se souvint quelle torture c'était. Myra revint en scène avec son broc rempli, en donnant un coup de pied à un chien qui était assis devant sa chaise.

— Il y a aussi Miss Vampire. Comment elle s'appelle déjà ? Amy…

— Amy Slater, répondit Leigh.

— Voilà. Elle a emménagé ici il y a cinq ans avec son mari et ses gosses. Elle s'est fait un max avec sa série sur des vampires, des fantômes et ce genre de conneries. C'est vraiment mauvais, mais ça se vend comme des petits pains. Même dans ma pire période, je n'ai jamais écrit des navets pareils. Avec une main attachée dans le dos, j'écris mieux que ça !

— Allons, Myra. Amy est très gentille.

— C'est toi qui le dis.

— Qui d'autre encore ? reprit Mercer.

Pour l'instant, Myra les avait tous descendus. Un jeu de massacre plutôt amusant. C'était assez courant entre écrivains. Avec l'alcool, ils devenaient de vraies commères.

Les deux femmes réfléchirent une seconde en buvant.

— Il y en a évidemment un tas en autoédition. Ils pondent deux cents pages, les mettent en ligne, et se font appeler écrivains. Ils éditent quelques exemplaires papier, et squattent la librairie, harcèlent Bruce pour qu'il place leur bébé en tête de gondole ou pour lui réclamer leurs droits d'auteur. De vrais emmerdeurs ! Bruce a une table où il présente tous les livres à compte d'auteur, et il y en toujours un ou deux qui viennent se plaindre de son emplacement. Avec Internet, tout le monde est un auteur publié, pas vrai ?

— Oh oui... Quand j'enseignais, ils laissaient leurs livres ou leurs manuscrits devant ma porte, accompagnés d'une longue lettre m'expliquant dans le détail que leur texte était génial et qu'ils aimeraient que j'écrive un petit éloge pour leur promo.

— Vous étiez prof. Vous nous racontez ? demanda Leigh doucement.

— Oh, il n'y a pas grand-chose à dire. C'est beaucoup plus amusant de parler des écrivains, croyez-moi !

— J'en ai un autre ! lança Myra. Bob ! Mais son nom de plume, c'est J. Andrew Cobb. Alors, on l'appelle Bob Cobb. Il a passé six ans dans une prison fédérale pour escroquerie ou je ne sais plus quel truc louche dans le monde de l'entreprise, et c'est là qu'il a appris à écrire, enfin si on peut dire. Il a publié quatre ou cinq livres sur le sujet qu'il connaît le mieux : l'espionnage industriel. Et ses histoires sont plutôt bien ficelées. Ce n'est pas un mauvais écrivain.

— Je croyais qu'il était parti ? intervint Leigh.

— Il a gardé un appartement à côté du Ritz, où il ramène les greluches qu'il drague sur la plage. Il frise la cinquantaine, et les filles ont souvent la moitié de son âge. Mais il sait y faire, et a plein d'anecdotes rigolotes sur ses années en prison. Alors attention quand vous allez vous baigner. Bob Cobb, le requin, rôde !

— Je m'en souviendrai.

— De qui d'autre encore peut-on vous parler…, réfléchit Myra en buvant une goulée de bière.

— Je crois que ça suffira pour aujourd'hui, répondit Mercer. Je vais déjà avoir du mal à mémoriser tous ceux-là.

— Vous ferez bientôt leur connaissance. Il y en a toujours un ou deux qui traînent à la librairie et Bruce reçoit beaucoup de gens chez lui.

Leigh sourit et reposa son verre.

— On n'a qu'à le faire ici, Myra. Une soirée. Invitons toutes ces belles personnes sur lesquelles on vient de lâcher notre fiel. Il y a longtemps que l'on n'a pas fait de dîners. C'est toujours Bruce et Noelle qui organisent. Souhaitons officiellement la bienvenue à Mercer. Qu'est-ce que tu en dis ?

— C'est une bonne idée. Magnifique. Je vais demander à Dora de s'occuper du repas et on fera un grand ménage dans la maison. Vous êtes partante, Mercer ?

La jeune femme acquiesça avec un détachement feint. C'était l'occasion en or ! Leigh alla se servir un autre rhum et rapporta la bouteille de vin pour Mercer. Les deux hôtesses consacrèrent l'heure suivante à parler de la fête et à peaufiner la liste des invités. À l'exception de Bruce Cable et de Noelle Bonnet, tous les autres convives semblaient se traîner des casseroles, et plus elles étaient grosses, mieux c'était pour les organisatrices. La soirée promettait d'être mémorable.

La nuit était tombée quand Mercer put prendre congé. Les deux femmes étaient à deux doigts de lui proposer de dîner, mais quand Leigh laissa entendre qu'il n'y avait que des restes au réfrigérateur, Mercer comprit le message. Avec trois verres dans le ventre, elle préférait ne pas conduire tout de suite. Elle flâna en ville avec les flots de touristes qui déambulaient sur Main Street. Elle trouva un café encore ouvert et passa l'heure au bar avec un café crème, à feuilleter une brochure touristique sur Camino, financée en grande partie par des agences immobilières. De l'autre côté de la rue, la librairie était noire de monde. Elle s'approcha finalement de la boutique et contempla les jolies vitrines, sans franchir les portes. Elle descendit vers le port, s'assit sur un banc pour regarder les bateaux de plaisance de la marina, roulant doucement sur l'eau. Elle avait entendu tellement de ragots que ses oreilles tintaient. Elle étouffa un petit rire au souvenir des deux femmes, de plus en plus ivres, préparer avec facétie le plan de table.

Ce n'était que sa deuxième nuit sur l'île, mais elle avait l'impression d'avoir trouvé sa place. Boire avec

Myra et Leigh devait avoir cet effet-là sur tous leurs visiteurs. L'air chaud et iodé aidait à la transition. Et Mercer ne laissait derrière elle rien ni personne dont se languir. Des centaines de fois, elle s'était demandé ce qu'elle venait faire ici. La question demeurait, mais se faisait de moins en moins oppressante.

3

La marée était haute à 3 h 21. L'heure à laquelle la caouanne sortit de l'eau et s'arrêta à la lisière des vagues pour observer les alentours. Elle mesurait un mètre vingt de long et pesait cent quatre-vingts kilos. Elle avait sillonné les océans pendant deux ans et revenait à l'endroit où elle avait effectué sa dernière ponte, à moins de cinquante mètres de son ancien nid. Elle se mit à ramper sur le sable – un milieu inhabituel pour elle. Elle progressait lentement, tirant avec ses pattes antérieures, poussant avec ses postérieures. Elle faisait de nombreuses haltes pour surveiller la plage, guettant un prédateur, un mouvement suspect. Elle cherchait un terrain sec. Comme tout semblait tranquille, elle reprenait sa reptation laborieuse, laissant une trace inratable dans le sable, qui serait bientôt repérée par ses anges gardiens. À trente mètres du rivage, au pied d'une dune, elle trouva son spot et entreprit de retirer le sable sec avec ses pattes avant. Puis, maniant ses pattes arrière comme deux pelles, elle creusa une petite fosse circulaire d'environ dix centimètres de profondeur. Tout en œuvrant, elle tournait sur elle-même pour ménager un pourtour régulier. Pour une créature marine, c'était un travail harassant. Elle devait faire de nombreuses pauses. Quand l'excavation fut terminée, elle commença à creuser le nid proprement dit, une cavité en forme de goutte d'eau pour accueillir les œufs. Une fois fini, elle fit une nouvelle pause, puis lentement, elle plaça l'arrière de son corps au-dessus du trou, face à la dune. Trois œufs tombèrent en même temps, chacun couvert d'une pellicule de mucus. Leur coquille était suffisamment souple pour ne pas se casser sous le choc. D'autres œufs suivirent, par groupe de deux ou trois. Durant tout le processus de ponte, la tortue ne bougeait pas, semblant en transe. Des larmes coulaient de ses yeux, expulsant le sel qui s'était accumulé dans son organisme.

Mercer aperçut la trace dans le sable et sourit. Elle la suivit avec précaution jusqu'à repérer la forme de la caouanne près de la dune. Par expérience, elle savait qu'au moindre bruit ou signe de danger, la tortue interromprait la ponte et repartirait à la mer sans avoir recouvert ses œufs. Mercer s'arrêta et observa la silhouette. La demi-lune perçait les nuages et éclairait l'animal.

La transe dura. Rien ne vint déranger la caouanne. Quand le nid fut empli d'une centaine d'œufs, la ponte cessa. C'était fini pour cette nuit. L'animal reboucha alors la fosse.

Quand elle vit la tortue bouger à nouveau, Mercer sut que la ponte était terminée, et les œufs en sécurité. En se tenant à distance de la tortue, la jeune femme s'installa au pied d'une autre dune, cachée dans l'ombre. Elle regarda l'animal qui envoyait du sable dans toutes les directions pour effacer les traces de son passage et induire les prédateurs en erreur.

Une fois persuadée que son nid était suffisamment dissimulé, la tortue repartit vers la mer, laissant ses œufs derrière elle. Elle viendrait pondre encore une ou deux fois durant la saison avant de repartir vers ses zones d'alimentation à des centaines de kilomètres de là. Dans un an ou deux, voire trois ou quatre, elle reviendrait sur cette même plage déposer à nouveau ses œufs.

Cinq nuits par mois, de mai à août, Tessa arpentait ce secteur de la plage à la recherche des traces de caouannes. Sa petite-fille était à ses côtés – un grand moment d'aventure. Trouver une trace était toujours un moment exaltant. Découvrir une mère occupée à pondre, c'était le grand frisson !

Cette nuit, Mercer s'étendit sur le flanc de la dune et attendit. Les bénévoles de la Turtle Watch viendraient bientôt et feraient le nécessaire. Tessa avait été présidente de ce groupe de protection des tortues durant de nombreuses années. Comme une tigresse, elle avait défendu les nids et, à de nombreuses reprises, avait tancé les vacanciers qui divaguaient dans les zones protégées. Deux fois, se souvenait Mercer, Tessa avait appelé la police. Le droit des hommes était de son côté, comme celui des tortues, et elle entendait le voir respecté.

La voix de cette gardienne opiniâtre s'était tue. La plage ne serait plus jamais la même, du moins pour la jeune femme. Mercer regarda les feux de position des crevettiers qui clignotaient à l'horizon et sourit au souvenir de Tessa et de son combat pour les tortues. Le vent se leva, la jeune femme referma les bras autour d'elle.

Dans soixante jours environ, suivant la température, les petites tortues naîtraient. Sans l'aide de personne, elles casseraient leur coquille et creuseraient frénétiquement, un effort collectif qui pouvait prendre plusieurs jours. Et enfin, sous le couvert de la nuit ou d'un orage, quand il faisait moins chaud, elles s'élanceraient pour le grand sprint. Toutes ensemble, elles jailliraient du sable, s'orienteraient en quelques secondes, et fonceraient vers la mer. Les chances de survie étaient infimes. L'océan était un champ de mines. Les prédateurs si nombreux qu'un seul bébé tortue sur mille parviendrait à l'âge adulte.

Deux personnes approchaient le long du rivage. Elles s'arrêtèrent dès qu'elles virent les traces dans le sable et les suivirent jusqu'au nid. Une fois certaines que la mère avait terminé et que les œufs étaient là, elles observèrent les alentours à la lueur de leurs lampes torches, puis firent un cercle dans le sable autour du lieu de ponte et plantèrent un petit bâton surmonté d'un fanion fluo. Mercer entendait leurs voix – deux femmes – mais préféra rester cachée. Elles reviendraient une fois le jour levé pour sécuriser l'endroit avec du grillage et un écriteau, comme Mercer et Tessa l'avaient fait bien des fois.

En repartant, elles effacèrent les traces laissées par la caouanne.

Après leur départ, Mercer décida d'attendre l'apparition du soleil. Elle n'avait jamais passé la nuit sur la plage, alors elle se pelotonna dans le sable, adossée à la dune, et finalement s'endormit.

4

À l'évidence, la communauté littéraire de Camino avait bien trop peur de Myra Beckwith pour décliner une invitation, même lancée à la dernière minute. Personne ne voulait la vexer. Ni être absent, de peur d'être le sujet des commérages de ceux qui auront répondu présents. Ainsi, par réflexe de survie ou par simple curiosité, ils commencèrent à affluer à la Vicker House en cette fin de dimanche pour trinquer à la bienvenue de leur nouveau membre, même si cette venue n'était que temporaire. C'était le week-end du Memorial Day, le début de l'été. L'e-mail d'invitation spécifiait 18 heures, mais pour les écrivains la ponctualité était une notion abstraite. Personne n'était à l'heure.

Bob Cobb surgit le premier, coinça aussitôt Mercer sur la terrasse et l'assaillit de questions. Il avait de longs cheveux gris, le teint cuivré de quelqu'un qui passe trop de temps au soleil et portait une chemise à fleurs, le col ouvert, dévoilant un buisson de poils tout aussi gris. Au dire de Myra, l'éditeur de Cobb avait refusé son dernier manuscrit. Comment savait-elle cela ? Mystère ! Il sirotait un pichet de bière spécial Myra et se tenait bien trop près de Mercer.

Amy Slater, la miss Vampire, vint lui souhaiter la bienvenue sur l'île et la tira de ce mauvais pas. Elle avait trois enfants et était bien contente de pouvoir s'échapper pour la soirée. Leigh Trane rejoignit le groupe mais parla peu. Myra s'agitait dans la maison, vêtue d'une robe rose fuchsia grande comme une tente canadienne ; elle aboyait ses ordres à Dora la cuisinière, allait chercher les verres, ignorant la meute de chiens qui couraient partout.

Bruce et Noelle arrivèrent ensuite. Mercer rencontrait enfin l'homme responsable de sa retraite sabbatique. Il portait un costume en seersucker jaune pâle avec un nœud papillon, même si l'invitation spécifiait « tenue *très* décontractée ». Mais dans le microcosme de la littérature chacun avait son code vestimentaire. Cobb avait choisi un short de rugby. Noelle était magnifique dans une robe de coton, très cintrée qui épousait à merveille ses formes graciles. Ah ! l'élégance des Françaises ! l'envia intérieurement Mercer, son verre de chablis à la main, en s'efforçant de ne pas perdre le fil de la conversation.

Certains écrivains sont de grands conteurs et ont toujours pléthore d'anecdotes, de plaisanteries et de bons mots. D'autres sont plus renfermés, des âmes introverties qui explorent leur univers personnel et ne sont guère à l'aise en société. Mercer se situait entre les deux. Son enfance solitaire lui avait appris à vivre dans son monde intérieur, où le silence était roi. Mais parce qu'elle en avait souffert, elle se forçait à bavarder avec ses congénères, et à s'esclaffer à leurs blagues.

Andy Adam fit son entrée et demanda immédiatement une double vodka glace. Myra le servit et lança un regard inquiet à Bruce. Tout le monde savait que Andy avait replongé. Quand il se présenta à Mercer, elle remarqua aussitôt l'entaille à son arcade sourcilière gauche et se souvint de son goût pour les rixes dans les bars. Cobb et lui étaient du même âge, tous deux divorcés, tous deux grands buveurs et dragueurs des plages, qui avaient la chance de vendre et de pouvoir profiter de la vie. Évidemment, les deux hommes ne tardèrent pas à se trouver et se mirent à parler pêche au gros.

Jay Arklerood, le poète maudit, le Hugo dont on avait coupé les ailes, arriva peu après 19 heures, ce qui, au dire de Myra, était tôt pour son horloge interne. Il prit un verre de vin, salua Bruce, mais ne vint pas se présenter à Mercer. Toute la bande était là. Myra demanda le silence et porta un toast : « Levons nos verres à la santé de Mercer Mann, notre nouvelle amie, qui est venue sur notre île trouver l'inspiration. Puissent le soleil et nos plages l'aider à terminer son satané livre qui aurait dû être bouclé depuis trois ans ! »

— Seulement trois ans ? plaisanta Leigh.

Une remarque qui en fit rire beaucoup.

— Mercer ? Un petit mot ? ajouta Myra.

— Merci, répondit la jeune femme après l'ova-
tion. Je suis ravie d'être ici. Depuis l'âge de six ans,
je venais ici, passer l'été chez ma grand-mère, Tessa
Magruder. Certains d'entre vous l'ont peut-être
connue. C'était l'époque la plus heureuse de ma vie,
du moins jusqu'à présent. C'est vieux tout ça, mais
je suis contente d'être de retour. Et d'être parmi vous
ce soir.

— À Mercer ! lança Cobb en levant son verre.

Les autres l'imitèrent : « À Mercer ! » Et les
conversations reprirent aussitôt.

Bruce s'approcha de la jeune femme.

— Je connaissais un peu Tessa, lui annonça-t-il à
voix basse. Elle et Porter ont péri en mer, après une
tempête, c'est ça ?

— Oui. Il y a onze ans.

— Je suis désolé, déclara Bruce, un peu mal à
l'aise.

— Ça va. C'est passé. C'était il y a longtemps.

Myra reprit le devant de la scène :

— Allez. Je meurs de faim ! Prenez vos verres et à
table ! Un dîner nous attend.

Les neuf convives se rendirent dans la salle à
manger. La table était bien petite pour l'assemblée
– même s'ils avaient été deux fois plus nombreux,
Myra aurait trouvé le moyen de les y faire tous tenir !
Une collection de chaises dépareillées était répartie
tout autour. La table était joliment dressée toutefois, avec des bougies et des fleurs. La vaisselle et
les verres à pied étaient anciens et bien assortis, les
couverts en argent disposés à la perfection, les ser-
viettes, blanches, repassées et pliées avec élégance.

Myra avait noté la place de chacun sur une feuille de papier. Un plan de table qui avait été étudié avec soin par les deux hôtesses. Myra aboyait ses indications. Mercer se retrouva entre Bruce et Noelle, et après les jérémiades habituelles, tout le monde s'installa. Au moins trois conversations séparées démarrèrent quand Dora vint servir le vin. Il faisait chaud et les fenêtres étaient ouvertes. Un ventilateur antédiluvien bourdonnait au-dessus d'eux, bien trop près de leurs têtes.

— OK, je vous rappelle les règles, annonça Myra. Interdiction de parler de ses livres, ni de politique. Il y a des républicains ici !

— Quoi ? s'exclama Andy. Qui les a invités ?

— Moi, et si cela te défrise, tu peux t'en aller.

— Qui donc est républicain ici ? insista Andy.

— Moi ! répliqua Amy, en levant la main avec fierté.

À l'évidence, ce n'était pas la première fois qu'ils jouaient cette petite scène.

— Moi aussi ! annonça Cobb. Même si j'ai été en prison et tabassé par le FBI, je reste fidèle aux valeurs républicaines.

— Au secours…, marmonna Amy.

— C'est exactement ce que je dis ! s'agaça Myra. Pas de politique !

— Et parler football, on peut ? s'enquit Cobb.

— Non. Pas de football non plus ! répondit Myra dans un sourire. Bruce, tes sujets de prédilection ?

— En fait, politique et football !

Tout le monde rit.

— C'est quoi le programme à la librairie la semaine prochaine ? enchaîna-t-elle.

— Oh... mercredi prochain, Serena Roach revient pour signer son nouveau livre. Je compte sur votre présence.

— Elle s'est fait descendre dans le *Times* ce matin, précisa Amy, avec une pointe de plaisir. Vous avez vu l'article ?

— Qui lit encore le *Times* ? rétorqua Cobb. Ce torchon de gauchistes !

— Moi, j'aimerais bien être descendue par le *Times*, ou par n'importe quel journal d'ailleurs, lança Leigh. De quoi parle son livre ?

— C'est son quatrième. Une femme seule à New York qui a des problèmes relationnels.

— Comme c'est original ! railla Andy. J'ai hâte de lire ça.

Il vida sa deuxième double vodka et en demanda une autre à Dora. Myra regarda Bruce en fronçant les sourcils. Celui-ci eut un haussement d'épaules, comme pour dire : « C'est un grand garçon. »

— Gaspacho ! annonça Myra en prenant sa cuillère. Allez-y ! Attaquez !

En quelques secondes, chacun parla de son côté. Cobb et Andy, discrètement, discutaient politique. Leigh et Jay, tassés en bout de table, évoquaient le roman de quelqu'un. Myra et Amy échangeaient leurs impressions sur un restaurant qui venait d'ouvrir.

— Encore pardon d'avoir évoqué la mort de Tessa, chuchota Bruce à l'oreille de Mercer. C'était très maladroit.

— Ce n'est rien. C'est vieux.

— Je connaissais bien Porter. C'était un habitué de la librairie. Il adorait les polars. Tessa venait une fois par an, mais n'achetait pas grand-chose. Je crois me souvenir l'avoir vue avec sa petite-fille. Mais cela fait des années.

— Combien de temps comptez-vous rester à Camino ? s'enquit Noelle.

Évidemment, tout ce que Mercer avait dit à Myra avait été rapporté à Bruce.

— Quelques mois. Je suis entre deux boulots. En fait non, je n'ai rien en vue. Ces trois dernières années, j'ai été prof, et j'espère que ce supplice est définitivement derrière moi. Et vous ? Parlez-moi de votre boutique.

— Je vends des meubles anciens. Surtout proven-çaux. Mon magasin est à côté de la librairie. Je suis de La Nouvelle-Orléans, mais j'ai rencontré Bruce et je suis venue m'installer ici. Juste après le passage de Katrina.

Elle avait une diction irréprochable, sans le moindre accent du Sud. Aucun accent du tout. Et parmi tous ses bijoux, pas la moindre alliance.

— C'était en 2005, dit Mercer. Un mois après l'accident de Tessa. Je m'en souviens très bien.

— Où étiez-vous quand c'est arrivé ? demanda Bruce.

— Oh… c'était le premier été en quatorze ans que je ne passais pas à Camino. Je devais travailler pour payer mes études. J'avais décroché un petit boulot à Memphis, ma ville natale.

Dora débarrassa les bols et remplit les verres de vin. Andy se faisait de plus en plus bruyant.

— Vous avez des enfants ? s'enquit Mercer.

Bruce et Noelle échangèrent un sourire et secouèrent la tête.

— On n'a pas trouvé le temps, répondit-elle. Je bouge beaucoup, j'achète, je vends, surtout en France, et Bruce est à sa librairie sept jours sur sept.

— Vous ne voyagez pas avec elle ?

— Assez rarement. On s'est mariés en Provence.

Faux ! Un mensonge qu'ils avaient proféré tant de fois, qu'il leur venait naturellement. Mercer but une gorgée de vin et se rappela qu'elle était assise à côté, sans doute, du plus grand trafiquant de livres volés du pays. Pendant qu'ils parlaient de la Côte d'Azur et du métier d'antiquaire, Mercer se demanda ce que savait Noelle au juste de ce commerce clandestin. Si Cable avait payé un million de dollars pour acquérir les manuscrits Fitzgerald, elle devait être au courant, non ? Il n'était pas un magnat de l'industrie avec des affaires aux quatre coins de la planète et une multitude de moyens pour dissimuler une telle somme. C'était le libraire d'une petite ville qui passait tout son temps dans son magasin. Comment aurait-il pu lui cacher une telle somme ? Noelle était forcément dans la confidence.

Bruce avait beaucoup aimé *Pluie d'octobre* et il demanda à Mercer pourquoi elle avait interrompu sa tournée de promotion. Myra, entendant la question, fit taire la tablée, pour que tout le monde puisse profiter de son histoire. Pendant que Dora servait de la carangue rôtie, la conversation dévia naturellement vers les séances de dédicaces. Tous avaient une anecdote à raconter. Leigh, Jay et Cobb reconnurent qu'eux aussi étaient restés des heures dans une librairie sans vendre un seul livre. Andy avait attiré pas mal de lecteurs avec son premier roman et, comme on pouvait s'y attendre, il avait été expulsé d'une librairie quand, ayant trop bu, il s'était mis à insulter les clients qui ne voulaient pas acheter un exemplaire. Même Amy, l'auteur à succès du groupe, avait eu de mauvaises expériences avant de se lancer dans sa série des vampires.

Au cours du dîner, Andy passa à l'eau, et toute la tablée se détendit.

Cobb raconta une anecdote de prison. Un gamin de dix-huit ans qui était régulièrement violé par son compagnon de cellule, un vrai prédateur sexuel. Des années plus tard, alors que les deux étaient en liberté conditionnelle, le jeune avait retrouvé son ancien compagnon. Il menait une vie tranquille dans une banlieue, avait tiré un trait sur son passé. L'heure de la vengeance avait donc sonné.

C'était une longue histoire, passionnante. Quand Cobb eut terminé, Andy lança :

— Quel escroc ! C'est de la pure invention, pas vrai ? C'est le sujet de ton prochain roman.

— Pas du tout. Juré, craché.

— Mon cul ! Tu nous as déjà fait le coup. Tu nous racontes une histoire pour voir comment on réagit, et l'année suivante, ça fait un livre !

— C'est vrai que j'y ai pensé. Comment vous trouvez l'intrigue ? Ça pourrait se vendre ?

— Moi, j'aime bien, répondit Bruce. Mais doucement sur les scènes de viol en prison. Tu insistes un
peu trop là-dessus, à mon avis.

— On croirait entendre mon agent, marmonna
Cobb. (Il sortit un stylo de sa poche, comme s'il s'ap-
prêtait à prendre des notes.) D'autres commentaires ?
Mercer ? Un avis ?

— J'ai voix au chapitre ?

— Bien sûr. Votre avis vaut bien celui de ces langues de vipères.

— Moi, je pourrais en tirer quelque chose, lança
Andy.

Rire général.

— Tu m'étonnes ! railla Cobb. Tu n'as jamais
d'histoires ! Tu as envoyé ton petit dernier ?

— Oui et il m'est revenu. Problèmes de structure,
qu'ils ont dit !

— Comme pour ton précédent, mais ils l'ont
publié quand même.

— Et ils ont eu du nez. Ils n'arrivent plus à fournir !

— Hé les garçons ! Qu'est-ce que j'ai dit ? Règle
numéro un : on ne parle pas de ses propres livres !

— Sinon, on en a pour la nuit, murmura Bruce à
l'oreille de Mercer, juste assez fort pour que tout le
monde l'entende.

Elle aimait cette ambiance bon enfant, ces plaisanteries qui fusaient. Toute la table semblait apprécier.
Jamais, elle n'avait rencontré un groupe d'auteurs
si prompt à se lancer des piques, mais c'était drôle,
jamais méchant.

Amy, dont les joues devenaient cramoisies avec le vin, en remit une couche :

— Et si le gamin était en plus un vampire ?

Tout le monde s'esclaffa de plus belle.

— Bonne idée ! répliqua Cobb. On pourrait commencer une nouvelle série : « Les vampires en prison. » J'aime bien. Ça te dit ?

— Je vais suggérer à mon agent de contacter le tien, répondit Amy. On verra ce qu'ils en pensent.

Avec un timing parfait, Leigh lança :

— Et on se demande pourquoi le monde du livre est en crise !

Quand les rires cessèrent, Cobb lâcha :

— Encore un livre abattu par la mafia littéraire !

Le calme revint quelque temps, chacun dégustant son poisson.

Finalement Cobb lâcha un gloussement :

— Des problèmes de structure ? Qu'est-ce que cela veut dire ?

— Que l'intrigue est moisie, ce qui est le cas. Franchement, je ne l'ai jamais trouvée très bonne.

— Tu peux toujours le publier à compte d'auteur. Bruce te le mettra sur sa petite table pliante au fond de la librairie, avec les autres daubes refusées.

— Ah non, pas ça ! intervint Bruce. Je n'ai plus de place.

Myra changea de sujet :

— Alors Mercer ? Vous êtes là depuis quelques jours… Comment va l'inspiration ?

— J'ai droit à un joker ? répondit-elle dans un sourire.

— Vous comptez terminer le précédent ou en commencer un nouveau ?

— Je ne sais pas trop. Je vais probablement oublier celui en cours et me lancer sur une autre histoire. Mais rien n'est encore décidé.

— Si vous avez besoin de conseils, en quoi que ce soit : écriture ou édition, amour et relations, cuisine, vin, voyage, politique, vous êtes au bon endroit ! Regardez cette docte assemblée. Rien que des experts !

— C'est ce que je vois !

5

À minuit, Mercer était assise au bord de la passerelle de bois, les pieds dans le sable, avec la mer tout près, invisible. Elle ne se lassait pas du bruit de l'océan, que ce soit le chuintement du ressac un jour de calme plat, ou le fracas des déferlantes dans la tempête. Ce soir-là, il n'y avait pas de vent et la marée était basse. Une silhouette solitaire passa au loin, le long du rivage.

Ce dîner l'avait mise en joie et elle se rejouait en pensée les meilleurs moments. C'était vraiment une soirée étonnante, tous ces écrivains réunis dans cette pièce, chacun avec ses angoisses, son ego, ses jalousies et, malgré le vin qui coulait à flots, pas une dispute, pas même une remarque désobligeante. Des auteurs populaires – Amy, Cobb et Andy – qui se languissaient d'avoir une bonne critique, des littéraires – Leigh, Jay et Mercer – qui rêvaient de droits d'auteur. Myra, au milieu, qui se fichait des deux comme de sa première chemise. Et Bruce et Noelle qui étaient simplement contents d'être avec eux, encourageant tout le monde.

Elle ne savait trop que penser de Bruce. La première impression était bonne, mais avec son physique avantageux, son charme naturel, tous devaient l'apprécier, du moins au début. Il parlait, mais juste ce qu'il fallait, et semblait apprécier que Myra soit la reine mère. C'était, après tout, sa soirée et, visiblement, elle savait gérer la petite assistance. Bruce Cable était parfaitement à l'aise au milieu de ces gens, et savourait chaque histoire, chaque anecdote, chaque plaisanterie, piques comme traits d'esprit. Il avait l'air prêt à tout pour les aider dans leur carrière. Et eux, en retour, le traitaient avec déférence.

Bruce prétendait avoir aimé les deux livres de Mercer, en particulier son roman. Il lui en avait parlé, juste assez pour prouver qu'il connaissait effectivement l'histoire. Il l'avait lu à sa sortie avant qu'elle n'annule sa venue à Bay Books. Cela datait de sept ans, et pourtant il se souvenait très bien du livre. Il devait l'avoir parcouru avant le dîner pour se rafraîchir la mémoire. Un tel professionnalisme restait néanmoins impressionnant. Il lui avait demandé de passer à la librairie lui signer deux exemplaires pour sa collection personnelle. Il avait également lu son recueil. Plus important, il avait hâte de la lire à nouveau, que ce soit un roman ou des nouvelles.

Pour une auteure autrefois pleine d'avenir, aujourd'hui en mal d'inspiration, terrifiée à l'idée de ne plus jamais pouvoir écrire, les paroles enthousiastes d'un lecteur aussi éclairé faisaient chaud au cœur. Ces dernières années, seuls son éditeur et son agent l'avaient ainsi encouragée à poursuivre.

Bien sûr, c'était un charmeur, mais il n'avait rien fait ou dit de déplacé – en même temps, ce n'était pas une surprise. Sa tendre moitié était juste à côté d'eux. En matière de séduction, à supposer que sa réputation de coureur de jupons soit fondée, Bruce Cable devait connaître son affaire, manier avec autant de bonheur la retenue que l'attaque surprise.

À plusieurs reprises durant le dîner, Mercer avait observé Cobb et Amy en face d'elle, et même Myra. Ces gens avaient-ils conscience de la face cachée de leur cher libraire ? À la ville, il était le propriétaire de la plus belle librairie du pays, mais dans l'ombre, il œuvrait dans le négoce de livres volés. Bay Books était prospère, l'argent coulait à flots. Il avait une belle vie, une belle épouse (ou compagne), une bonne réputation, et une demeure magnifique dans le vieux centre-ville. Pourquoi risquer de tout perdre dans le trafic de livres rares ?

Bruce savait-il que des enquêteurs d'une agence privée l'avaient dans le collimateur ? Et que juste derrière, le FBI se tenait prêt à intervenir, à l'envoyer en prison pour de longues années ?

Non, il ne se doutait de rien.

Et sur elle, avait-il des soupçons ? Non, bien sûr que non. Impossible. Une question s'imposait donc : Et maintenant ? Que faire ? Ne rien précipiter. Chaque chose en son temps, lui répétait Elaine. Laissez-le venir à vous, pénétrez doucement son cercle.

Cela paraissait si simple…

6

Lundi, le jour de Memorial Day. Mercer se réveilla tard et loupa encore un lever de soleil. Elle se prépara un café et alla sur la plage. Il y avait davantage de monde, parce que c'était un jour férié, mais ce n'était pas la foule non plus. Après une longue promenade, elle rentra au bungalow, se remplit une nouvelle tasse, et s'installa à la table de la cuisine, avec la vue sur l'océan. Elle ouvrit son ordinateur portable, regarda la page blanche et parvint à taper : *Chapitre un.*

Les écrivains se scindaient en deux camps : ceux qui font un plan détaillé de leur histoire, qui savent la fin avant même de commencer, et ceux qui préfèrent se laisser surprendre, selon la théorie qu'un personnage, une fois créé, mène sa propre vie. L'ancien roman, celui qu'elle venait de jeter aux oubliettes et qui lui avait pourri l'existence ces cinq dernières années, appartenait de fait à cette seconde catégorie. Malgré toute cette durée de gestation, les personnages n'avaient rien fait d'intéressant et Mercer s'était lassée d'eux. Arrête la torture ! Laisse reposer. Tu pourras toujours le reprendre plus tard. Elle écrivit donc un résumé sommaire du premier chapitre et s'attaqua au second.

À midi, elle avait déblayé le terrain des cinq premiers chapitres et était vidée.

7

On roulait au pas aujourd'hui sur Main Street, et les trottoirs étaient noirs de monde – des touristes venant sur l'île profiter de ce long week-end. Mercer se gara dans une petite rue et se rendit à la librairie. Elle réussit à éviter Bruce et monta à l'étage, pour manger un sandwich en feuilletant le *Times*. Le maître des lieux passa à côté d'elle pour se servir un expresso et fut surpris de la voir.

— Vous avez le temps de signer ces deux livres ? demanda-t-il.

— C'est pour ça que je suis ici.

Il la conduisit à la salle des Éditions originales du rez-de-chaussée et referma la porte derrière eux.

Deux grandes baies donnaient sur le reste de la librairie où les clients se promenaient entre les rayons. Au milieu de la pièce, il y avait une vieille table, couverte de papiers et de dossiers.

— C'est votre bureau ? s'enquit-elle.

— J'en ai plusieurs. Quand c'est calme à la boutique, je viens ici travailler un peu.

— Ça arrive d'être calme ici ?

— C'est une librairie. Aujourd'hui, c'est bondé. Mais demain ce sera désert.

Il déplaça un catalogue qui cachait deux éditions de *Pluie d'octobre*. Il lui tendit un stylo et prit les ouvrages.

— Ça fait un bail que je n'ai pas signé l'un de mes livres, dit-elle.

Il lui présenta le premier exemplaire, ouvert à la page de titre, et elle gribouilla son nom, puis fit de même avec le second livre. Il en laissa un sur la table et rangea l'autre dans les rayonnages. Les éditions originales étaient classées par ordre alphabétique, suivant le patronyme de l'écrivain.

— C'est quoi tous ces livres ? demanda Mercer en désignant les murs couverts d'ouvrages.

— Des premières éditions, toutes signées par leur auteur. On organise environ cent dédicaces par an. Au bout de vingt années, ça fait une jolie collection. J'ai vérifié mes registres. J'avais commandé cent vingt exemplaires pour votre venue.

— Cent vingt ? Pourquoi autant ?

— J'ai un club de fans pour les éditions originales, une centaine de bons clients qui achètent tous les livres signés. C'est pas mal. Si je peux garantir cent exemplaires vendus, éditeurs et auteurs se pressent d'inscrire Bay Books à leur tournée.

— Et ces fidèles se montrent à chaque séance ?

— J'aimerais bien ! Le plus souvent, ils ne sont que la moitié, ce qui fait quand même pas mal de monde. Trente pour cent n'habitent pas en ville et se font envoyer l'exemplaire par la poste.

— Que s'est-il passé quand j'ai annulé ma visite ?

— J'ai retourné les livres.

— Désolée de vous avoir fait ce sale coup.

— Ce sont les risques du métier.

Mercer arpenta lentement les rayonnages, observant les rangées de livres. Elle reconnut certains titres. Ils étaient tous en un seul exemplaire. Où étaient les autres ? Il avait rangé l'un de ses deux livres, mais avait laissé l'autre sur la table. Où les entreposait-il ?

— Il y a des pièces de valeur ? s'enquit-elle.

— Il ne faut rien exagérer. C'est une grande collection, elle est très chère à mon cœur, mais prises séparément, les pièces ne valent pas grand-chose.

— Pourquoi donc ?

— Trop d'exemplaires au premier tirage. Pour le vôtre, ils ont tiré à cinq mille. Ce n'est pas énorme, mais pour avoir de la valeur, un livre doit être rare. Parfois, j'ai de la chance. Ça arrive.

Il sortit un livre d'une étagère en hauteur et le lui tendit.

— *Saoul à Philadelphie* ? Ça vous dit quelque chose ? Le chef-d'œuvre de J.P. Walthall.

— Bien sûr.

— Il a gagné le National Book Award et le prix Pulitzer en 1999.

— Je l'ai étudié quand j'étais à la fac.

— Je l'avais lu sur épreuves et j'avais adoré. Ayant senti le potentiel du roman, j'ai commandé quelques cartons. C'était avant qu'il annonce qu'il ne ferait pas de tournée de promotion. Son éditeur était fauché, et n'avait pas trop le nez non plus, et donc, il a tiré seulement à six mille exemplaires. Pas mal pour un premier roman, mais visiblement il avait vu trop petit. L'impression a été stoppée par une grève. Seuls mille deux cents exemplaires sont sortis des presses. J'ai eu de la chance de recevoir ma commande. Les premières critiques ont été dithyrambiques et pour la réédition, en passant par une autre imprimerie, ils ont tiré à vingt mille. Le double pour la troisième édition, et ainsi de suite. Le bouquin s'est finalement vendu à un million d'exemplaires, avant même de sortir en poche.

Mercer ouvrit le livre, et chercha la page du copyright et repéra la mention « Première édition ».

— Alors, combien il vaut ?

— J'en ai vendu deux à cinq mille dollars. Aujourd'hui, j'en demande huit mille. Et il m'en reste vingt-cinq à la cave.

Elle nota le renseignement sans rien laisser paraître. Elle lui rendit l'ouvrage et se dirigea vers d'autres étagères, sur le mur latéral.

— C'est la suite de la collection, mais ici tous les exemplaires ne sont pas signés.

Elle sortit *L'Œuvre de Dieu, la part du Diable*.

— J'imagine qu'il y en a plein sur le marché, dit-elle en désignant l'exemplaire.

— C'est John Irving. C'est sorti sept ans après *Le Monde selon Garp*. Alors le premier tirage a été énorme. Ça vaut tout au plus quelques centaines de dollars. J'ai un *Garp*, mais il n'est pas à vendre.

Elle remit le roman à sa place et regarda les suivants. *Garp* n'était pas là. Il devait être aussi « à la cave ». Elle brûlait de lui poser des questions sur ses pièces les plus rares, mais il valait mieux y revenir plus tard.

— Vous avez apprécié le dîner ? demanda-t-il.

Elle rit et s'écarta des rayonnages.

— Oh oui ! Je n'avais jamais dîné avec autant d'écrivains en même temps. D'ordinaire, chacun reste dans son coin.

— C'est vrai. Mais pour vous, ils ont fait cet effort. Croyez-moi, parfois c'est beaucoup moins courtois.

— Pourquoi donc ?

— Certains mélanges sont détonants. Des ego chatouilleux, l'alcool, la politique… ça peut vite partir en vrille.

— J'ai hâte de voir ça. C'est quand la prochaine fête ?

— Allez savoir. Avec eux, tout est compliqué. Noelle a parlé de faire un dîner dans deux semaines. Elle vous apprécie beaucoup.

— C'est réciproque. Elle est vraiment charmante.

— Et drôle avec ça. Et très douée dans ce qu'elle fait. Vous devriez aller jeter un coup d'œil à sa boutique.

— Je n'y manquerai pas. Mais les pièces d'antiquaires, ce n'est pas trop dans mes moyens.

Il rit de bon cœur.

— Alors soyez sur vos gardes ! Sa passion pour les beaux objets est communicative.

— Je vais prendre un café avec Serena Roach demain, avant la signature. Vous l'avez déjà rencontrée ?

— Oui. Bien sûr. Elle est venue ici deux fois. Elle n'est pas de tout repos, mais elle est gentille. Elle fait ses tournées avec son copain et son éditeur.

— Une escorte ?

— Je suppose. C'est assez courant. Elle a mené un long combat contre la drogue et paraît encore très fragile. La vie en tournée est très déstabilisante pour de nombreux auteurs et ils ont besoin de sécurité.

— Elle ne peut pas voyager toute seule ?

Bruce lâcha un rire, mais sembla avoir des scrupules à en révéler davantage.

— J'ai un tas d'anecdotes à ce sujet. Certaines drôles, d'autres pathétiques. Mais gardons ça pour un autre jour, peut-être pour un prochain dîner ?

— C'est le même petit ami ? Si je pose la question, c'est parce que dans son dernier roman, l'héroïne a des problèmes avec les hommes et avec les drogues. Apparemment, ça sent le vécu.

— Je ne sais pas, mais pour les deux tournées précédentes, c'était le même.

— La pauvre s'est fait descendre par la critique.

— Oui, et elle le vit plutôt mal. Son éditeur a appelé ce matin pour s'assurer qu'il n'y aura pas de dîner après la séance. Ils essaient de la tenir loin de l'alcool.

— Et ce n'est que le début de la tournée ?

— On est sa troisième date. Cela pourrait être un autre flop. Elle peut toujours annuler si elle ne le sent pas. Comme vous.

— Quand ça part en cata, c'est ce que je recommande chaudement !

Un employé passa la tête à la fenêtre et annonça :

— Désolé de vous déranger, Bruce, mais j'ai Scott Turow au téléphone. Il voudrait vous parler.

— Il vaut mieux que j'y aille.

— À demain, donc, lança Mercer en se dirigeant vers la porte.

— Merci d'avoir signé les livres.

— Je signerai tous les livres que vous m'achèterez, promis !

8

Trois jours plus tard, Mercer attendit le crépuscule et partit sur la plage. Elle ôta ses sandales et les glissa dans son sac en bandoulière. Elle marchait vers le sud, le long de l'eau. La marée était basse, la plage immense et déserte, hormis quelques vieux couples promenant leur chien. Vingt minutes plus tard, elle dépassa l'immeuble de standing et obliqua vers le Ritz-Carlton. Une fois sur la passerelle, elle s'épousseta les pieds, renfila ses sandales, longea la piscine et entra dans l'hôtel. Elaine l'attendait au lounge-bar, assise à une table.

Tessa adorait cet endroit. Deux ou trois fois chaque été, elle et Mercer mettaient leurs plus beaux habits et se rendaient au Ritz en voiture, pour prendre un verre, puis dîner au restaurant de l'hôtel. Tessa commençait toujours par un martini, et Mercer, jusqu'à ses quinze ans, commandait un soda. Après, grâce à une fausse carte d'étudiante, elles purent boire ensemble des martinis.

Coïncidence, Elaine s'était installée à leur table favorite. En s'asseyant, les souvenirs remontèrent d'un coup à sa mémoire. Rien n'avait changé. Un gars – le même ? – jouait en sourdine au piano.

— Je suis arrivée cet après-midi. Je me disais que ça vous plairait un bon repas, annonça Elaine.

— Je suis venue ici de nombreuses fois, répliqua Mercer en contemplant la salle.

Cette même odeur d'iode et de bois ciré...

— Ma grand-mère adorait cet endroit. C'était une somme pour son budget, mais de temps en temps, elle s'offrait cette petite folie.

— Tessa n'avait pas d'argent ?

— Non. On ne manquait de rien, mais elle était économe par nature. Parlons d'autre chose !

Un serveur s'approcha pour prendre les commandes.

— De toute évidence, poursuivit Elaine, vous n'avez pas chômé cette semaine !

Tous les soirs, Mercer lui envoyait par e-mail son rapport d'activité.

— Je ne suis pas sûre d'en savoir plus qu'à mon arrivée, mais je suis entrée en contact avec l'ennemi.

— Et ?

— Et il est charmant, comme prévu, vraiment sympathique. Il garde ses plus belles pièces à la cave mais il n'a pas parlé d'une chambre forte. J'ai l'impression qu'il a une collection impressionnante au sous-sol. Sa femme est en ville et il ne m'a fait aucune avance, rien de plus que son attirance naturelle pour tous les écrivains.

— Racontez-moi ce dîner chez Myra et Leigh !

Mercer esquissa un sourire.

— J'aurais bien aimé avoir une caméra.

V

L'INTERMÉDIAIRE

1

Pendant plus de soixante ans, la Old Boston Book-shop occupait la même maison de ville sur West Street dans le quartier historique des Ladder Blocks. La librairie avait été fondée par Loyd Stein, un antiquaire réputé. À sa mort en 1990, son fils Oscar avait repris l'affaire. Il avait grandi dans la boutique et adorait le métier mais, avec le temps, il s'était lassé de ce commerce. Avec Internet et le déclin général du monde des livres, gagner de l'argent devenait bien trop difficile à son goût. Son père était heureux de son petit commerce de livres d'occasion, et espérait toucher le jackpot avec une édition rarissime, mais Oscar perdait patience. Arrivé à l'âge de cinquante-huit ans, il cherchait discrètement le moyen de prendre une retraite dorée.

À 16 heures le jeudi après-midi, Denny entra dans la boutique pour la troisième fois consécutive et déambula parmi les rayons et les piles de livres d'occasion. Quand l'employée, une vieille dame qui faisait partie des meubles, monta à l'étage, Denny choisit un vieil exemplaire de *Gatsby le Magnifique* en livre de poche et s'approcha de la caisse. Dans un sourire, Oscar demanda :

— Vous avez trouvé votre bonheur ?

— Celui-là fera l'affaire.

Oscar prit le livre, l'ouvrit et regarda le prix indiqué sur la page de garde.

— Quatre dollars et trente cents.

Denny posa un billet de cinq sur le comptoir.

— En fait, je cherche l'original.

Oscar prit le billet.

— Vous voulez dire la première édition. Celle de *Gatsby* ?

— Non. L'original. Le manuscrit.

Oscar lâcha un rire. Quel naïf !

— Pour ça, je ne peux pas faire grand-chose pour vous.

— Au contraire. Tu es précisément la bonne personne.

Oscar se figea et regarda le client. Il croisa des yeux froids et implacables, qui en disaient long.

— Qui êtes-vous ? demanda Oscar en déglutissant.

— Question indiscrète.

Le libraire détourna la tête et rangea le billet de cinq dans le tiroir-caisse. Il s'aperçut que ses mains tremblaient. Il récupéra la monnaie et déposa les pièces sur le comptoir.

— Soixante-dix cents, bredouilla-t-il. Vous étiez là hier, n'est-ce pas ?

— Et le jour d'avant aussi.

Oscar jeta un regard inquiet autour de lui. Ils étaient seuls dans la boutique. Il lança une œillade à la caméra de surveillance au-dessus de la caisse.

— Oublie la caméra, précisa Denny. Je l'ai mise hors service hier soir. Comme celle dans ton bureau.

Oscar poussa un long soupir et ses épaules s'affaissèrent. Après des mois d'angoisse, à en perdre le sommeil, à surveiller tout le temps ses arrières, l'heure d'épouvante était finalement arrivée…

— Vous êtes flic, c'est ça ? s'enquit-il d'une voix chevrotante.

— Non. Je les évite plutôt ces temps-ci, tout comme toi.

— Qu'est-ce que vous voulez ?

— Les manuscrits. Les cinq.

— Je ne sais pas de quoi vous parlez.

— C'est tout ce que tu as trouvé comme défense, Oscar ? Je m'attendais à mieux.

— Sortez d'ici, lâcha-t-il entre ses dents, de son ton le plus convaincant.

— Je m'en vais. Mais je reviens à 18 heures, pour la fermeture. On mettra le verrou et on aura une petite conversation tous les deux dans ton bureau. À ta place, je ne tenterai rien d'idiot. Tu n'as nulle part où aller et personne à qui demander de l'aide. Et on te surveille de près.

Denny ramassa sa monnaie, son livre et quitta la librairie.

2

Une heure plus tard, un avocat nommé Ron Jazik montait dans l'ascenseur du bâtiment de la cour fédérale de Trenton, dans le New Jersey, et appuya sur le bouton du rez-de-chaussée. À la dernière seconde, un homme se faufila dans la cabine et enfonça le bouton du deuxième étage. Dès que les portes se refermèrent, l'homme dit :

— Vous défendez Jerry Steengarden, c'est bien ça ? Vous êtes son avocat commis d'office.

Jazik eut un reniflement hautain.

— Ça ne vous regarde pas.

Dans l'instant, l'homme le gifla, une claque si puissante qu'elle envoya sa paire de lunettes valdinguer dans les airs. Avec une poigne d'acier, il attrapa la gorge de l'avocat et le plaqua contre la paroi.

— Ne me parle pas comme ça ! J'ai un message pour ton client. Un mot de trop au FBI et il y aura de la souffrance. On sait où habite sa mère, et la tienne aussi.

Jazik écarquilla les yeux d'horreur, lâcha sa mallette sous le choc. Il attrapa le bras de son assaillant mais l'autre ne desserrait pas son étreinte. Jazik avait près de soixante ans et n'était pas au mieux de sa forme. L'inconnu avait vingt ans de moins et, à cet instant, semblait d'une force surhumaine.

— Je me suis bien fait comprendre ? grogna-t-il.

L'ascenseur s'arrêta au deuxième étage. Quand les portes s'ouvrirent, l'homme lâcha Jazik et l'envoya valser dans le coin de la cabine où il s'écroula à genoux. L'homme sortit comme si de rien n'était. Il n'y avait personne sur le palier. Jazik se releva rapidement, récupéra ses lunettes, sa mallette, et réfléchit à ses options. Il avait mal à la mâchoire, et son oreille sifflait. Par réflexe, il voulut appeler la police pour rapporter l'agression. Il y avait des US marshals dans le hall en bas. Il pourrait peut-être les rejoindre et attendre avec eux que se montre son assaillant. Mais pendant la descente, il décida que l'abstention était le meilleur choix. Quand les portes s'ouvrirent au rez-de-chaussée, il respirait à nouveau normalement. Il se rendit aux toilettes, s'aspergea le visage et s'examina dans la glace. Sa joue droite était écarlate, mais pas enflée.

Le choc de l'agression était presque plus douloureux que la gifle en soi. Il y avait quelque chose de chaud dans sa bouche. Quand il cracha, sa salive était rouge de sang.

Il n'avait pas parlé à Jerry Steengarden depuis plus d'un mois. Ils n'avaient pas grand-chose à se dire. Leurs rencontres étaient toujours brèves puisque Jerry restait muet comme une tombe. L'inconnu qui l'avait frappé et menacé n'avait pas trop de soucis à se faire de ce côté-là.

3

Un peu avant 18 heures, Denny revint à la librairie. Oscar, visiblement inquiet, l'attendait derrière le
comptoir. La vieille employée était partie, comme
les clients. Sans un mot, Denny retourna l'écriteau Ouvert/Fermé, verrouilla la porte et éteignit
les lumières. Ils grimpèrent l'escalier jusqu'au petit
bureau où Oscar passait ses journées quand il y avait
quelqu'un pour tenir la boutique. Il s'installa derrière
sa table de travail et désigna le seul siège qui n'était
pas encombré de revues.

Denny s'assit et annonça :

— Ne perdons pas de temps, Oscar. Je sais que tu
as acheté les manuscrits pour cinq cent mille dollars.
Tu as placé l'argent sur un compte aux Bahamas. De
là, il a été transféré au Panama. Et c'est là que je l'ai
récupéré, moins évidemment une commission pour
notre intermédiaire.

— C'est donc vous le voleur ? conclut Oscar d'une
voix curieusement tranquille.

Il avait pris, avant l'entrevue, plusieurs calmants.

— Je n'ai pas dit ça.

— Qu'est-ce qui me dit que vous n'êtes pas un
flic, avec un micro sur vous ?

— Tu veux me fouiller ? Vas-y. Comment un flic
pourrait-il savoir le prix ? Détends-toi, personne ne va
nous arrêter. Ni toi, ni moi. C'est le statu quo, Oscar.
Je ne peux pas aller trouver les flics pour me plaindre,

et toi non plus. On est tous les deux coupables et on aurait droit à un long séjour dans une prison fédérale. Mais cela ne va pas arriver.

Oscar voulait le croire. Et cette pensée le soulagea. Cependant, il était évident qu'il y avait des dangers imminents à gérer. Il prit une grande inspiration.

— Je ne les ai plus, annonça-t-il.

— Où ils sont, alors ?

— Pourquoi vous les avez vendus ?

Denny croisa les jambes et s'étira sur le vieux fauteuil.

— J'ai paniqué. Le FBI a serré deux de mes potes dès le lendemain du casse. J'ai dû cacher le trésor rapidement et quitter le pays. J'ai attendu. Un mois. Puis deux. Quand les choses se sont un peu tassées, je suis revenu pour voir un fourgue à San Francisco. Il disait avoir un acheteur, un Russe prêt à casquer dix millions. Mais il mentait. Il est allé trouver les fédéraux. On avait calé un rendez-vous où je devais laisser un manuscrit pour prouver que j'avais la marchandise, mais le FBI était là.

— Comment vous l'avez su ?

— Parce qu'on avait mis ses téléphones sur écoute avant de se pointer. On est très bons, Oscar. Très patients. Des professionnels. Il s'en est fallu de peu. On a de nouveau quitté le pays en attendant que ça se calme. Je savais que le FBI avait des photos de moi, alors j'ai préféré partir à l'étranger.

— Mes téléphones aussi sont sur écoute ?

Denny acquiesça.

— Juste la ligne fixe. On ne peut pas pirater les portables.

— Comment vous m'avez trouvé ?

— Je suis allé à Georgetown et suis entré en contact avec Joel Ribikoff, ton vieux pote. Notre intermédiaire. Je n'avais pas confiance en lui – mais dans le métier, on n'a confiance en personne, pas vrai ? – et je voulais vraiment me débarrasser des manuscrits.

— Vous et moi, on était censés ne jamais se rencontrer.

— C'était le plan. Tu virais l'argent, je livrais la marchandise, et je disparaissais. Mais me revoilà.

Oscar fit craquer ses doigts, tentant de ne pas paniquer.

— Et Ribikoff ? Où il est maintenant ?

— Il n'est plus de ce monde. Une mort horrible. Vraiment, ce n'était pas beau à voir. Mais avant de mourir, il m'a donné ce que je voulais. Toi.

— Je n'ai plus les textes.

— D'accord. Qu'est-ce que tu en as fait ?

— Je les ai revendus. Je m'en suis débarrassé au plus vite.

— Où sont-ils, Oscar ? Je vais les retrouver, et la piste est déjà pleine de sang.

— Je ne sais pas. Je le jure.

— Très bien. À qui les as-tu refourgués ?

— Il faut que je réfléchisse à tout ça. Vous dites que vous êtes patients, alors donnez-moi un peu de temps.

— D'accord. Je reviens dans vingt-quatre heures. Ne fais rien de stupide, comme te barrer. Cela te coûterait trop cher. On est des pros, Oscar et tu ne sais rien de nous.

— Je ne m'enfuirai pas, promis.

— Vingt-quatre heures. Quand je reviens, je veux un nom. Donne-moi le type, et tu pourras profiter de ton argent et continuer ta petite vie. Je garderai le secret. Tu as ma parole.

Denny se leva d'un bond et quitta le bureau. Oscar resta immobile, saisi. Il entendit ses pas s'éloigner dans l'escalier, la porte d'entrée s'ouvrir, la cloche tinter, puis le battant se refermer.

Il se prit alors le visage entre ses mains, tenta de retenir ses larmes.

4

Deux pâtés de maisons plus loin, Denny mangeait une pizza dans un bar quand son téléphone sonna. Il était près de 21 heures. C'était bien tard pour un appel.

— J'écoute, dit-il en regardant autour de lui.

Le bar de l'hôtel était quasiment vide.

C'était Rooker.

— Mission accomplie. J'ai coincé Jazik dans l'ascenseur. Je lui ai collé une bonne baffe. C'était drôle. Le message est passé. Aucun problème. Pour Petrocelli, ça a été plus compliqué parce qu'il bosse tard. Il y a une heure, je suis parvenu à le choper sur le parking devant son bureau. Je lui ai salement foutu les jetons. Une vraie poule mouillée. Il a commencé par dire qu'il n'était pas l'avocat de Driscoll, mais il a vite fait machine arrière. Je n'ai même pas eu besoin de le frapper. Mais c'était moins une.

— Pas de témoins ?

— Non. Les deux fois, ni vu ni connu.

— Bon travail. Où es-tu maintenant ?

— Sur la route. Je serai là dans cinq heures.

— Dépêche-toi. Demain, on va bien s'amuser.

5

Rooker entra dans la librairie cinq minutes avant la fermeture et fit mine de s'intéresser aux livres. Il était le seul client. Oscar s'affairait derrière le comptoir mais ne le quittait pas des yeux.

À 18 heures, il déclara :

— Je suis désolé, monsieur, mais nous allons fermer.

À cet instant, Denny entra dans la boutique, referma la porte derrière lui et retourna l'écriteau Ouvert/Fermé.

— Il est avec moi, annonça-t-il en désignant Rooker. Il y a quelqu'un d'autre ?

— Non. On est seuls. Tout le monde est parti.

— Parfait. Alors on va rester ici, répondit Denny en marchant vers Oscar.

Rooker l'imita. Ils se plantèrent carrément sous son nez et le regardèrent avec intensité.

— Très bien, Oscar, tu as eu le temps de cogiter. On t'écoute.

— Personne ne doit savoir que j'ai parlé. Promettez-le-moi.

— Je ne peux rien promettre, répliqua Denny. Mais je t'ai déjà dit que ça restera incognito. Je ne vois pas ce que j'aurais à gagner en te grillant. Je veux les manuscrits, Oscar, rien d'autre. Dis-moi à qui tu les as vendus et tu n'entendras plus jamais parler de moi. Mais si tu me mens, je reviendrai, ça, c'est une promesse.

Oscar le croyait sur parole. Il vivait un cauchemar. Une priorité, absolue : se débarrasser de ce type. Il ferma les yeux et articula :

— Bruce Cable. C'est à lui que je les ai vendus. Il a une jolie librairie sur l'île de Camino, en Floride.

Denny esquissa un sourire.

— Pour combien ?

— Un million.

— Bien joué, Oscar. Tu as doublé la mise.

— Vous voulez bien me laisser tranquille, maintenant ?

Denny et Rooker le regardèrent, impassibles et impénétrables. Pendant dix longues secondes, Oscar pensa que son heure avait sonné. Son cœur tressautait dans sa poitrine. Il n'arrivait plus à respirer.

Puis, sans un mot, les deux hommes s'en allèrent.

VI

LA FICTION

Sitôt franchi les portes de Noelle's Provence, le visiteur se retrouvait plongé dans l'un de ses livres de décoration sur papier glacé. La grande pièce était une sorte de caverne d'Ali Baba : des meubles provençaux, des armoires, des commodes, des buffets, des fauteuils répartis dans un désordre harmonieux sur un sol de vieilles tomettes. Sur les dessertes trônaient de vieux vases, des faïences et des paniers. Les murs étaient patinés d'ocre, décorés d'appliques, de miroirs merveilleusement piqués, de portraits d'aristocrates oubliés, posant avec leur famille. Des bougies parfumées diffusaient dans la pièce une senteur vanillée. Des grappes de lustres pendaient du plafond de plâtre blanc, zébré de solives à l'ancienne. Un opéra jouait en sourdine, diffusé par des haut-parleurs invisibles. Dans une salle attenante, Mercer découvrit une grande table de dégustation pour le vin, un meuble long et étroit. Magnifique. Elle était dressée comme pour un dîner, avec des assiettes et des bols jaune citron et vert olive, les couleurs traditionnelles de la vaisselle provençale. Près de la fenêtre, il y avait la table d'écriture – une pièce rare, peinte à la main que Mercer était censée convoiter. Son prix : trois mille dollars, au dire d'Elaine. L'accroche parfaite pour lier connaissance.

Ayant étudié les quatre livres de Noelle, Mercer n'eut aucun mal à identifier les divers éléments de mobilier. Elle admirait donc la table d'écriture quand Noelle arriva.

— Mercer ! Quelle bonne surprise !

Elle lui dit bonjour à la française, en l'embrassant sur les deux joues.

— Tout est si beau ici, que ça en donne le tournis ! déclara Mercer.

— Bienvenue en Provence ! Qu'est-ce qui vous amène ?

— Oh rien. Je passais dans le coin. J'adore cette pièce, dit-elle en effleurant du doigt le plateau de la table d'écriture.

Il y en avait trois en photo dans ses livres.

— J'ai trouvé celle-ci dans une brocante à Bonnieux, dans les environs d'Avignon. Vous devriez la prendre. Elle est faite pour vous.

— Pour ça, il faudrait que je vende quelques livres !

— Venez. Je vous fais faire le tour du propriétaire.

Elle prit Mercer par la main et lui montra les différentes salles d'exposition. Tous les meubles étaient en photo dans ses livres. Les deux femmes grimpèrent un joli escalier, en colimaçon de pierre blanche flanqué d'une rambarde en fer forgé, pour gagner l'étage, où se trouvait le reste de son stock – d'autres armoires, des lits, des coiffeuses, des tables de toutes sortes, chacune ayant une histoire. Noelle parlait de sa collection avec tant d'affection qu'elle paraissait incapable de se séparer du moindre meuble. Et pas une seule étiquette de prix. Nulle part.

Noelle avait fait son bureau au rez-de-chaussée, au fond du magasin, et à côté de la porte, il y avait une petite table de vigneron, avec son plateau circulaire rabattable. Elle lui décrivit son utilisation. Décidément se dit Mercer toutes les tables en France servaient à la dégustation du vin !

— Prenons un thé, proposa Noelle en désignant deux chaises.

Mercer s'assit tandis que Noelle posait une bouilloire sur un vieux poêle à côté d'une pierre à évier.

— J'aime vraiment beaucoup cette table d'écriture, déclara la jeune femme, mais j'ai peur de demander son prix.

Noelle esquissa un sourire.

— Je vous ferai une remise. Normalement c'est trois mille dollars, mais pour vous ce sera la moitié.

— Ça reste quand même une somme pour mes petits moyens. Je vais réfléchir encore un peu.

— Où écrivez-vous en ce moment ?

— Dans la cuisine, avec vue sur l'océan. Mais cela ne marche pas très fort. Je ne sais pas si c'est la cuisine ou la vue. Mais les mots ne viennent pas.

— De quoi parle votre livre ?

— Je ne sais pas trop. J'essaie d'en commencer un nouveau, mais cela ne s'enclenche pas.

— Je viens de terminer *Pluie d'octobre*. Je trouve ça brillant.

— Merci, c'est gentil.

Mercer était réellement touchée. Depuis son arrivée sur l'île, trois personnes lui avaient dit du bien de son premier roman ; encore une fois, c'était plus d'encouragements qu'elle n'en avait eus en cinq ans.

Noelle posa un service en porcelaine sur la table et, avec dextérité, remplit deux tasses assorties. Les deux femmes prirent un sucre, mais pas de lait.

— Vous arrivez à parler de votre travail ? demanda Noelle. La plupart des écrivains sont intarissables sur leur production, ce qu'ils ont écrit, ce qu'ils veulent écrire… Mais pour certains, cela leur est impossible. Un vrai blocage.

— Je préfère éviter, en particulier quand il s'agit d'un travail en cours. Mon premier roman me paraît vieux et daté, comme si je l'avais écrit voilà des années. En bien des manières, c'est une malédiction d'être édité jeune. Il y a trop d'attente, trop de pression pour la suite. La sphère littéraire espère un chef-d'œuvre. Les années filent, et toujours pas de livre. L'étoile montante sort peu à peu des radars. Après *Pluie d'octobre*, mon premier agent me disait de vite sortir un second roman. Comme les critiques avaient aimé mon premier, ils allaient forcément descendre le second, qu'il soit bon ou pas. Alors elle me disait : Vas-y, dépêche-toi, pour qu'on puisse passer à autre chose. Elle avait sans doute raison, mais je n'avais pas de second roman, c'était bien ça le problème. Et j'en cherche encore un.

— Qu'est-ce qui vous manque au juste ?

— Une histoire.

— Beaucoup d'écrivains disent que tout part des personnages. Une fois qu'ils sont sur scène, ce sont eux qui mènent la danse. Ce n'est pas le cas pour vous ?

— Pas encore.

— Comment est né *Pluie d'octobre* ?

— Quand j'étais à l'université, j'ai lu un récit sur un enfant disparu qui n'a jamais été retrouvé et sur les ravages que cela a causés dans sa famille. C'était une histoire incroyablement triste, horrible, mais aussi magnifique en bien des manières. Elle me hantait. Alors j'ai fini par reprendre ce fait divers, et j'en ai fait une fiction. Je l'ai complètement réécrite et j'ai terminé le roman en moins d'un an. Cela me semble un prodige à présent – écrire si vite. À l'époque, j'attendais chaque matin avec impatience, ma première tasse de café et ma nouvelle page à écrire. Mais ce n'est plus le cas aujourd'hui.

— Je suis sûre que vous allez retrouver cet état de grâce. Vous êtes au bon endroit pour ça. Vous n'avez rien d'autre à faire qu'écrire.

— Je l'espère. Il le faut. J'ai vraiment besoin de vendre. Je ne veux plus enseigner et je n'ai pas envie de me chercher un nouveau boulot. J'ai même pensé prendre un pseudo et me lancer dans des romans à suspense, ou je ne sais quel truc commercial.

— Il n'y a pas de mal à ça. Vendez donc quelques livres et écrivez de votre côté ce qui vous tient à cœur.

— J'y réfléchis. Ça prend forme, lentement.

— Vous en avez parlé à Bruce ?

— Non. Pourquoi ?

— C'est un expert en la matière. Il lit tout, il connaît des centaines de gens – auteurs, agents, éditeurs. Ils sont nombreux à venir lui parler, à lui demander conseil. Il ne donne toutefois jamais son avis sans y être invité. Il vous aime bien et apprécie vos textes. Il pourrait peut-être vous éclairer ?

Mercer haussa les épaules comme si elle allait réfléchir à la question. La porte d'entrée tinta. Noelle se leva.

— Excusez-moi. C'est peut-être un client.

Elle quitta la pièce. Pendant quelques instants, Mercer but son thé. Elle n'aimait pas ce qu'elle faisait. Elle n'était pas là pour acheter des meubles, ni pour parler écriture et jouer à l'écrivain torturé qui veut se faire des amis. Non. Elle était une espionne, elle glanait des renseignements pour Elaine, des informations qu'elle utiliserait un jour contre Noelle et Bruce. Un éperon de douleur lui traversa le ventre. Elle en eut la nausée. Mais elle tint le coup, attendit que ça passe, puis se leva et se dirigea vers la sortie. Dans la grande pièce, Noelle conseillait un acheteur apparemment intéressé par une commode.

— Il faut que j'y aille, annonça Mercer.

— Bien sûr, répondit Noelle dans un murmure. Bruce et moi, ça nous ferait très plaisir de vous avoir à dîner. On s'organise ça bientôt.

— Avec joie. Je suis libre tout l'été !

— Je vous appelle.

2

Plus tard dans l'après-midi, Noelle arrangeait un assortiment d'urnes en céramique quand un couple entra dans son magasin. Ils étaient élégants, âgés d'une quarantaine d'années. Visiblement, ils étaient plus argentés que le touriste moyen qui flânait ici et, une fois pris la mesure des prix, repartait sans rien acheter.

Ils se présentèrent : Luke et Carol Massey. Ils venaient de Houston et étaient descendus au Ritz quelques jours plus tôt. Ils avaient entendu parler de cette boutique, avaient visité le site Internet, et avaient eu un coup de cœur pour une table carrelée datant du XIXe, la pièce la plus chère du magasin. Luke réclama un mètre. Noelle lui en fournit un. Ils mesurèrent la table sous tous les angles, en se disant qu'elle serait parfaite pour leur maison d'amis. Luke, repérant d'autres meubles, remonta ses manches pour prendre d'autres mesures. Carol demanda à Noelle la permission de faire des photos. Accordée, évidemment ! Ils inspectèrent deux commodes, et deux grandes armoires, tout en posant des questions avisées sur le bois, la patine, l'origine des meubles. Ils se faisaient construire une nouvelle demeure à Houston et voulaient la décorer comme un mas provençal, comme celui qu'ils avaient loué l'année précédente à Roussillon, un village du Luberon où ils avaient passé leurs vacances. Plus ils restaient dans la

boutique, plus ils s'émerveillaient. Tout leur plaisait.
Noelle les fit monter au premier, là où elle gardait ses
plus belles pièces, et leur enchantement redoubla. Au
bout d'une heure, à près de 17 heures, Noelle sortit
une bouteille de champagne et trois coupes. Pendant
que Luke mesurait un fauteuil de cuir et que Carol
mitraillait tout le mobilier, Noelle redescendit au rez-
de-chaussée pour surveiller la boutique. Deux touristes firent un tour, sans rien acheter évidemment.
Elle ferma les portes derrière eux et partit retrouver
le couple de Texans.

Ils s'installèrent autour d'un vieux comptoir et
parlèrent affaire. Luke se renseigna sur les modalités
d'expédition et de stockage. Leur nouvelle maison ne
serait terminée que dans six mois et ils louaient un
hangar pour entreposer les meubles et d'autres pièces
de décoration. Noelle leur assura qu'elle livrait partout dans le pays et que cela ne posait aucun problème. Carol fit la liste des pièces qu'ils voulaient
acheter. Dans le lot, il y avait la table d'écriture.
Noelle la retira de l'inventaire. Non, pas cette table,
elle était réservée pour quelqu'un d'autre. Mais elle
pourrait facilement leur en trouver une similaire lors
de son prochain voyage en Provence. Ils descendirent à son bureau. Noelle remplit à nouveau les
coupes et s'occupa de la note. Il y en avait pour cent
soixante mille dollars, une somme qui ne semblait
pas les impressionner. Discuter du prix faisait partie du métier, mais les Massey n'eurent pas l'idée de
demander un rabais. Luke sortit sa black card comme
si la somme était une peccadille, et Carol signa la
facture.

À la porte d'entrée, ils l'embrassèrent comme de vieux amis et lui dirent qu'ils reviendraient demain. Après leur départ, Noelle se demanda si elle avait déjà réalisé une vente de cette ampleur. Non, c'était une première.

À 10 h 05, le lendemain matin, Luke et Carol revinrent à la boutique, tout sourires et pleins d'entrain. Ils avaient passé la nuit à regarder les photos et à meubler en pensée leur future maison. Ils avaient bien réfléchi : ils en voulaient encore ! L'architecte leur avait envoyé par e-mail les plans du rez-de-chaussée et du premier étage, et ils avaient reporté l'emplacement des meubles de Noelle. À en juger par l'échelle, la maison faisait plus de deux mille mètres carrés. Le couple monta à l'étage et consacra la matinée à prendre de nouvelles mesures – lits, tables, chaises, fauteuils, armoires. Ils allaient lui vider tout son stock ! La note pour cette deuxième séance d'achat s'élevait à trois cent mille dollars. Et Luke sortit à nouveau sa black card.

Noelle ferma boutique et les emmena déjeuner dans un bistrot français en vogue au coin de la rue. Pendant le repas, son avocat vérifiait la validité de la carte de crédit. Résultat : Massey pouvait s'offrir ce qu'il voulait. Il fouilla un peu ses antécédents mais ne trouva pas grand-chose. Quelle importance ? Tant que la carte de crédit fonctionnait, Noelle se fichait de savoir d'où venait l'argent.

— Quand allez-vous chercher d'autres pièces ? lui demanda Carol pendant le déjeuner.

Noelle rit aux éclats.

— À l'évidence, ça urge ! Je comptais me réapprovisionner en août, mais vous m'avez dévalisée !

Carol lança un regard à Luke. Curieusement, il semblait un peu gêné.

— Juste par curiosité, commença-t-il, avec hésitation. On se demandait si on pourrait se retrouver là-bas et faire des emplettes ensemble...

— On adore la Provence, ajouta Carol. Ce serait miraculeux de pouvoir chiner de beaux objets avec vous.

— On n'a pas d'enfants et on adore voyager. La France est notre destination préférée. Le style provençal, c'est vraiment notre truc. On cherche même un décorateur pour nous conseiller pour les sols et les tapisseries.

— Il se trouve que je connais tout le monde dans le métier, répondit Noelle. Quand voulez-vous y aller ?

Les Massey échangèrent un regard comme s'ils effeuillaient en pensée leur agenda.

— Nous sommes à Londres pour affaire dans quinze jours. On pourrait se retrouver en Provence après ?

— C'est peut-être trop tôt pour vous ?

Noelle réfléchit quelques secondes.

— Ça peut se faire, répondit-elle finalement. J'y vais plusieurs fois par an. J'ai un appartement en Avignon.

— Magnifique ! lança Carol toute contente. Cela va être la grande aventure ! J'imagine déjà notre maison remplie des merveilles qu'on aura glanées !

Luke leva son verre de vin.

— C'est parti ! Nous voilà officiellement chasseurs d'antiquités provençales !

3

Deux jours plus tard, le premier camion partit avec quasiment tout le stock du Noelle's Provence. Il quitta l'île de Camino pour un entrepôt à Houston. Cent mètres carrés réservés à Luke et Carol Massey. La note, cependant, arriverait sur le bureau d'Elaine Shelby.

Dans quelques mois, quand l'affaire serait close, pour le meilleur ou pour le pire, les jolies pièces de mobilier reviendraient en catimini sur le marché.

4

Le soir, Mercer se rendit sur la plage, obliqua au sud et marcha le long du rivage. Elle s'arrêta en chemin pour bavarder avec les Nelson qui habitaient quatre maisons plus bas. Leur chien lui renifla les chevilles tout du long. Le couple de septuagénaires se promenait main dans la main. Ils étaient affables, au point d'en devenir indiscrets. En un rien de temps, ils savaient les raisons de son séjour sur leur île.

— Bonne écriture ! lança Mr Nelson au moment de lui dire au revoir.

Quelques minutes plus tard, Mercer était arrêtée par Mrs Alderman, huit maisons plus haut au nord, qui promenait ses deux caniches, et paraissait toujours en manque de relations humaines. Mercer était moins prête à tout, mais elle aimait bien avoir des contacts avec ses voisins. C'était agréable même.

Une fois arrivée à la jetée, elle s'éloigna du rivage et remonta jusqu'à la passerelle. Elaine était de retour et voulait la voir. Elle l'attendait sur la petite terrasse du duplex qu'elle avait loué pour le temps de la mission. Mercer était déjà venue une fois. À chaque fois, elle n'y avait rencontré qu'Elaine. Il y avait peut-être d'autres gens impliqués dans l'opération – pour la surveiller ou comme enquêteur ? – elle n'en savait rien. Elaine restait très vague à ce sujet.

Les deux femmes se rendirent dans la cuisine.

— Vous voulez boire quelque chose ? demanda-t-elle.

— Un verre d'eau, ce sera très bien.

— Vous avez dîné ?

— Non.

— On peut commander une pizza, des sushis, ou chinois ? Une préférence ?

— Je n'ai pas faim, en fait.

— Moi non plus. Asseyez-vous là, dit Elaine en désignant la petite table entre la cuisine et le salon.

Elle ouvrit le réfrigérateur et récupéra deux bouteilles d'eau minérale. Mercer tira une chaise, jeta un regard dans la pièce.

— Vous dormez ici ?

— Juste pour deux nuits, répondit Elaine en s'installant en face d'elle.

— Toute seule ?

— Oui. Aujourd'hui, il n'y a personne d'autre sur l'île. On va et vient.

Mercer brûlait de lui demander « qui ça *on* ? ». Mais elle s'abstint.

— Alors ? Vous avez visité la boutique de Noelle ?

Mercer acquiesça. Dans son e-mail de la veille, elle était restée assez vague.

— Racontez-moi. Je veux tout savoir.

Mercer se mit à détailler chaque pièce, du rez-de-chaussée, à l'étage, en essayant de ne rien omettre. Elaine était tout ouïe, mais ne prenait aucune note. À l'évidence, elle en savait long sur Noelle's Provence.

— Il y a un sous-sol ?

— Oui. Elle y a fait allusion. Elle y a installé son atelier, mais n'a pas jugé utile de me le montrer.

— Elle vous garde la table d'écriture. On a essayé de la lui acheter, mais elle a dit qu'elle n'était pas à vendre. Vous allez vouloir l'acheter, mais avant, vous demanderez à la faire repeindre. Peut-être le fera-t-elle au sous-sol. Alors vous pourriez y descendre pour décider avec elle des échantillons de couleur ? Il faut que l'on puisse voir ce sous-sol parce qu'il est contigu à celui de la librairie.

— Qui a voulu acheter la table ?

— Nous, Mercer. Les gentils ! Vous n'êtes pas toute seule dans la fosse aux lions.

— C'est bizarre, mais cela ne me rassure pas !

— Personne ne vous surveille, Mercer. Des gens à nous vont et viennent, comme je vous l'ai dit. Rien de plus.

— D'accord. Supposons que je descende dans ce sous-sol. Et ensuite ?

— Vous regardez. Vous faites du repérage. Notez tout. Avec un peu de chance, il y aura peut-être une porte qui mène à la librairie.

— J'en doute.

— Moi aussi. Mais il faut en avoir le cœur net. Est-ce que le mur mitoyen est en ciment, en bois ? On aura peut-être besoin un jour de passer au travers – un jour ou une nuit. Et quid du système de surveillance de la boutique ?

— Deux caméras. Une braquée sur la porte d'entrée, l'autre au fond, dans la partie cuisine. Il y en a peut-être d'autres. Mais je ne les ai pas vues. Aucune au premier étage. Je suis certaine que vous savez déjà tout ça.

— Certes, mais dans notre branche, on vérifie tout trois fois et on recoupe les informations. Quelle est la sécurité à la porte d'entrée ?

— Un verrou, avec une clé. Un verrou tout simple.

— Et la porte de derrière ? Il y en a une ?

— Non. Mais je ne suis pas allée au fond de la boutique. Il doit y avoir d'autres pièces.

— À droite, il y a la librairie. À gauche, une agence immobilière. Aucune porte de communication de ce côté-là ?

— Pas que je sache.

— Vous avez fait du bon travail. Vous êtes là depuis trois semaines et vous vous êtes intégrée sans engendrer la moindre suspicion. Magnifique. Vous vous êtes liée avec les bonnes personnes, avez repéré tout ce qu'il y avait à voir. Nous sommes vraiment très satisfaits de votre collaboration. Mais nous devons accélérer les choses.

— Et je suis sûre que vous avez prévu l'incident déclencheur.

— En effet.

Elaine se dirigea vers le canapé, récupéra trois livres et les posa sur la table.

— Voilà l'histoire : Tessa a quitté Memphis en 1985 pour s'installer définitivement sur Camino. Comme on le sait tous, l'héritage est allé à ses trois enfants à parts égales. Il y avait aussi un fonds de vingt mille dollars pour financer vos études. Elle avait six autres petits-enfants – Connie, la marmaille d'Holstead en Californie, et Sarah, la fille unique de Jane. Vous étiez la seule à avoir droit à un legs spécifique.

— Je suis la seule à l'avoir vraiment aimée !

— Exact. Donc nous sommes partis de ça. Après sa mort, vous et Connie êtes allées récupérer ses affaires personnelles, quelques broutilles qui n'étaient pas répertoriées dans le testament. Et vous avez décidé, tout naturellement, de vous les partager. Quelques habits, de vieilles photos, quelques tableaux – des croûtes –, ce genre de choses. Inventez ce que vous voulez. Bref, au moment du partage, vous avez eu droit à un carton de livres, des livres pour la jeunesse pour la plupart que Tessa vous avait achetés quand vous étiez enfant. Au fond du carton, il y avait ces trois livres, rien que des éditions originales, provenant d'une bibliothèque de Memphis, empruntés par Tessa en 1985. Quand Tessa est venue ici, par inadvertance ou non, elle a oublié de les rapporter. Trente ans plus tard, ces livres se sont retrouvés dans votre escarcelle.

— Ça a de la valeur ?

— Oui et non. Prenez le premier de la pile.

Mercer s'exécuta. *Le Bagnard* de James Lee Burke. Il semblait dans un état impeccable, sa couverture immaculée et encore sous cellophane. La jeune femme ouvrit l'exemplaire, chercha la page du copyright. « Première édition » pouvait-on lire.

— Comme vous le savez, poursuivit Elaine, ce recueil de nouvelles a été salué par la critique en 1985. Et s'est très bien vendu.

— Combien ça vaut ?

— On a acheté cet exemplaire la semaine dernière cinq mille dollars. Le premier tirage était limité. Et il n'en reste pas beaucoup en circulation. Au dos de la jaquette, vous remarquerez un code-barres. C'est celui de la bibliothèque de Memphis en 1985. Le livre est donc quasiment immaculé. Bien sûr, ce code-barres, c'est nous qui l'avons ajouté. Je suis certaine que Cable trouvera quelqu'un pour l'ôter. C'est un jeu d'enfant pour lui.

— Cinq mille dollars ? répéta Mercer comme si elle avait entre les mains un lingot d'or.

— Oui, et c'est l'estimation d'un vendeur qui a pignon sur rue ! L'idée, c'est que vous parliez de ce livre à Cable. Racontez-lui son histoire mais ne lui montrez pas le livre, du moins pas tout de suite. Vous ne savez pas comment procéder. Le livre n'appartenait pas à Tessa. Et maintenant, il vous revient, par voie d'héritage, et il ne vous appartient pas plus. Parce que cet exemplaire est la propriété de la bibliothèque de Memphis… toutefois, cela date de trente ans. Qui s'en souvient ? Et bien sûr, vous avez besoin d'argent.

— On va faire de Tessa une voleuse ?

— C'est de la fiction, Mercer. De la pure fiction.

— Je ne suis pas sûre de vouloir salir la mémoire de ma grand-mère.

— « Sa mémoire. » C'est un grand mot. Tessa est décédée depuis onze ans et elle n'a rien volé du tout. C'est juste Cable qui le croira. Personne d'autre ne sera au courant.

Mercer souleva lentement le deuxième livre. *Méridien de sang* de Cormac McCarthy, publié par Random House en 1985, une première édition avec une jaquette encore immaculée.

— Combien il vaut, celui-là ?

— On l'a payé quatre mille il y a quinze jours.

Mercer le posa et prit le troisième. *Lonesome Dove* de Larry McMurtry, sorti chez Simon & Schuster, également en 1985. Le livre n'était pas de première jeunesse, mais la jaquette était flambant neuve.

— Celui-là, c'est un cas particulier, expliqua Elaine. Simon & Schuster avait prévu un succès et ils avaient tiré au début quarante mille exemplaires. Il y a donc des premières éditions chez de nombreux collectionneurs. Ce qui en diminue de fait la valeur intrinsèque. On l'a acheté cinq cents dollars, mais en remplaçant l'ancienne jaquette par une nouvelle, on double la mise.

— La jaquette est un faux ?

— Absolument. C'est un classique dans le métier. Du moins parmi les escrocs. Une belle jaquette augmente la valeur de l'exemplaire. Et on a trouvé un orfèvre en la matière.

Encore une fois la question du « on » indéfini lui brûla les lèvres. Combien étaient-ils sur cette opération ? Mercer posa le livre et avala une gorgée d'eau.

— Le plan, c'est que je refourgue ces livres à Cable ? Auquel cas, je n'aime pas trop l'idée de vendre moi-même des contrefaçons.

— Le plan, Mercer, c'est de vous servir de ces livres comme sésame, pour pénétrer le monde de Cable. Commencez par parler de ces exemplaires. Vous ne savez pas quoi en faire. Vous avez des scrupules à les vendre parce qu'ils ne vous appartiennent pas réellement. Et finalement, montrez-en lui un ou deux, et voyons comment il réagit. Peut-être voudra-t-il vous dévoiler sa collection au sous-sol, ou celle dans sa chambre forte ? Allez savoir ce qu'il y a en bas ? On ignore sur quoi ce stratagème débouchera. Mais il faut nous infiltrer davantage encore. Peut-être voudra-t-il saisir l'opportunité et vous acheter *Le Bagnard* ou le *Méridien de sang* ? Peut-être les aura-t-il déjà ? Si on a bien cerné le personnage, il appréciera l'origine trouble de ces livres et ça le tentera. Et on verra jusqu'à quel point il est honnête avec vous. Nous savons ce que valent ces exemplaires. Va-t-il vous faire une offre en dessous du marché ? C'est ce qu'on va voir. L'argent n'est pas un sujet. L'important c'est d'entrer dans sa zone grise.

— Je n'aime pas trop ça.

— C'est sans danger, Mercer, et ce n'est que de la fiction. Ces livres ont été dûment acquis. Si Cable les achète, on récupère notre mise. S'il les revend, il se rembourse. Il n'y a rien de mal à ça.

— Peut-être, mais je ne suis pas certaine de pouvoir jouer cette comédie, d'être crédible.

— Allons, Mercer. Raconter des histoires, c'est votre domaine. Servez-vous de votre imagination.

— Le moteur est en panne en ce moment.

— Je suis désolée de l'apprendre.

Mercer haussa les épaules et but une gorgée d'eau. Elle contempla les livres, envisageant les divers scénarios possibles.

— Où est le talon d'Achille ?

— Cable pourrait contacter la bibliothèque de Memphis et se renseigner, mais c'est une institution énorme et cela ne le mènera nulle part. Il s'est écoulé trente ans et tout a changé. Ils perdent mille livres par an, parce que les gens oublient de les rapporter et, en bibliothèque digne de ce nom, ils ne s'acharnent pas à traquer les fraudeurs. En plus, Tessa leur a emprunté beaucoup de titres.

— On allait à la bibliothèque toutes les semaines.

— Notre histoire tient la route. Il n'a aucun moyen de découvrir la supercherie.

Mercer ramassa *Lonesome Dove*.

— Et s'il repère la fausse jaquette ?

— On a envisagé cette possibilité. La semaine dernière, on a montré l'exemplaire à deux marchands réputés, de vrais experts en ce domaine, et ils n'y ont vu que du feu. Mais vous avez raison ; il y a un risque. On hésite encore. Commencez par les deux autres, mais faites-le attendre avant de les lui montrer. Dites-lui que vous êtes en plein dilemme et voyons ce qu'il vous conseille.

Mercer repartit avec les livres dans un sac de toile et reprit le chemin de la plage. La mer était étale. Une pleine lune éclairait le sable. Tout en marchant, elle entendit des voix, qui s'amplifièrent à mesure de son avancée. Sur sa gauche, entre les dunes, elle distingua un couple étendu sur un drap de plage, en pleins ébats amoureux. Elle entendait leurs mots chuchotés, leurs soupirs de plaisir. Elle faillit s'arrêter pour les regarder, assister à leur étreinte, mais dans un effort de volonté, elle poursuivit sa marche, en tendant toutefois l'oreille pour ne rien rater.

Une bouffée d'envie la traversa. Cela faisait si longtemps.

5

Son roman numéro Deux s'arrêta brutalement au chapitre trois, après cinq mille mots. Mercer en avait assez de ses personnages, et l'intrigue ne l'intéressait plus. Frustrée, déprimée, et même en colère contre elle et contre le monde entier, elle enfila un bikini, le plus petit de sa collection, et se rendit sur la plage. Il n'était que 10 heures du matin. Parfait. Mieux valait éviter le soleil. De midi à 17 heures, il faisait trop chaud. Sur le sable comme dans l'eau. Sa peau était désormais hâlée, mais elle se méfiait encore des rayons au zénith. 10 heures, c'était aussi l'heure à laquelle passait le jogger. Un gars à peu près de son âge. Il courait pieds nus sur le sable mouillé, son corps longiligne luisant de sueur. C'était un sportif, avec un ventre plat, des biceps et des mollets de rêve. Ses foulées étaient gracieuses et fluides. Et elle avait l'impression qu'il ralentissait imperceptiblement l'allure quand il la voyait. Leurs regards s'étaient croisés à deux reprises. C'était le moment de lui lancer un petit « bonjour ».

Elle ouvrit son parasol, sa chaise pliante, s'enduisit de crème solaire et se mit à surveiller la plage au sud. Il venait toujours par là, du côté du Ritz ou de l'immeuble de standing. Elle déplia sa serviette et s'étendit sur le sable. Elle enfila ses lunettes de soleil, ajusta son chapeau de paille et attendit. Comme de coutume les jours de semaine, la plage était quasiment déserte. Son plan : le repérer de loin et faire mine de vouloir aller se baigner. Tout était une question de timing. Il fallait que leurs chemins se croisent. Elle lui lancerait alors son bonjour, comme quand elle saluait une connaissance sur la plage. Elle se tenait dressée sur les coudes, en essayant de ne pas se voir comme un écrivain raté. Ces cinq mille mots étaient les plus mauvais qu'elle ait écrits de son existence.

Son jogger était là depuis dix jours. C'était trop long pour qu'il soit un client de l'hôtel. Il devait avoir loué un appartement pour le mois.

Elle ne savait plus quoi écrire. Pas la moindre idée.

Il était toujours seul, mais il passait trop loin pour qu'elle puisse distinguer s'il avait une alliance.

Après cinq ans à s'échiner sur de la mauvaise prose, des personnages sans consistance, des idées vaines, elle était convaincue qu'elle ne pourrait jamais plus écrire.

Son téléphone sonna. C'était Bruce Cable.

— J'espère que je ne vous interromps pas en pleine création ?

Je suis en fait à l'affût sur la plage à moitié nue, à tenter d'attirer l'attention d'un type que je ne connais ni d'Ève ni d'Adam !

— Pas du tout. Je fais une pause, se contenta-t-elle de répondre.

— Tant mieux. Voilà, il y a une signature cet après-midi à la librairie et je suis un peu inquiet pour le public. Le type est un inconnu. C'est son premier roman et il n'est pas très bon.

À quoi il ressemble votre gars ? Jeune ? Vieux ? Gay ou hétéro ?

— C'est donc ça votre secret ! Vous rameutez vos écrivains à la rescousse !

— Pile poil ! Et Noelle organise un dîner au pied levé à la maison, en son honneur. Juste nous, vous, lui et Myra et Leigh. Cela peut être amusant. Ça vous dit ?

— Attendez que je vérifie mon agenda… Oui, je suis libre. Quelle heure ?

— Disons 18 heures, et dîner dans la foulée.

— Tenue vestimentaire ? Classe décontractée ?

— Vous plaisantez ? On est à la plage. Tout va. Même les chaussures sont facultatives !

À 11 heures du matin, le soleil cognait, la brise était tombée. À l'évidence, le cagnard avait découragé son jogger.

6

L'écrivain s'appelait Randall Zalinski, lui apprit une rapide recherche sur Internet. Sa bio, très courte, était volontairement vague, et laissait entendre que son passé dans le « monde de l'espionnage » avait donné à l'auteur une acuité sans pareil en matière de terrorisme et de cybercriminalité. Son roman futuriste narrait un combat épique entre les USA, la Russie et la Chine. Le résumé, deux petits paragraphes, était d'une emphase frôlant le ridicule. Et en même temps, en si peu de mots, Mercer sentait déjà l'ennui poindre son nez. Sa photo, visiblement retouchée, présentait un homme de type caucasien d'une petite quarantaine d'années. Aucune mention d'une épouse ou d'un enfant. Il habitait dans le Michigan où, bien entendu, il travaillait à l'écriture de son second roman.

Ce serait la troisième séance de dédicaces à laquelle Mercer assistait à Bay Books. Les deux premières avaient ravivé de mauvais souvenirs – sa tournée avortée sept ans plus tôt. Elle s'était promis de ne plus s'imposer ce supplice. Mais c'était un vœu illusoire ; les signatures étaient l'excuse parfaite pour traîner dans la boutique, ce qui était le cœur de sa mission et chaudement recommandée par Elaine. En outre, il était difficile de dire à Bruce qu'elle était trop occupée pour venir soutenir des auteurs en promotion, d'autant plus quand il l'invitait personnellement.

Myra avait raison. La librairie pouvait compter sur un noyau de fidèles et Bruce savait sonner le tocsin. Ils étaient près de quarante dans l'espace café à l'étage à l'arrivée de Mercer. Pour l'événement, tables et présentoirs avaient été poussés contre les murs, pour dégager un espace autour d'une estrade, flanquée de chaises.

À 18 heures, la foule s'installa, chacun poursuivant sa conversation. La plupart buvaient du mauvais vin dans des gobelets en plastique. Tout le monde semblait détendu et heureux d'être là. Myra et Leigh s'assirent au premier rang, à quelques centimètres de l'estrade, comme si les meilleures places leur étaient toujours réservées. Myra riait fort, et bavardait avec trois personnes à la fois. Leigh se tenait discrète, en émettant un petit rire uniquement quand c'était approprié. Mercer resta debout, sur le côté, adossée à un rayonnage, comme si elle ne voulait pas se mêler au public. La majorité des gens avaient les cheveux grisonnants. Quasiment tous des retraités. Encore une fois, elle était la plus jeune du groupe. L'atmosphère était bon enfant, et chaleureuse avec tous ces amateurs de littérature venus écouter un nouvel écrivain.

Mercer était un peu jalouse, elle devait le reconnaître. Si seulement elle arrivait à finir un livre, elle aussi pourrait partir en tournée, et avoir devant elle une brochette d'admirateurs. Mais la sienne avait tourné court. Elle en appréciait d'autant plus des lieux comme Bay Books et les gens passionnés comme Bruce Cable. C'était si rare que des libraires se donnent tant de mal pour les auteurs.

Bruce monta sur l'estrade, souhaita la bienvenue à l'auditoire, et commença à présenter son invité : grâce aux années passées au sein de la « communauté du renseignement », Randy Zalinski détaillait avec une acuité rare les dangers qui menaçaient le citoyen, et bla-bla-bla…

Zalinski avait plus un look d'espion que d'écrivain. Pas de jean délavé ni de veste fripée. Il arborait un beau costume noir, une chemise blanche sans cravate, et avait le visage rasé de près. Pas une ombre de barbe sur son visage lisse et bronzé. Et pas d'alliance au doigt ! Il parla pendant une demi-heure, racontant des histoires effrayantes sur la prochaine cyberguerre et expliqua que les États-Unis étaient en situation de faiblesse parce qu'ils continuaient à dialoguer avec nos ennemis, à savoir la Russie et la Chine. Mercer était sûre qu'ils auraient droit au même laïus durant le dîner.

Zalinski semblait voyager seul. Il aurait pu faire l'affaire, songea Mercer, mais il ne restait qu'une nuit sur l'île. C'était un peu juste. Elle pensait aussi à la réputation de Cable. On disait qu'il sautait sur toutes les jeunes auteures et que Noelle lui rendait la pareille. La « Chambre des écrivains » dans leur tour servait de salle des ébats extraconjugaux avec leurs invités du soir, disait-on, mais Mercer avait du mal à y croire, maintenant qu'elle connaissait le couple.

Le public applaudit à la fin de la présentation de Zalinski, puis une queue se forma devant une table où trônait une pile de son livre. Mercer aurait préféré s'abstenir d'en acheter un et n'avait nul désir de lire sa prose, mais elle n'avait pas le choix. Elle se souvenait de sa frustration quand elle était assise à une table, en attendant désespérément qu'un acheteur se présente. Et cerise sur le gâteau, elle allait devoir passer les trois heures suivantes avec l'auteur en question ! Coincée, elle se plaça dans la file et attendit son tour. Myra, évidemment, la repéra et vint lui parler. Elles se présentèrent à Zalinski et le regardèrent gribouiller son nom sur leur exemplaire.

Au moment de descendre au rez-de-chaussée, Myra marmonna un peu trop fort, au risque d'être entendue :

— Trente dollars gâchés ! Je ne lirai pas une seule phrase de cette bouse !

Mercer étouffa un petit rire.

— Pareil ! Mais on ne peut rien refuser à notre libraire préféré.

Au comptoir, Bruce leur murmura :

— Noelle est à la maison. Allez donc la retrouver. On vous rejoint.

Mercer, Myra et Leigh quittèrent la librairie et se rendirent à pied à la maison des Marchbanks.

— Vous avez déjà visité ? demanda Myra.

— Non. Juste avec les livres de Noelle.

— Vous allez en prendre plein les mirettes ! Et Noelle est une hôtesse hors pair !

7

La maison était conforme aux photos de Noelle, pleine de meubles provençaux, avec une décoration raffinée. Elle leur fit visiter le rez-de-chaussée, puis obliqua vers la cuisine parce qu'elle avait un plat dans le four. Myra, Leigh et Mercer emportèrent leurs verres sur la terrasse. Elles cherchèrent la fraîcheur sous un ventilateur à l'ancienne. L'air était chaud et moite cette nuit-là. Noelle leur avait annoncé qu'ils dîneraient à l'intérieur.

Contre toute attente, Bruce arriva seul. Leur invité, Mr Zalinski, avait souvent des migraines et il était en pleine crise. Il leur présentait ses excuses ; il lui fallait s'allonger dans sa chambre d'hôtel, sans lumière. Dès que Bruce les rejoignit sur la terrasse avec son verre, Myra attaqua bille en tête :

— Je veux me faire rembourser de mes trente dollars ! (Plaisantait-elle ? Ce n'était pas très clair.) Même sous la menace, je ne lirai pas ce livre !

— Attention. Si les remboursements pour navets étaient possibles, répliqua Bruce, tu me devrais une fortune.

— Tous les achats sont fermes ? s'enquit Mercer.

— Bien sûr !

— Si tu veux qu'on achète des livres, reprit Myra, s'il te plaît, présente-nous des auteurs dignes de ce nom !

Bruce esquissa un sourire et se tourna vers Mercer :

— On a cette conversation au moins trois fois par an. Myra, la grande impératrice du trash, descend quasiment tous les autres auteurs commerciaux !

— Faux ! C'est juste que ces conneries d'espionnage m'indiffèrent. Je n'ouvrirai pas ce livre et je ne veux pas que ce genre de prose encombre ma maison ! Je te le rends contre vingt dollars.

— Allons Myra…, intervint Leigh. Tu dis toujours que tu aimes avoir plein de livres.

Noelle les rejoignit sur la terrasse, un verre de vin à la main. Elle s'inquiétait pour Zalinski. Peut-être devrait-on appeler un médecin ? Bruce répondit que c'était inutile. Randy était un grand garçon, il saurait prendre soin de lui tout seul.

— Je croyais que vous le trouviez tous ennuyeux à mourir ? ajouta-t-il avec malice.

— Et vous ? demanda Mercer. Que pensez-vous de son livre ?

— J'ai sauté plein de passages. Trop de détails techniques, trop de prétention, tout ça pour montrer qu'il est expert en technologie et autres gadgets, ainsi qu'un habitué du dark web. Plusieurs fois, j'ai refermé le livre.

— Et moi, je ne risque pas de l'ouvrir ! railla Myra. Et pour être honnête, je n'avais pas très envie de venir dîner.

Leigh se pencha vers Mercer :

— Vous voyez ! Ne nous tournez jamais le dos ! Nous sommes pires que des vautours !

— Si vous êtes prêts, annonça Noelle, allons-y !

Dans une grande alcôve, entre la cuisine et la terrasse, Noelle avait dressé la table. Une belle pièce ronde, en bois sombre, qui avait un air étonnamment contemporain. Pour le reste, tout était ancien, des chaises de style Louis XIV aux assiettes en terre cuite en passant par les couverts français ! Encore une fois, on avait l'impression de se promener dans un des livres de Noelle. Un agencement de rêve, trop beau pour être dérangé par la réalité d'un repas.

Pendant que tout le monde s'installait et remplissait ses verres, Mercer annonça à Noelle :

— Je crois que je vais la prendre cette table d'écriture.

— Oh, elle est déjà à vous. J'ai dû mettre un écriteau « vendu » parce que j'avais trop de demandes !

— Il va me falloir un peu de temps pour rassembler l'argent, mais je sais qu'il me la faut.

— Et vous pensez que ça va vous aider ? lança Myra. Une vieille table provençale ?

— Qui vous dit que je suis bloquée ?

— Vous n'arrivez pas à écrire une ligne. Cela s'appelle un blocage.

— Ou une panne d'inspiration ?

— Bruce ? C'est toi l'expert.

Bruce présentait un grand saladier à Leigh pour qu'elle puisse se servir.

— « Blocage » est un peu sévère. Personnellement, je préfère « panne d'inspiration ». Mais je suis mal placé pour en parler. Je ne suis qu'un commentateur. C'est vous les fourmis ouvrières de la fabrique de mots.

Pour une raison quelque peu obscure, Myra partit d'un grand rire, et lança :

— Leigh, tu te souviens quand on avait écrit trois livres en un mois ? On avait cet escroc d'éditeur qui ne voulait pas nous payer mais notre agent disait qu'on ne pouvait pas claquer la porte parce qu'on lui devait trois livres par contrat ? Alors Leigh et moi on a pondu les trois pires histoires de la terre, des trucs vraiment débiles, et je me suis échinée sur ma machine à écrire dix heures par jour pendant un mois, non-stop !

— Mais on en avait un bon dans les cartons, ajouta Leigh en passant le saladier à son voisin.

— C'est vrai. Une idée superbe pour un roman mi-drame mi-comédie. Et, cette pépite, on ne risquait pas de la passer à l'autre ordure ! Il fallait que l'on se libère de ce contrat véreux pour pouvoir trouver une meilleure maison, un éditeur qui apprécierait notre talent et notre idée de génie. Et c'est ce qu'on a fait, mais ça n'a pas marché exactement comme prévu : deux ans plus tard, les trois romans de bas étage se vendaient toujours comme des petits pains, et notre chef-d'œuvre a été un flop. Allez comprendre !

— Je me demande si je n'ai pas envie de la repeindre, annonça Mercer, remettant la conversation sur ses rails. La table d'écriture.

— On pourra regarder ensemble le nuancier, répondit Noelle. Pour qu'elle s'intègre au mieux à l'ameublement du bungalow.

— Tu connais la maison ? lança Myra d'un ton taquin. On n'y a jamais mis les pieds. Quand est-ce qu'on verra cette merveille ?

— Très bientôt, répliqua Mercer. Je vais faire un dîner.

— Vas-y, annonce-leur la bonne nouvelle, lança Bruce en se tournant vers Noelle.

— Quelle bonne nouvelle ?

— Ne fais pas ta timide. Un couple de riches Texans lui a acheté tout ce qu'elle avait. Le magasin est quasiment vide !

— Dommage qu'ils ne soient pas amateurs de livres anciens ! lâcha Leigh.

— Mais j'ai pu sauver la table d'écriture, précisa Noelle en lança une œillade à Mercer.

— Et Noelle va fermer pour un mois. Elle part en France refaire son stock.

— Ce sont des gens très gentils, précisa-t-elle. Et des amateurs éclairés. Je dois les retrouver en Provence pour chiner avec eux.

— Cela promet d'être amusant ! renchérit Mercer.

— Pourquoi ne venez-vous pas avec moi ? proposa Noelle.

— C'est sûr ! railla Myra. Au point où en est votre roman. Vous n'êtes plus à ça près.

— Allons Myra…, marmonna Leigh.

— Vous êtes déjà allée en Provence ? s'enquit Noelle.

— Non. Mais j'ai toujours rêvé de visiter cette région. Combien de temps comptez-vous rester là-bas ?

Noelle haussa les épaules, hésitante.

— Un mois, peut-être.

Elle lança un regard à Bruce. Cherchait-elle son assentiment ? Visiblement, cette invitation était totalement improvisée.

Mercer saisit la balle au bond :

— Il vaut mieux que je garde l'argent pour la table.

— C'est une bonne idée, renchérit Myra. Restez donc ici pour écrire. Si vous voulez mon avis.

— Justement, elle ne te l'a pas demandé, tempéra Leigh.

Un grand plat de risotto aux crevettes passa de main en main, ainsi qu'une panière. Tout le monde se servit. Après quelques bouchées, Myra sortit l'artillerie :

— N'empêche que je sais ce qu'on devrait faire, commença-t-elle, sans prendre la peine d'avaler ce qu'elle avait dans la bouche. Je n'ai jamais fait ça. Et c'est plutôt inhabituel, j'en conviens. Mais justement : il faut toujours s'aventurer en terrain inconnu, c'est comme ça qu'on avance. Je vous propose de lancer un plan d'urgence, une opération de sauvetage littéraire, pas plus tard que maintenant ! Mercer, ça fait combien de temps que vous êtes ici, un mois, non ? Et vous n'avez pas écrit un mot de valable et pour tout dire, j'en ai assez de vous entendre chouiner parce que votre roman n'avance pas. Il est évident, pour tout le monde autour de cette table, que vous n'avez pas d'histoire, et comme vous n'avez pas publié depuis longtemps... ça fait combien ? Dix ans ?

— C'est plus proche de cinq.

— Peu importe ! Vous êtes perdue et vous avez besoin d'aide, ça se voit comme le nez au milieu de la figure. Alors voilà ce que je vous propose : nous, vos amis, on va vous trouver une histoire ! Regardez la somme de talents qu'il y a autour de cette table. On va vous tirer de ce mauvais pas.

— De toute façon, ça ne peut pas être pire, concéda Mercer.

— Tout juste ! Bref, on est l'équipe de secours. (Elle but une grosse gorgée de bière à même la bouteille.) Pour assurer le succès de l'opération, nous avons besoin de faire un check-up. D'abord et avant tout, on doit savoir si vous voulez écrire une œuvre littéraire, quelque chose d'invendable, que même Bruce s'y casse les dents, ou quelque chose qui puisse plaire au public. J'ai lu votre roman et vos nouvelles, et je ne suis pas surprise que vous n'ayez rien vendu. Ne le prenez pas mal. C'est une intervention d'urgence donc on ne fait pas dans la dentelle. Tout le monde a bien compris ? Pas de détail. Il faut tailler dans le vif !

— Allons-y, répondit Mercer dans un sourire.

Les autres hochèrent la tête de conserve. Ça promettait d'être drôle.

Myra enfourna une fourchette pleine de laitue et continua à parler.

— Soyons clairs, vous avez une jolie plume, et certaines de vos phrases m'ont scotchée, ce qui, soit dit en passant, n'est pas bon signe. Une bonne phrase n'est pas censée se faire remarquer. Bon, vous savez vous y prendre et vous pouvez écrire ce que vous voulez. Alors ? œuvre littéraire ou œuvre populaire ?

— Et si on visait les deux ? lança Bruce, visiblement amusé par la tournure de la conversation.

— Pour une poignée d'auteurs, peut-être, répliqua Myra. Mais pour la grande majorité, c'est mission impossible. (Elle se tourna à nouveau vers Mercer :) On a cette discussion depuis dix ans, dès le premier jour où j'ai rencontré Bruce. Bref, partons du principe qu'il est impossible d'écrire de la littérature qui plaira aux critiques et qui, en même temps, rapportera des droits d'auteur. Et quand je dis ça, c'est sans jalousie aucune. Je n'écris plus, alors je suis hors jeu maintenant. Je ne sais pas trop ce que fabrique Leigh en ce moment, mais je suis sûre qu'elle n'est pas près d'être éditée.

— Allons, Myra…

— Donc sa carrière est finie, comme la mienne, mais c'est pas grave ! On est vieilles et on a du fric, alors on n'est plus dans la course. Mais vous, Mercer, vous êtes jeune et talentueuse. Vous avez un avenir, à condition de savoir quoi écrire. C'est la raison de cette opération « SOS auteur en détresse ». Au fait, le risotto est délicieux, Noelle.

— Je suis censée répondre ? s'enquit Mercer.

— Non, laissez faire les secours. Pas un mot, pendant qu'on vous sort de là. Bruce, à toi l'honneur. Qu'est-ce que Mercer devrait écrire ?

— Je lui poserai d'abord une question : qu'est-ce que vous lisez ?

— Tout sauf du Randy Zalinski ! rétorqua Mercer en riant.

— Le pauvre garçon ! Il est au lit avec une migraine carabinée et on lui casse du sucre sur le dos ! lança Myra.

— Nous sommes misérables, murmura Leigh.

— Alors ? reprit Bruce. Quels sont les trois derniers livres que vous avez lus ?

Mercer but une gorgée de vin et fouilla sa mémoire.

— J'ai adoré *Le Chant du rossignol* de Kristin Hannah. Et je crois qu'il se vend bien.

— Oui, c'est le cas. Il est en poche et c'est toujours un succès.

— Moi aussi, je l'ai aimé, intervint Myra. Mais on ne peut pas gagner sa vie en écrivant des livres sur l'Holocauste ! Vous y connaissez quelque chose, Mercer ?

— Je n'ai pas dit que je voulais écrire là-dessus. Elle a écrit vingt romans, tous sur des sujets très différents.

— En même temps, ce ne sont pas des œuvres littéraires, insista Myra.

— Parce que tu serais capable d'en reconnaître une ? Je n'en suis pas sûre, intervint Leigh avec un sourire affable.

— Leigh ! C'est un coup bas !

— J'en conviens.

Bruce reprit les rênes :

— Et les deux autres ?

— *Une bobine de fil bleu* d'Anne Tyler. C'est l'un de mes préférés. Et *La Rose* de Louise Erdrich.

— Que des femmes ! fit remarquer Bruce.

— C'est vrai, je lis rarement des livres écrits par des hommes.

— C'est intéressant. Et futé. Puisque soixante-dix pour cent des romans sont achetés par des femmes.

— Et ces trois-là vendent bien ? s'enquit Noelle.

— Oh oui ! répondit Bruce. Elles écrivent de beaux livres très populaires.

— Bingo ! lança Mercer. C'est l'idée !

Bruce jeta un regard en coin à Myra.

— Voilà. Mission accomplie. Sauvetage terminé !

— Pas si vite. Et les histoires de crimes ? Les morts mystérieuses ? insista Myra.

— Bof, répondit Mercer. Je n'ai pas l'esprit câblé pour ça. Et ne suis pas perverse au point de disséminer des indices ni vu ni connu, pour m'en servir deux cents pages plus loin comme si de rien n'était.

— Les romans à suspense ? Les thrillers ?

— Bof aussi. Je ne sais pas faire des histoires compliquées.

— L'espionnage, le monde des barbouzes ?

— Je suis bien trop girly pour ça.

— Et les récits d'horreur ?

— Vous plaisantez ? Dès qu'il fait nuit, j'ai peur de ma propre ombre !

— Les histoires d'amour ?

— Je n'y connais rien !

— Le porno ?

— Je suis encore vierge !

— De toute façon, le porno ne se vend plus, intervint Bruce. On a tout ce qu'on veut en ligne.

Myra poussa un gros soupir.

— Les temps changent ! Il y a vingt ans, Leigh et moi on savait faire, chaque page te mettait en transe ! Et la science-fiction ? L'heroic fantasy ?

— Je n'y ai jamais touché.

— Le western ?

— J'ai peur des chevaux.

— Les intrigues politiques ?

— J'ai peur des politiciens.

— D'accord. Vous êtes donc condamnée à écrire des histoires sur des familles en vrac. Alors au boulot ! Mais on attend des progrès !

— Je m'y mets demain, première heure ! répondit Mercer. Et merci pour vos efforts.

— Laissez tomber ! répliqua Myra. Et puisqu'on parle de SOS, quelqu'un a des nouvelles d'Andy ? Je pose la question parce que je suis tombée sur son ex à l'épicerie, il y a quelques jours, et elle a laissé entendre qu'il n'allait pas bien.

— Il a oublié d'être sobre ces derniers jours, répondit Bruce.

— On peut faire quelque chose ?

— Non. Je ne vois pas quoi. Pour l'instant, il est en mode « ivrogne ». Tant qu'il n'aura pas décidé de rectifier le tir, il sera juste ça, un ivrogne. Son éditeur va sans doute refuser son dernier roman. Et cela ne va pas arranger les choses. Je suis assez inquiet pour lui.

Mercer surveillait le verre de Bruce. Elaine disait qu'il buvait beaucoup, mais ce n'est pas ce que

Mercer observait. Lors du dîner chez Myra et Leigh, comme ce soir, il dégustait tranquillement son verre, et ne le remplissait que rarement. Il était parfaitement mesuré.

Après le cas Andy Adam, Myra passa en revue leurs autres amis. Bob Cobb naviguait du côté d'Aruba. Jay Arklerood était au Canada, à jouer l'ermite dans la cabane d'un ami. Amy Slater était débordée avec ses gosses. L'un d'eux s'était mis au base-ball. Bruce se fit brusquement silencieux. Il écoutait les commérages mais n'y participait pas.

Noelle était toute contente de quitter la Floride pour un mois. Il faisait chaud aussi en Provence, mais le climat était bien plus sec. C'était sans commune mesure avec cette touffeur. Après le repas, elle proposa à nouveau à Mercer de la rejoindre en France, peut-être pas pour un mois, mais pour une semaine ou deux. La jeune femme la remercia. Mais elle devait travailler sur son roman. En outre, ses finances étaient plutôt serrées. Et il fallait qu'elle économise pour sa table d'écriture.

— Elle est à vous de toute façon, répondit Noelle. Je vous l'ai réservée.

Myra et Leigh partirent à 21 heures. Mercer aida Bruce et Noelle à débarrasser et leur dit au revoir un peu avant 22 heures. Quand elle s'en alla, Bruce buvait un café dans le salon, le nez plongé dans un bouquin.

8

Deux jours plus tard, Mercer descendit en ville et déjeuna en terrasse dans un petit restaurant. Après, elle se promena sur Main Street et remarqua que la boutique de Noelle était fermée. Un écriteau sur la porte disait que la maîtresse des lieux était partie en France acheter de nouvelles pièces. La table d'écriture était toujours en vitrine. Le reste de la salle semblait vide. Mercer se rendit à la librairie. Elle salua Bruce et monta à l'étage. Elle commanda un grand crème et l'emporta sur le balcon qui surplombait Third Street. Comme elle s'y attendait, Bruce la rejoignit.

— Qu'est-ce qui vous amène en ville ? demanda-t-il.

— L'ennui. Encore une journée blanche, pas une ligne à garder.

— Je croyais que Myra avait fait sauter votre blocage ?

— Si c'était si simple... Vous avez quelques minutes ? Je voudrais vous parler.

Bruce lui répondit qu'il avait tout son temps. Il jeta un regard autour de lui. Il y avait un couple à la table d'à-côté, bien trop près pour avoir une conversation sérieuse.

— Descendons au rez-de-chaussée, proposa-t-il.

Elle le suivit dans la pièce des Éditions originales. Il referma la porte derrière lui.

— De toute évidence, il s'agit d'une affaire sérieuse, déclara-t-il avec un sourire.

— Disons « délicate ».

Elle lui narra la fiction des livres de Tessa, ceux qu'elle avait « empruntés » à la bibliothèque de Memphis en 1985. Elle avait répété son texte des dizaines de fois. Mercer paraissait réellement perdue. À s'y méprendre. Bien sûr, Bruce apprécia l'histoire et l'existence de ces livres piqua sa curiosité. À l'en croire, il n'y avait pas lieu de contacter la bibliothèque de Memphis. Certes, ils tenaient à ce qu'on retourne leurs livres, mais cette perte datait de plusieurs dizaines d'années. En plus, la bibliothèque ignorait leur réelle valeur.

— Sitôt les exemplaires récupérés, ils les mettront sur les rayonnages pour que quelqu'un d'autre les vole. Rien de bon n'arrivera à ces livres. Il vaut mieux les protéger de tout péril.

— Mais ils ne sont pas à moi. Je ne peux les vendre.

Il esquissa un sourire, haussa les épaules. Un détail technique sans importance, semblait-il lui dire.

— Vous connaissez ce vieux dicton : l'usage fait force de loi. Vous avez ces livres depuis plus de dix ans. À mon avis, ils vous appartiennent de fait.

— Cela me met mal à l'aise quand même.

— Comment sont les livres ?

— En bon état, je dirais. Je ne suis pas une spécialiste. J'en ai pris grand soin. Pour tout dire, je les ai à peine touchés.

— Je peux les voir ?

— Je ne sais pas. Jusque-là, c'était une discussion informelle. Vous les montrer, c'est s'approcher à grands pas d'une transaction.

— Montrez-les-moi. Ça n'engage à rien.

— Je ne sais pas. Vous avez ces titres dans votre collection ?

— Oui. J'ai tous les James Lee Burke et tous les Cormac.

Mercer jeta un coup d'œil vers les rayonnages, comme si elle cherchait à les repérer.

— Ils ne sont pas ici, expliqua-t-il. Ils sont avec les livres rares au sous-sol. L'air marin est trop agressif, je garde les plus précieux dans une chambre forte, où l'atmosphère est régulée, en température et en hygrométrie. Vous voulez visiter ?

— Plus tard, peut-être, répliqua Mercer de son ton le plus détaché. Vous avez une idée de leur valeur ? Juste un ordre de grandeur ?

— On va voir ça, répondit-il aussitôt comme s'il s'attendait à cette question.

Il se tourna vers un ordinateur, entra quelques mots, et parcourut les données à l'écran.

— J'ai acheté une première édition du *Bagnard* en 1998 pour deux mille cinq cents dollars. Ça vaut donc sans doute le double aujourd'hui. Tout dépend de l'état de conservation de votre exemplaire. Et cela reste une inconnue, tant que je n'aurais pu y jeter un coup d'œil. J'en ai acheté un autre en 2003 pour trois mille cinq cents.

Il continuait à explorer son listing. Mercer ne pouvait voir l'écran mais la collection paraissait impressionnante.

— J'ai un exemplaire du *Méridien de sang*, acheté à un ami antiquaire de San Francisco, il y a en gros dix ans. Neuf pour être exact, payé, voyons ça… deux mille dollars, mais il y avait une petite déchirure sur la jaquette. Il n'était pas en très bon état.

Il suffit de faire une fausse jaquette ! songea Mercer, maintenant qu'elle en savait un peu plus sur le monde des collectionneurs. Mais elle parvint à jouer la surprise :

— C'est vrai ? Ça vaut autant que ça ?

— Vous pouvez me croire sur parole. En ce domaine, je suis une référence. Je gagne plus d'argent avec les livres anciens qu'avec les neufs. Pardon de paraître pédant, mais j'adore cette facette du métier. Si vous voulez vendre ces livres, je suis votre homme !

— Il y a le code-barres de la bibliothèque sur la jaquette. Cela ne nuit pas à leur valeur ?

— Pas vraiment. Ça peut s'effacer. Je connais tous les restaurateurs en la matière.

Comme tous les faussaires !

— Supposons que j'accepte de vous les montrer, comment on procède ?

— Mettez-les dans un sac et apportez-les à la librairie. (Il s'interrompit et pivota vers la jeune femme :) Ou mieux. Je viens chez vous. Ça me donnera l'occasion de voir la maison. Je passe devant depuis des années et j'ai toujours trouvé que c'était le plus joli bungalow de la plage.

— Parfait. Ça m'évitera de les trimbaler.

9

L'après-midi s'écoula lentement. Finalement, Mercer ne put résister à la tentation ; elle appela Elaine pour la tenir au courant des derniers événements. Leur plan avançait plus vite que prévu. Bruce voulait examiner les livres. Il était ferré ! Et il allait venir au bungalow ! Aux yeux d'Elaine, c'était presque trop beau pour être vrai.

— Et Noelle ? Où est-elle ?

— En France, je suppose. Elle a fermé boutique jusqu'à nouvel ordre, le temps qu'elle se réapprovisionne.

— Parfait.

Elaine savait que, la veille, Noelle avait pris un avion de Jacksonville jusqu'à Atlanta, où elle avait embarqué sur Air France à 18 h 10, pour un vol sans escale pour Paris. Arrivée à l'heure à Orly à 7 h 20, elle avait attrapé un moyen-courrier à 10 h 40 pour Avignon. Leur homme sur place l'avait suivie jusqu'à son appartement rue d'Alger, dans la vieille ville.

Quand Bruce vint chez Mercer, quelques minutes après 18 heures, Noelle dînait sur le tard avec un séduisant Français à La Fourchette, un célèbre restaurant d'Avignon, rue Racine.

Mercer se tenait derrière les stores qui occultaient les fenêtres côté rue. Bruce conduisait sa Porsche décapotable, celle qu'elle avait vue garée devant la maison des Marchbanks. Il avait enfilé un short en toile et une chemisette de golf. À quarante-trois ans, il était mince, musclé, et bronzé à souhait. Il était évident qu'il faisait du sport pour garder la forme, mais restait discret sur le sujet, à l'inverse de la plupart des adeptes du fitness qui s'imaginaient captiver leur auditoire en énumérant la liste fastidieuse de leurs exercices quotidiens. Après deux dîners mondains, Mercer s'était aperçue qu'il mangeait peu et buvait avec modération. Idem pour Noelle. Ils appréciaient la bonne chère, mais n'en faisaient pas excès.

Bruce avait apporté une bouteille de champagne. Il ne perdait pas de temps ! Sa femme/compagne était partie la veille, et il était déjà dans les starting-blocks ! Du moins c'est ce que Mercer se dit.

Elle l'accueillit sur le pas de la porte et lui fit visiter la maison. Sur la table de la cuisine, où elle tentait d'écrire son nouveau roman, elle avait posé deux des trois livres.

— Je suppose qu'on ouvre le champagne ?

— C'était juste pour ne pas venir les mains vides. Gardons-le pour plus tard.

— Je vais le mettre au frais.

Bruce s'assit à la table et regarda les ouvrages avec intensité.

— Je peux ?

— Bien sûr. C'est juste de vieux livres de bibliothèque ! répliqua-t-elle en riant.

— Pas vraiment…

Il souleva avec précaution *Le Bagnard*, et le caressa comme s'il avait entre les mains une pierre précieuse. Sans l'ouvrir, il examina la jaquette, le devant, l'arrière, le dos. Il effleura le papier glacé et murmura pour lui-même :

— Jaquette originale, brillante, couleurs intactes, pas de déchirures, ni de taches.

Il souleva lentement la couverture pour consulter la page du copyright.

— Première édition. Publiée par LSU Press, janvier 1985.

Il tourna quelques pages encore et referma l'ouvrage.

— Très bel exemplaire. Je suis impressionné. Et vous l'avez lu ?

— Pas celui-là. Mais j'ai lu quelques livres de Burke.

— Je croyais que vous préfériez les auteurs féminins ?

— C'est vrai, mais je ne suis pas sectaire à ce point. Vous le connaissez ?

— Oh oui ! Il est venu deux fois à la librairie. Un type super.

— Et vous avez deux éditions originales du même livre ?

— Oui, mais j'en cherche toujours.

— Si vous m'achetez celui-ci, qu'est-ce que vous allez en faire ?

— Vous êtes donc prête à le vendre ?

— Peut-être. Je n'imaginais pas qu'ils avaient autant de valeur.

— Je vous en propose cinq mille, et j'essaierai de le vendre le double. J'ai un bon carnet d'adresses, de vrais collectionneurs. J'en vois deux ou trois que ça pourrait intéresser. On va marchander pendant quelques semaines. Je descendrai mon prix. Ils monteront le leur et on s'entendra autour des sept mille. Si je ne peux pas en tirer cette somme, je l'enferme au sous-sol pour cinq ans. Les éditions originales sont de bons placements. Parce qu'on ne peut en refaire.

— Cinq mille dollars, répéta Mercer, apparemment stupéfaite.

— Comme ça, à chaud.

— Je peux marchander un peu ?

— Bien sûr. Mais je n'irais pas au-delà de six mille.

— Et personne ne saura d'où vient ce livre ? Je veux dire, personne ne pourra remonter jusqu'à moi ou Tessa ?

Cette question le fit rire.

— Bien sûr que non ! Vous avez ma parole, Mercer. Je pratique depuis vingt ans. Ces livres ont disparu il y a des dizaines d'années. Personne ne se posera de questions. Je les vendrai à mes clients dans le plus grand secret et tout le monde sera content.

— Il n'y a pas de fichiers ?

— Où ça ? Personne n'a recensé toutes les premières éditions dans le pays. Les livres ne laissent pas de traces, Mercer. Ça se négocie comme des pierres précieuses, si vous voyez ce que je veux dire.

— Pas vraiment.

— Ça se vend sous le manteau. Sans déclaration aux impôts.

— Et ces livres peuvent être volés et revendus ?

— Ça arrive. Mais je ne prends pas de livres quand leur historique est trop trouble. Mais on ne sait jamais si un livre a été volé ou non. Prenez *Le Bagnard*, par exemple. Le tirage original était modeste. Avec le temps, la plupart des exemplaires ont disparu, et par conséquent, ceux qui restent, en particulier quand ils sont en bon état, prennent de plus en plus de valeur. Mais il y en a quand même un certain nombre sur le marché, tous identiques, du moins ils l'étaient quand ils sont sortis des presses. Beaucoup sont passés d'une collection à une autre. Certains d'entre eux, forcément, ont dû être volés.

— Je sais que c'est indiscret comme question, mais ça me démange… Quel est le livre le plus précieux de votre collection ?

Bruce esquissa un sourire et prit le temps de réfléchir.

— Ce n'est pas indiscret, mais cela doit rester entre nous. Il y a quelques années, j'ai acheté une édition originale de *L'Attrape-cœurs*, un exemplaire impeccable, pour cinquante mille dollars. Salinger a rarement signé son chef-d'œuvre, mais il en a dédicacé un pour son éditeur, en cadeau. L'éditeur, puis sa famille, l'a gardé précieusement pendant des années. Personne n'y a touché. Un état exceptionnel.

— Comment avez-vous mis la main dessus ? Pardonnez-moi toutes ces questions, mais c'est fascinant.

— Pendant des années, la rumeur courait à propos de ce livre. Rumeur sans doute alimentée par la famille même de l'éditeur, qui sentait le filon. J'ai retrouvé un neveu. J'ai sauté dans un avion pour Cleveland, suivi le gars, et l'ai harcelé jusqu'à ce qu'il me le vende. Le livre n'avait jamais été sur le marché, autant que je le sache. Et personne ne sait que je l'ai.

— Qu'allez-vous en faire ?

— Rien. C'est juste pour le plaisir de l'avoir.

— Qui a vu la merveille ?

— Noelle, quelques amis. Je serais ravi de vous le montrer, comme le reste de ma collection.

— Oui, j'aimerais beaucoup. Mais revenons à nos affaires. Parlez-moi du McCarthy.

Bruce sourit et souleva le *Méridien de sang*.

— Vous avez lu cet auteur ?

— J'ai essayé. Mais c'est trop violent.

— Oui. C'est bizarre d'ailleurs que quelqu'un comme Tessa ait pu aimer Cormac McCarthy.

— Elle lisait tout le temps, tant que les livres provenaient de la bibliothèque.

Il inspecta la jaquette.

— Il y a deux déchirures sur le dos sans doute dues au temps. Et les couleurs sont un peu passées. Au final, la jaquette n'est pas en très bon état.

Il ouvrit le livre, observa les feuillets de garde, alla à la page de faux titre puis à celle des copyrights, et examina avec attention les inscriptions. Il tourna encore quelques pages, prenant tellement de temps qu'il aurait pu lire le texte sur chacune d'entre elles.

— J'adore ce livre, déclara-t-il à voix basse, en continuant à feuilleter l'exemplaire. C'est le cinquième roman de McCarthy et son premier qui se passe dans l'Ouest.

— J'ai lu une cinquantaine de pages, annonça-t-elle. C'est vraiment très dur, presque insoutenable.

— C'est vrai.

Bruce poursuivait son examen de l'ouvrage, comme s'il savourait en souvenir la cruauté du texte. Finalement, il referma doucement le livre.

— Un exemplaire « quasi neuf », comme on dit dans le métier. En tout cas, il est en bien meilleur état que celui que j'ai dans ma collection.

— Et combien vous aviez payé le vôtre ?

— Deux mille dollars, il y a neuf ans. Je vous en offre quatre mille et je le garderai sans doute pour moi. Quatre mille, je n'irai pas plus haut.

— Cela fait dix mille pour les deux. Je ne me doutais pas qu'ils avaient autant de valeur.

— Je connais mon affaire, Mercer. Dix mille, c'est un bon prix pour vous, et c'est un bon prix pour moi. Alors ? Marché conclu ?

— Je ne sais pas. Il faut que je réfléchisse.

— Pas de problème. Mais laissez-moi les mettre en lieu sûr, dans mon coffre. Comme je vous l'ai dit, l'air marin est particulièrement agressif pour les livres. En attendant que vous vous décidiez.

— Bien sûr. Emportez-les. Donnez-moi juste un jour ou deux de réflexion.

— Prenez tout votre temps. Aucune urgence. Et ce champagne… si on l'ouvrait ?

— Pourquoi pas. Il est quasiment 19 heures.

— J'ai une idée, annonça Bruce en se levant avec les livres sous le bras. Allons le boire sur la plage et nous promener. Je n'ai pas beaucoup l'occasion d'aller voir la mer, à cause de la boutique. J'adore l'océan pourtant.

— D'accord, répondit la jeune femme avec une pointe d'hésitation.

Une promenade romantique sur la plage avec un homme qui se prétendait marié ? Mercer sortit un petit carton sous le comptoir et le lui tendit. Il y rangea les livres pendant qu'elle prit la bouteille au réfrigérateur.

10

La marche jusqu'au Ritz, aller et retour, prit une heure. Quand ils remontèrent au bungalow, les ombres s'étiraient sur le sable. Leurs verres étaient vides. Mercer les remplit aussitôt. Sur la terrasse, Bruce se laissa tomber dans un des fauteuils d'osier. Elle s'assit à côté de lui.

Bruce avait parlé de sa famille : la mort soudaine de son père ; l'héritage avec lequel il avait acheté la librairie ; sa mère qu'il n'avait pas vue depuis trente ans ; une sœur qui habitait loin ; aucun contact avec ses tantes, oncles, cousins ; des grands-parents morts depuis longtemps. Mercer lui avait narré aussi sa saga personnelle, et avait finalement évoqué l'internement de sa mère. Elle n'avait raconté ça à personne, mais Bruce avait le don de mettre son interlocuteur à l'aise. Il inspirait confiance. Et comme les deux

avaient des cicatrices laissées par leurs familles dys-
fonctionnelles, ils avaient des points communs et se
sentaient à l'aise pour énumérer leurs blessures. Plus
ils en dévoilaient, plus ils parvenaient à en rire.

Alors qu'ils terminaient leur deuxième coupe,
Bruce déclara :

— Je ne suis pas d'accord avec Myra. Vous ne
devriez pas écrire sur des familles à problèmes. Vous
l'avez fait une fois, et avec brio. Inutile de remettre
le couvert.

— N'ayez crainte. Myra est la dernière personne
que j'écouterai.

— Son outrance et sa démesure ne vous ont pas
encore conquise ?

— Pas encore. Mais je l'apprécie de plus en plus.
Elle a vraiment autant d'argent que ça ?

— Allez savoir ? Elle et Leigh semblent assez à
l'aise. Elles ont écrit une centaine de livres ensemble.
Et entre nous, Leigh a mis bien plus la main à la pâte
qu'elle ne le laisse entendre. Certains de leurs titres
se vendent encore très bien.

— Ce doit être agréable.

— C'est toujours difficile d'écrire quand on est
fauché. Je le sais. Je connais beaucoup d'auteurs
et ils ne sont pas nombreux à pouvoir vivre de leur
plume.

— Et donc ils enseignent ! Ils trouvent une fac
quelque part pour avoir un chèque tous les mois. Je
l'ai fait deux fois et ça me pend à nouveau au nez.
Mon avenir, ce sera prof ou agent immobilier.

— Allons. Ce n'est pas pour vous.

— Vous avez d'autres idées ?

— Une en fait. De génie ! Remplissez mon verre et je vous raconte une longue histoire.

Mercer sortit le champagne du réfrigérateur et vida la bouteille dans leurs verres. Bruce prit une longue gorgée, avec un claquement de langue de satisfaction.

— Je pourrais boire ce nectar au petit déjeuner !

— Moi aussi, mais le café est beaucoup plus abordable.

— Bref, j'avais une copine. C'était bien avant Noelle. Elle s'appelait Talia, une gentille fille, ravissante, talentueuse, mais pas nette dans sa tête. On est sortis ensemble pendant deux ans, avec des hauts et des bas parce qu'elle perdait lentement pied avec la réalité. J'étais impuissant et c'était douloureux de la voir sombrer toujours un peu plus. Mais elle avait une plume. Elle travaillait sur un roman qui était très prometteur. Vraiment un gros potentiel. C'était l'histoire très romancée de Charles Dickens et de sa maîtresse, une jeune actrice nommée Ellen Ternan. Dickens était marié depuis vingt ans à Catherine, une femme austère dans la plus pure tradition victorienne. Elle lui avait donné dix enfants, et malgré ce signe patent d'activité sexuelle, ce n'était pas un mariage heureux. Tout le monde le savait. Alors qu'il avait quarante-cinq ans, qu'il était l'homme le plus célèbre d'Angleterre, il a fait la connaissance d'Ellen, une starlette de dix-huit ans. Ils sont tombés éperdument amoureux l'un de l'autre et il a quitté femme et enfants, même si le divorce était hors de question à cette époque. On n'a jamais su si lui et Ellen ont réellement vécu ensemble. Mais il y a eu une rumeur

tenace : ils auraient eu un enfant, un enfant mort à
la naissance. Quoi qu'il en soit, ils ont veillé à être
discrets et y ont parfaitement réussi. Dans le roman
de Talia, ils ont une histoire au grand jour qui est
racontée du point de vue d'Ellen, et aucun détail
n'est épargné au lecteur. Le récit se complique car
Talia introduit une autre idylle célèbre : celle entre
William Faulkner et Meta Carpenter. Faulkner la
rencontre à Hollywood quand il s'épuise à écrire
des scénarios pour un salaire de misère. Et d'après
ce qu'on sait, eux aussi étaient très amoureux. Là
encore, l'histoire est très romancée et très bien fice-
lée. Puis, pour complexifier encore le tout, Talia
évoque une autre histoire d'amour entre un écrivain
célèbre et sa maîtresse. Il paraît, mais cela n'a jamais
été authentifié, que Ernest Hemingway a eu une
aventure avec Zelda Fitzgerald quand ils habitaient
Paris. Comme vous le savez, quand il s'agit d'écrire
une bonne histoire, souvent la réalité se met en travers du chemin. Alors Talia a réinventé les faits et a
raconté une jolie romance entre Hemingway et Zelda,
dans le dos de Fitzgerald. Le roman narre donc trois
histoires d'amour dans le milieu littéraire, trois histoires que l'on suit en parallèle, et c'est un peu trop
dense pour un seul livre.

— Elle vous a laissé le lire ?

— La majeure partie, oui. Elle ne cessait de le
remanier, de réécrire des parties entières, et plus elle
creusait son sujet, plus il devenait confus. Elle me
demandait mon avis, je le lui donnais et elle faisait
tout le contraire. Quand le manuscrit a dépassé mille

pages, j'ai jeté l'éponge. On s'est beaucoup disputés à cause de ce livre.

— Qu'est-il advenu du texte ?

— Talia l'aurait brûlé. Elle a appelé un jour, alors qu'elle était en pleine crise délirante, pour m'annoncer qu'elle avait détruit le manuscrit et qu'elle n'écrirait plus jamais. Deux jours plus tard, elle est morte d'une overdose à Savannah, où elle habitait à l'époque.

— C'est terrible.

— Elle avait vingt-sept ans et un talent incroyable. Un mois après ses funérailles, j'ai écrit à sa mère et lui ai demandé, avec le plus de tact possible, si Talia avait laissé quelque chose derrière elle. Rien à sa connaissance, et à aucun moment, elle n'a parlé de roman. Ça m'a convaincu qu'elle l'avait réellement brûlé, puis qu'elle s'était tuée.

— Comme c'est triste.

— Oui. Tragique.

— Et vous n'avez aucune copie ?

— Oh non. Elle apportait le manuscrit avec elle quand elle venait quelques jours ici, me le faisait lire pendant qu'elle le retravaillait. Elle était paranoïaque. Elle était terrifiée à l'idée que quelqu'un puisse voler son chef-d'œuvre et ne le quittait jamais. La pauvre était parano pour un tas de choses. À la fin, elle abusait des médicaments et entendait des voix. Je n'ai rien pu faire pour elle. Et pour tout dire, à la fin, je prenais mes distances.

Ils restèrent silencieux, leur verre à la main, chacun songeant à cette triste fin. Le soleil était couché. La terrasse s'assombrissait. Ni l'un ni l'autre ne parlèrent de dîner ensemble, mais Mercer savait qu'elle refuserait. Ils avaient passé assez de temps ensemble pour une seule journée.

— C'est vraiment une belle histoire.

— Laquelle au juste ? Dickens-Faulkner-Zelda, ou celle de Talia ? Il y a de la matière, non ?

— Et vous me donnez tout ça ?

Bruce esquissa un sourire dans un haussement d'épaules.

— Faites-en ce que vous voulez.

— Vous dites que les histoires avec Dickens et Faulkner sont véridiques ?

— Oui. Mais la meilleure, c'est Hemingway et Zelda. Cela se passe dans le Paris des années 1920, la Génération perdue, avec ce contexte socio-historique si particulier. Ils se connaissaient, c'est sûr. Fitzgerald et Hemingway étaient amis et compagnons de beuveries. Et tous les expats américains se retrouvaient pour faire la fête. Hemingway était toujours en chasse. Il s'est marié quatre fois, et avait des goûts sexuels particuliers. Entre de bonnes mains, cette histoire pourrait être bien salace. Même Myra approuverait !

— L'espoir fait vivre.

— Vous n'êtes pas très enthousiaste, à ce que je vois.

— Je ne suis pas très fan du genre « fiction historique ». C'est un récit ou un leurre ? Je trouve ça quelque part malhonnête de modifier le passé de gens qui ont réellement existé et de leur faire accomplir des choses qu'ils n'ont jamais faites. D'accord, ils sont morts, mais cela ne nous donne pas le droit pour autant de réécrire leur vie. En particulier leur vie pri-vée. Moi, cela me dérange.

— Cela se fait tout le temps et c'est vendeur.

— Peut-être, mais je doute que ce soit pour moi.

— Vous les avez lus ? Faulkner, Hemingway, Fitzgerald ?

— Seulement quand j'y ai été obligée. D'une manière générale, je ne suis pas très attirée par les vieux auteurs blancs.

— Pareil. Je préfère lire mes contemporains, ceux que je peux rencontrer.

Il vida son verre et le posa sur la table entre eux.

— Il faut que je file. Merci pour la balade.

— Merci pour le champagne. Je vous raccom-pagne.

— Inutile de vous déranger Je trouverai la porte.

Alors qu'il se glissait derrière elle, il lui déposa un baiser sur le haut de la tête.

— À plus tard.

— Bonne nuit.

11

À 8 heures le lendemain matin, Mercer était assise à la table de la cuisine, face à son ordinateur et elle regardait l'océan. Elle rêvassait quand le téléphone sonna. C'était Noelle. Elle appelait de France, avec six fuseaux horaires de plus. Elle lui lança un grand « bonjour » en français et s'excusa de la déranger en pleine création. Elle voulait la prévenir qu'un homme, nommé Jake, serait au magasin demain et que Mercer pourrait l'y rencontrer. Jake était son artisan-restaurateur et il passait régulièrement à la boutique. Il venait réparer une armoire dans l'atelier au sous-sol. Ce serait l'occasion pour Mercer de parler avec lui des teintes possibles pour la table d'écriture. La boutique serait fermée, et la porte verrouillée, mais Jake avait une clé. Mercer la remercia et les deux femmes bavardèrent un peu du séjour de Noelle en France.

Sitôt raccroché, Mercer joignit Elaine Shelby, qui se trouvait à ce moment-là à Washington. Mercer lui avait écrit un long e-mail la nuit dernière pour raconter sa journée. Elaine était donc au courant de la proposition de Bruce. La jeune femme allait peut-être pouvoir visiter les deux sous-sols dans la même journée.

Mercer appela Bruce à midi, et lui dit qu'elle acceptait son offre pour les deux livres. Elle descendait en ville demain pour voir Jake. Elle ferait un saut à la librairie pour prendre son chèque. Et oui, ça lui faisait très plaisir de voir l'exemplaire de *L'Attrape-cœurs*.

— Parfait, répondit Bruce. On déjeune ensemble après ?

— Bien sûr !

12

Elaine et son équipe arrivèrent le soir, bien après la nuit tombée. C'était trop tard pour organiser une réunion au sommet. À 9 heures, le lendemain matin, Mercer longea la plage et s'arrêta sur la passerelle qui menait au petit immeuble. Elaine était assise sur les marches, une tasse de café à la main, les pieds dans le sable. Les deux femmes se serrèrent la main, comme de coutume.

— Beau travail, déclara-t-elle.

— À confirmer.

Elles se rendirent dans l'appartement où deux hommes les y attendaient – Graham et Rick. Ils étaient assis à la table de la cuisine avec, devant eux, une tasse de café et une sorte de boîte à outils, contenant leur matériel d'espions comme Mercer allait le découvrir. Micros, émetteurs, caméras miniatures – ces dernières étaient si petites que Mercer avait du mal à croire qu'elles n'étaient pas factices. Ils sortirent des casiers toutes sortes d'appareils, tout en discutant de leurs performances et efficacité.

À aucun moment Elaine n'avait demandé à Mercer si elle accepterait de porter une caméra. Apparemment, cela allait de soi. Et cette omission agaça un peu la jeune femme. Pendant que Graham et Rick parlaient boutique, Mercer sentit son ventre se serrer.

— C'est légal ? articula-t-elle finalement. Filmer quelqu'un à son insu, sans sa permission ?

— Ce n'est pas illégal, répondit Elaine avec un sourire patient, l'air de dire « question ridicule ». Pas plus que prendre en photo quelqu'un dans une foule. La permission de l'intéressé n'est pas obligatoire, mais la diffusion de ladite photo est interdite sans son accord.

Rick, le plus vieux des deux techniciens, intervint :

— On n'a pas le droit d'enregistrer une conversation téléphonique sans autorisation expresse d'un juge, mais l'État n'a toujours pas légiféré sur les caméras de surveillance.

— On peut en mettre partout, pour n'importe quel motif, sauf dans un domicile privé, précisa Graham. Pensez à toutes les caméras qui scrutent les immeubles, les trottoirs, les parkings. On ne demande pas à tous les gens filmés leur consentement.

Elaine, qui était visiblement la chef, reprit les commandes :

— Regardez ce foulard. Il serait joli avec une broche. On l'essaie ?

Un motif fleuri, ça ressemblait à de la soie. Mercer plia le carré de tissu en trois et le noua autour de son cou. Rick lui tendit la broche, une boucle dorée avec une corolle de strass. Elle fit passer les deux pans dans l'anneau. Avec un tournevis minuscule dans la main, Rick s'approcha d'elle, bien trop près à son goût. Il examina le bijou.

— On pourrait placer la caméra juste ici, elle serait quasiment invisible, annonça-t-il en désignant l'endroit de la pointe de son outil.

— Elle est grande comment cette caméra, s'enquit Mercer ?

Graham la lui montra. Pas plus grosse qu'un grain de raisin sec.

— C'est une caméra, ça ?

— Haute définition. Je vais vous montrer. Donnez-moi la broche.

Mercer la retira et la lui tendit.

Les deux hommes chaussèrent des loupes binoculaires et se mirent à l'ouvrage.

— Vous savez où vous allez déjeuner ? s'enquit Elaine.

— Non. Il ne m'a rien dit. J'ai rendez-vous avec Jake à la boutique de Noelle à 11 heures, puis je vais retrouver Bruce à la librairie. On part déjeuner dans la foulée, mais je ne sais pas où. Comment se sert-on de cette chose ?

— Vous n'avez rien à faire. Comportez-vous normalement. La caméra sera activée à distance par Rick et Graham. Ils seront dans un van à proximité. Il n'y a pas d'enregistrement audio. La caméra est trop petite pour ça. Donc, peu importe ce qui se dit. On ne sait pas ce qu'il y a dans ces sous-sols ; essayez de filmer sous tous les angles. Repérez les portes, les fenêtres, les caméras de surveillance s'il y en a.

— Et les détecteurs d'ouverture sur les chambranles, ajouta Rick. On est quasiment sûrs qu'il n'y a aucun accès par l'extérieur du bâtiment. Les deux sous-sols occupent toute la surface du rez-de-chaussée.

— Ce sera notre premier repérage, précisa Elaine, et sans doute le dernier. Tout est crucial bien entendu, mais notre priorité ce sont les manuscrits. Autrement dit, on cherche des piles de papier plus grandes qu'un livre imprimé.

— Je vois ce qu'est un manuscrit.

— Certes. Localisez les tiroirs, les armoires, partout où ils pourraient être rangés.

— Et s'il remarque la caméra ? demanda Mercer avec un chevrotement dans la voix.

Les deux hommes poussèrent un grognement moqueur.

— Impossible, confirma Elaine. Aucun risque.

Rick lui rendit la broche. Mercer la remit en place sur le foulard.

— Je vais allumer la caméra, annonça Graham en tapant quelques touches sur le clavier d'un ordinateur portable.

— Vous voulez bien vous lever et tourner sur vous-même ? Lentement, s'il vous plaît.

— Bien sûr.

Elle s'exécuta, tandis qu'Elaine et les deux hommes observaient l'écran.

— Étonnant, marmonna Elaine, avant de s'adresser à Mercer : Regardez ça.

Mercer se tenait à côté de la table, face à la porte d'entrée. Elle baissa les yeux vers l'ordinateur et fut surprise par la précision de l'image. Le canapé, la télévision, le fauteuil, même le tapis usé avait des couleurs chatoyantes.

— La qualité est étonnante pour une caméra aussi petite.

— Ça va être un jeu d'enfant, Mercer, annonça Elaine.

— Ce foulard dénote un peu avec ma garde-robe.

— Que comptez-vous porter ?. demanda Elaine en sortant d'un sac d'autres modèles de foulards.

— Juste une robe d'été. Rouge. Rien d'habillé.

13

Jake ouvrit la porte de la boutique, fit entrer Mercer et la verrouilla derrière elle. Il se présenta, expliqua qu'il connaissait Noelle depuis des années. Il avait des mains calleuses d'artisan, une barbe blanche, et le physique d'un homme qui a passé sa vie à manier des outils. Avec ses manières bourrues, il annonça qu'il avait déjà transporté la table d'écriture au sous-sol. Elle le suivit dans l'escalier, en restant à distance. Tout ce qu'il y avait devant elle était filmé et analysé ! Après avoir descendu lentement dix marches, la main sur la rampe, elle déboucha dans une longue pièce qui semblait s'étendre sous toute la boutique. Un espace de treize mètres de large sur cinquante de profondeur, comme la librairie à côté. Le plafond était bas, à peine deux mètres de haut, et le sol en ciment brut. Les murs étaient couverts de meubles en divers états, certains démontés, d'autres cassés, d'autres en cours de restauration, le tout dans un savant capharnaüm. Mercer, avec nonchalance, contempla la salle en tournant sur place pour faire un panoramique.

— C'est donc là que Noelle garde ses plus belles pièces ! plaisanta-t-elle, mais Jake n'avait pas le sens de l'humour.

Le sous-sol était bien éclairé. Il y avait un petit atelier au fond. Et plus important, il y avait une porte ! Une porte dans le mur de brique mitoyen avec le sous-sol de la librairie, là où Elaine Shelby et son cabinet mystérieux pensaient que Bruce Cable cachait son trésor. Le mur de brique était vieux et avait été repeint à maintes reprises. Aujourd'hui, d'un gris sombre. Mais la porte était beaucoup plus récente. Elle était en métal épais et il y avait deux détecteurs d'ouverture aux deux coins supérieurs.

L'équipe d'Elaine savait que les deux boutiques étaient quasiment identiques, en dimension et implantation. C'était autrefois un seul et unique bâtiment, construit un siècle plus tôt ; l'espace avait été coupé en deux quand la librairie avait ouvert en 1940.

Installés dans leur van de l'autre côté de la rue, Rick et Graham, les yeux rivés à leur écran, furent ravis de découvrir l'existence de cette porte de communication. Dans l'appartement sur la plage, Elaine eut la même réaction. Bien joué, Mercer !

La table d'écriture trônait au milieu de la pièce, posée sur des épaisseurs de papier journal, protection inutile puisque le sol était constellé de taches de peinture. Mercer examina le meuble avec soin, comme si elle y tenait beaucoup. Jake s'approcha avec un nuancier. Ils envisagèrent plusieurs couleurs.

Mercer faisait semblant d'être exigeante. Finalement, ils s'accordèrent sur une teinte, un bleu pastel que Jake appliquerait en une couche très fine, pour imiter la patine du temps. Il n'avait pas cette couleur dans son camion. Il devait la commander. Cela prendrait quelques jours.

Parfait. Cela lui donnerait une excuse pour revenir, officiellement pour vérifier l'avancée des travaux. Peut-être Rick et Graham lui mettraient-ils cette fois une caméra dans ses boucles d'oreilles !

Elle demanda s'il y avait des toilettes à ce niveau. Jake hocha la tête et lui désigna le fond de la pièce. Elle prit tout son temps pour les trouver, les utiliser et revenir dans la grande salle où Jake commençait à poncer le plateau. Tandis qu'il était penché sur le meuble pour passer le papier de verre, elle se plaça devant lui, pile dans l'axe de la porte de communication entre les deux sous-sols. L'angle de prise de vues idéal. Mais il pouvait y avoir une caméra cachée qui l'observait ? Elle recula par précaution. On eût dit une espionne aguerrie ! Finalement, elle ne s'en sortait pas si mal.

Elle dit au revoir à Jake sur le pas de la porte d'entrée et se rendit chez un traiteur cubain, deux rues plus loin. Elle prit un thé glacé et s'installa à une table. Une minute plus tard, Rick arriva et commanda un soda. Il s'assit en face d'elle, tout sourires, et lâcha dans un murmure :

— Beau travail.

— Faut croire que je suis faite pour ce métier, répondit-elle, son nœud à l'estomac ayant momentanément disparu. La caméra tourne toujours ?

— Non. Je l'ai éteinte. Je la rallumerai quand vous entrerez dans la librairie. Ne changez rien. La caméra fonctionne à merveille et on a plein d'images. Cette porte de communication, c'est une super nouvelle ! Essayez de faire pareil dans l'autre sous-sol : vous en approcher le plus possible.

— Aucun problème. Je suppose que l'on va quitter la librairie aussitôt après pour aller déjeuner. Vous continuerez à filmer ?

— Non.

— Je serais assise en face de Bruce Cable pendant au moins une heure. Vous êtes sûr qu'il ne va rien remarquer ?

— Après la visite du sous-sol, filez aux toilettes, celles du rez-de-chaussée. Retirez le foulard et la broche. Glissez-le tout dans votre sac à main. Et s'il pose une question, dites-lui que vous aviez trop chaud.

— Je préfère ça. J'aurais du mal à profiter du déjeuner si je sais que je le filme en gros plan.

— Je comprends ça. Maintenant allez-y. Je sors après vous.

Mercer franchit les portes de Bay Books à 11 h 50. Bruce arrangeait les magazines sur le présentoir près de l'entrée. Aujourd'hui, le costume était légèrement turquoise. Pour l'instant, Mercer avait dénombré huit teintes. Il devait y en avoir d'autres dans son dressing. Il arborait un nœud papillon jaune pâle. Et ses incontournables mocassins en daim poussiéreux, qu'il portait sans chaussettes. Comme de coutume. Il lui lança un grand sourire, l'embrassa et lui dit qu'elle était resplendissante. Elle le suivit dans la salle des Éditions originales. Il ramassa l'enveloppe qui se trouvait sur la table.

— Dix mille pour les deux livres que Tessa a empruntés à la bibliothèque il y a trente ans. Qu'est-ce qu'elle dirait ?

— Où est ma part du magot !

— Et elle n'aurait pas tort. Car profit, il y a. J'ai deux clients qui veulent *Le Bagnard*, alors je vais faire monter les enchères et empocher deux mille cinq cents de marge, juste avec quelques coups de fil.

— C'est aussi facile que ça ?

— Pas toujours. Mais la chance a été de mon côté cette fois-ci. C'est pour cela que j'aime tant ce boulot.

— Une petite question : Cet exemplaire parfait de *L'Attrape-cœurs*… Si vous décidiez de le vendre, quel serait votre prix ?

— Tiens donc, vous vous prenez aussi au jeu ?

— Non. Pas du tout. Je n'ai pas la bosse des affaires. Simple curiosité.

— L'année dernière, j'ai refusé une offre à quatre-vingt mille dollars. Le livre n'est pas à vendre, mais si j'étais forcé de le mettre sur le marché, mon prix de départ serait cent mille.

— Ce ne serait pas une mauvaise affaire.

— Vous vouliez le voir, vous disiez…

Mercer haussa les épaules d'un air indifférent.

— Oui. Pourquoi pas. Si vous n'êtes pas trop occupé.

Il était évident que Bruce aimait montrer ses livres.

— J'ai toujours du temps pour vous. Par ici.

Ils traversèrent la section jeunesse et se rendirent tout au fond du magasin. L'escalier qui menait au sous-sol se trouvait derrière une porte fermée à clé, un peu à l'écart, et qui semblait rarement utilisée. Une caméra, dans un angle du mur, la surveillait. Il y avait un détecteur d'ouverture en haut du chambranle. Bruce tourna le verrou puis la vieille poignée. Il tira le battant et alluma la lumière.

— Attention à la marche, lança Bruce en commençant à descendre l'escalier.

Comme avec Jake, Mercer le suivit à distance. Arrivé en bas, il actionna un autre interrupteur.

Le sous-sol était divisé en deux parties. La première pièce, la plus grande, accueillait l'escalier et la porte mitoyenne avec la boutique de Noelle. Les murs étaient couverts de vieilles étagères de bois, croulant sous des milliers de volumes. Il y avait là des invendus, des épreuves, des services de presse.

— On surnomme cet endroit « le cimetière » annonça Bruce en désignant les rayonnages. Toutes les librairies en ont un.

Ils firent quelques pas vers le mur du fond, un assemblage de parpaings, visiblement un ajout récent. Il occupait toute la largeur de la pièce et s'encastrait parfaitement entre les parois latérales. Il y avait une autre porte de métal, équipée d'un pavé numérique. Pendant que Bruce entrait le code, Mercer nota la présence d'une caméra accrochée à une solive juste au-dessus. Il y eut un bourdonnement, suivi d'un déclic. Bruce ouvrit le battant et alluma la lumière. De l'autre côté, l'air était sensiblement plus frais.

Cette seconde pièce paraissait totalement isolée, abritant des rayonnages, avec un sol de béton ciré et un plafond bas, tapissé de dalles faites de fibres agglomérées. Un matériau qui lui était inconnu. Mais elle les filma quand même ; les experts dans le van, eux, sauraient. Dans l'heure suivante, ils auraient établi que la pièce était un cube de douze mètres de côté – une pièce spacieuse où trônait une jolie table en son centre. Une hauteur sous plafond de deux mètres quarante, avec une isolation et un jointoiement minutieux. Tout indiquait que cette pièce était une chambre forte, avec une atmosphère régulée, et à l'épreuve du feu.

— Les livres sont sensibles à la lumière, à la chaleur et à l'humidité. Ces trois paramètres doivent être contrôlés. Ici, l'hygrométrie est quasiment nulle et la température constante : toujours de douze degrés, en toute saison. Et aucun UV évidemment.

Les rayonnages étaient en fait des armoires de métal, pourvues de porte vitrées pour laisser voir les dos des ouvrages. Il y avait six étagères dans chaque unité, la plus basse se situant à cinquante centimètres du sol. Celle du haut, un peu au-dessus de la tête de Mercer. Donc à environ un mètre quatre-vingts, conclut-elle. Rick et Graham confirmeraient cette estimation.

— Où sont les éditions originales de Tessa ? demanda-t-elle.

Bruce se dirigea vers le mur du fond et inséra une clé dans un petit panneau sur le côté de l'armoire. Quand il la tourna, il y eut un « clic ! » et les six portes vitrées furent déverrouillées. Il ouvrit celle de la seconde étagère en partant du haut.

— Ici, répondit Bruce en sortant les exemplaires du *Bagnard* et du *Méridien de sang*. Ils sont à l'abri et bien à leur aise dans leur nouvelle demeure.

— Protégés comme les joyaux de la reine ! déclarat-elle. C'est impressionnant, Bruce. Combien de livres avez-vous ici ?

— Plusieurs centaines, mais ils ne sont pas tous à moi. (Il désigna le mur à côté de la porte :) Ceux-là, je les garde pour mes clients et amis. Quelquesuns sont là en dépôt. J'ai un client en plein divorce. Et il cache ses livres ici. Je risque d'être assigné à comparaître, mais je mens toujours pour mes clients. Question d'éthique.

— Et ça ? Qu'est-ce que c'est ? s'enquit-elle en désignant un meuble trapu dans un angle.

— Un coffre. C'est là que je range mes pièces les plus précieuses.

Il fit le code. Mercer regarda ailleurs comme il se doit. Et la lourde porte se déverrouilla. Bruce l'ouvrit. À l'intérieur, il y avait trois étagères, accueillant une succession de volumes. Curieusement, ils paraissaient tous faux avec leurs dos trop propres et leurs inscriptions en lettres dorées. Bruce en sortit un avec précaution et demanda :

— Ce sont des coffrets pour livres. Vous connaissez ?

— Non.

— Des boîtes réalisées à l'unité, suivant les dimensions de chaque ouvrage. Venez voir ça.

Il déposa le coffret sur la table au milieu de la pièce. Il souleva le couvercle et sortit avec précaution le livre qui se trouvait à l'intérieur. La jaquette était protégée d'un film plastique.

— C'est mon premier exemplaire de *L'Attrape-cœurs*. Je l'ai hérité de mon père, il y a vingt ans.

— Vous en avez deux ?

— Non. Quatre.

Il ouvrit le livre pour lui montrer les feuillets de garde.

— Il y a une légère décoloration ici, et deux petites entailles dans la jaquette, mais autrement, il est dans un état irréprochable.

Il laissa le livre et son coffret sur la table et retourna au coffre. Pendant qu'il avait le dos tourné, Mercer pivota vers le coffre-fort pour que Rick et Graham puissent avoir un bon point de vue. En bas, sous les trois étagères, il y avait quatre tiroirs, fermés.

Si Bruce détenait les manuscrits, ils ne pouvaient qu'être rangés ici. Du moins, c'était l'emplacement le plus probable.

Il déposa un autre coffret sur la table.

— Voici mon dernier exemplaire, le plus récent des quatre, celui signé par Salinger.

Il retira le couvercle, sortit l'ouvrage et l'ouvrit jusqu'à la page de titre.

— Pas de dédicace, pas de date, juste sa signature, ce qui, comme je vous l'ai dit, est très rare. Il refusait de signer ses livres. Il s'est totalement refermé sur lui-même. À en perdre la raison.

— C'est ce qu'on dit. C'est un exemplaire magnifique.

— Oui, répondit-il en caressant le livre. Parfois,
quand je n'ai pas le moral, je descends m'enfermer
ici et je feuillette mes livres. J'essaie de me mettre
à la place de Salinger en 1951 quand il a publié son
premier roman. Il avait sorti quelques nouvelles, deux
dans le *New Yorker*, mais il n'était pas très connu.
Little Brown a tiré à dix mille sa première édition, et
aujourd'hui il s'en vend un million d'exemplaires par
an, dans soixante langues. Il ne pouvait savoir ce qui
allait arriver. Il a été riche et célèbre d'un coup, et la
pression a été trop forte. Ses biographes disent qu'il
a craqué.

— Je l'ai enseigné dans ma classe, il y a deux ans.

— Vous le connaissez bien alors ?

— Ce n'est pas mon auteur favori. Encore une
fois, je préfère les femmes, de préférence celles qui
sont encore de ce monde.

— Vous voulez voir mes plus belles pièces d'auteurs femmes, encore ou plus de ce monde ?

— Avec plaisir.

Il retourna au coffre pendant que Mercer filmait
sous tous les angles. Elle recula même d'un pas
pour offrir un meilleur point de vue, un plan frontal
du coffre. Bruce trouva l'ouvrage qu'il cherchait et
revint à la table.

— Un Virginia Woolf, que dites-vous de ça ? *Une
chambre à soi*, ça vous parle ?

Il ouvrit la boîte et sortit l'exemplaire.

— Publié en 1929. Première édition, un exemplaire quasi neuf. Je l'ai déniché il y a douze ans.

— J'adore ce livre. Je l'ai lu au lycée et il a été une source d'inspiration pour moi, un exemple pour devenir écrivain. Du moins pour ma tentative avortée.

— C'est un exemplaire très rare.

— Je vous en offre dix mille dollars !

Ils rirent de bon cœur.

— Mille excuses, mais il n'est pas à vendre.

Bruce lui tendit l'ouvrage. Elle l'ouvrit avec précaution.

— Woolf est si courageuse. Je me souviens encore de sa déclaration : « Une femme devrait pouvoir disposer de quelque argent et d'une chambre à soi si elle veut produire une œuvre romanesque. »

— Une âme torturée.

— C'est rien de le dire. Elle s'est suicidée. Pourquoi les écrivains souffrent-ils tellement, Bruce ? (Elle referma le livre et le lui rendit.) De l'autodestruction, jusqu'au suicide.

— Le suicide, je ne comprends pas, mais boire à outrance, oui, la vie dissolue aussi. Andy, notre ami, m'a expliqué ça il y a plusieurs années. Écrire, par définition, est une activité sans garde-fou. Il n'y a pas de limites. Pas de patron, pas de supérieur, pas d'horaire ni de pointeuse pour imposer sa tyrannie. On écrit le matin, on écrit la nuit. On boit quand on veut. Andy considère qu'il écrit mieux quand il a la gueule de bois, mais je n'en suis pas convaincu.

Bruce rangea les livres dans leur coffret et remisa le tout dans le coffre-fort.

— Qu'est-ce qu'il y a dans ces tiroirs ? demanda-t-elle.

Sans la moindre hésitation, il répondit :

— D'anciens manuscrits, mais ils n'ont pas une grande valeur, du moins comparés à ces livres. Je suis fan de John D. MacDonald, en particulier de sa série des Travis McGee. Il y a quelques années, j'ai pu me procurer deux de ses manuscrits, achetés à un autre collectionneur.

Il referma la porte du coffre. Visiblement, ces tiroirs étaient *terra interdicta*.

— Vous en avez vu assez ? lança-t-il.

— Absolument. C'est réellement fascinant. Je découvre un autre monde.

— Je montre rarement ces pièces. Le commerce des livres de collection impose une certaine discrétion. Personne ne sait que j'ai quatre exemplaires de *L'Attrape-cœurs*, et je compte sur vous pour ne pas l'ébruiter. Il n'y a pas de registre, pas de trace comptable et la plupart des transactions se font sous le manteau.

— Votre secret sera bien gardé. N'ayez crainte. Je ne vois pas à qui d'ailleurs je pourrais raconter tout ça.

— Ne vous méprenez pas, Mercer. Tout est absolument légal. Je déclare mes bénéfices et paie mes impôts. Si je meurs, tous figurent dans mon testament.

— Tous vraiment ? insista-t-elle dans un sourire.

Il lui retourna son sourire.

— Presque tous.

— C'est de bonne guerre.

— On déjeune pour fêter cette transaction ?

— Je meurs de faim !

14

L'équipe commanda des pizzas pour le dîner, accompagnées de sodas. La nourriture était secondaire. Rick, Graham et Elaine étaient installés à la table de la salle à manger et examinaient les dizaines de photos qu'ils avaient extraites des vidéos de Mercer. Dix-huit minutes chez Noelle et vingt-deux chez Bruce. Au total, quarante minutes de précieuses images. Ils avaient visionné ces rushs, mais plus important encore il les avait fait analyser par leurs spécialistes à Bethesda. De nombreuses données étaient désormais établies : la taille de la chambre forte, les dimensions du coffre, l'implantation des caméras de surveillance et des détecteurs d'intrusion, le nombre de verrous, le type de digicodes. Le coffre pesait quatre cents kilos. Il était fait en acier blindé de trois millimètres d'épaisseur. Il avait été fabriqué quinze ans plutôt dans une usine de l'Ohio, vendu sur Internet et installé par un artisan de Jacksonville. Il était équipé d'une serrure à cinq points, chaque pêne manœuvré par pistons hydrauliques. Il pouvait supporter une température de huit cents degrés pendant deux heures. L'ouvrir ne serait pas un problème ; le vrai défi, c'était de ne pas se faire remarquer.

L'équipe avait passé l'après-midi autour de la table, à échafauder des plans, à débattre âprement, souvent en ligne avec leurs collègues de Bethesda. Elaine était la responsable de l'opération mais restait ouverte aux propositions. Elle écoutait tous les avis, parce que ses collaborateurs connaissaient leur affaire. Le FBI était un point épineux. Fallait-il les faire ou non entrer en piste ? Leur désigner le suspect ? Leur raconter tout ce qu'ils avaient découvert ? Elaine était réticente. C'était trop tôt, selon elle. Et son point de vue se tenait : ils n'avaient pas assez de preuves pour convaincre un juge fédéral que Cable détenait les manuscrits dans sa cave. Pour l'heure, ils avaient l'info d'un contact à Boston, quarante minutes de vidéo montrant la topographie des sous-sols, et quelques photos extraites de ces images. À en croire leurs deux avocats à Washington, c'était bien trop mince pour obtenir un mandat de perquisition.

Et comme toujours, si les fédéraux entraient en jeu, ils reprendraient les rênes. Et suivraient leurs propres règles. Pour l'instant, le FBI ignorait l'existence de Bruce Cable comme de leur taupe. Elaine préférait pousser son travail d'infiltration le plus loin possible.

Rick suggéra un plan d'attaque, mais sans grand enthousiasme : faire diversion en déclenchant un feu à la librairie dans la nuit et profiter du tintamarre des alarmes pour entrer dans le sous-sol de Cable en passant par la porte de communication chez Noelle. Pendant que tout le monde serait occupé par l'incendie au rez-de-chaussée, ils fractureraient le coffre et récupéreraient le butin. Mais ce n'était pas sans risques. L'un d'eux, et non des moindres, était qu'ils enfreignaient la loi : le vol par effraction, ce n'était pas rien. Et si Gatsby n'était pas là ? Si Gatsby et ses petits copains étaient cachés autre part, ailleurs sur Camino, ou plus loin encore ? Se sachant en danger, Cable aurait tôt fait de les disséminer aux quatre coins de la planète, s'il ne l'avait déjà fait.

Sitôt que Rick eut terminé d'exposer ce plan, Elaine le rejeta. Le compte à rebours s'égrenait, mais il leur restait encore un peu de temps. Et leur informatrice se révélait d'une efficacité hors pair. En moins de quatre semaines, elle était devenue une proche de Cable et avait pénétré son cercle d'amis. Elle avait gagné sa confiance, avait rapporté ces images. Quarante minutes de vidéo et des centaines de photographies ! Ils touchaient au but, ils le sentaient. Il fallait se montrer patient, attendre, une ouverture allait se présenter.

Et ils avaient obtenu une confirmation de taille. Jusqu'à présent, ils cherchaient à savoir pourquoi un libraire d'une petite ville était aussi obnubilé par la sécurité. Cable étant leur suspect numéro un, tous ses actes évidemment leur paraissaient suspicieux. La petite forteresse au sous-sol devait servir forcément à protéger un butin mal acquis, non ? Mais tout cela demeurait pure conjecture. Aujourd'hui, ils avaient la preuve qu'il y avait bel et bien un véritable trésor caché au sous-sol. Après le déjeuner, Mercer leur avait annoncé qu'en plus des quatre exemplaires de *L'Attrape-cœurs* et celui d'*Une chambre à soi,* il y avait une cinquantaine d'autres ouvrages enfermés dans leur boîte, rangés avec soin dans le coffre-fort. Et des centaines encore dans les armoires du caveau climatisé.

Elaine était dans le métier depuis plus de vingt ans, pourtant elle était impressionnée par la collection de

Cable. Elle connaissait bien le milieu des livres rares. Les marchands publiaient des catalogues, avaient des sites Internet et autres supports de communication pour booster leurs ventes. Leurs collections étaient imposantes et connues du plus grand nombre possible. Avec son équipe, Elaine s'était souvent demandé si un petit joueur comme Cable pouvait disposer d'un million de dollars pour acquérir les manuscrits de Fitzgerald. Maintenant, ils avaient leur réponse. Oui, il avait les moyens.

VII

UNE FILLE POUR LE WEEK-END

C'était une invitation à dîner – un dîner à l'eau !
Parce que Andy était de la soirée. Et aussi parce que
l'écrivaine en tournée, une dénommée Sally Aranca,
avait arrêté de boire quelques années plus tôt et préférait ne pas être tentée.

Au téléphone, Bruce expliqua que Andy partait
bientôt en cure de désintoxication et préférait s'entraî-
ner à être sobre avant d'être enfermé. Mercer accepta
bien sûr les règles. C'était pour la bonne cause.

Avant la séance de signatures, Sally Aranca charma
son public. Il y avait une cinquantaine de personnes.
Elle parla de son travail, lut une courte scène de son
dernier roman. Elle s'était fait un nom en écrivant du
polar. Son héroïne était une détective privée de San
Francisco, la ville natale de l'auteur. Mercer avait
parcouru le livre dans l'après-midi. En écoutant Sally
parler de son roman, il paraissait évident que son
héroïne était son alter ego : une petite quarantaine
d'années, ancienne alcoolique, divorcée sans enfant,
intelligente et drôle, débrouillarde, tenace comme

un pitbull, et bien sûr, très jolie. Elle sortait un livre tous les ans et partait pour de grandes tournées. Et il y avait toujours un arrêt à Bay Books, le plus souvent quand Noelle n'était pas en ville.

Après la dédicace, ils se rendirent tous les quatre au Rocher, un restaurant français au bout de la rue. Bruce commanda aussitôt deux eaux gazeuses et s'empressa de rendre à la serveuse la carte des vins. À la dérobée, Andy jetait des coups d'œil autour de lui, comme s'il était prêt à chiper un verre aux tables voisines ; mais il résista, ajouta une tranche de citron dans son eau et se calma. Il bataillait avec son éditeur pour son dernier contrat. Son avance était encore plus mince que pour son roman précédent. Avec un talent certain pour l'humour et l'auto-dévalorisation, il raconta comment il avait usé tous les éditeurs de New York. Il était définitivement grillé. Pendant qu'ils mangeaient l'entrée, Sally évoqua ses déboires quand elle avait commencé. Son premier roman avait été refusé par une dizaine d'agents et autant d'éditeurs, sinon davantage, mais elle avait continué à écrire. Et à boire. Son premier mariage avait volé en éclats quand elle avait surpris son mari avec sa maîtresse. Sa vie était alors un champ de ruines. Ses deuxième et troisième romans furent également refusés. Par chance, des amis étaient intervenus et l'avaient aidée à arrêter l'alcool. Pour son quatrième livre, elle était passée au genre policier et avait créé son héroïne. Et d'un coup, les agents se mirent à l'appeler, une option fut signée pour l'adaptation cinéma et tout démarra soudain. Aujourd'hui, huit romans plus tard, la série policière était bien installée et gagnait chaque année en popularité.

Même si elle narrait son succès en toute simplicité, Mercer sentit l'agacement la gagner. Sally écrivait à plein temps. Exit les petits boulots, les parents qui venaient financièrement à la rescousse ! Elle sortait un livre par an. Cela semblait si facile. L'envie… Mercer n'était pas seule à connaître ça. Tous les écrivains qu'elle avait rencontrés avaient ce péché mignon chevillé au corps. C'était dans les gènes.

Pendant le plat de résistance, la conversation dévia brusquement sur la boisson. Andy reconnut qu'il avait un réel problème avec l'alcool. Sally, se montrant compréhensive mais impitoyable, y alla de ses conseils. Elle était sobre depuis sept ans, et cela lui avait sauvé la vie. Son expérience imposait le respect, un exemple à suivre. Andy la remercia pour son honnêteté. Par moments, Mercer avait l'impression de se trouver à une réunion des Alcooliques Anonymes.

Visiblement, Bruce n'était pas insensible à Sally Aranca. Au fil du dîner, Mercer eut l'impression d'être reléguée au second plan. Ne sois pas ridicule, se dit-elle. Ces deux-là se connaissent depuis des années ! Mais une fois le germe du doute semé, l'attirance mutuelle entre Sally et Bruce devint évidente, du moins à ses yeux. Bruce la toucha à plusieurs reprises, de petites tapes affectueuses sur l'épaule, et sa main s'y attardait un peu trop.

Ils firent l'impasse sur le dessert et Bruce paya l'addition. Alors qu'ils remontaient Main Street, Bruce annonça qu'il devait repasser à la librairie pour faire le point avec l'employé du soir. Sally l'accompagna.

Tout le monde se souhaita bonne nuit. Et Sally pro-
mit à Mercer de lui envoyer un e-mail et de rester en
contact. Au moment où Mercer s'éloignait, Andy la
rattrapa :

— Hé, vous avez le temps de boire quelque
chose ?

Elle s'arrêta et le regarda avec des yeux ronds.

— Non, Andy. C'est une très mauvaise idée. Pas
après tous ces efforts.

— Je pensais à un café, pas à de l'alcool.

Il était 21 heures et Mercer n'avait rien à faire.
Prendre un café avec Andy l'aiderait peut-être
dans son sevrage ? Ils traversèrent la rue et entrèrent
dans un bar. La salle était déserte. Le barman annonça
qu'il fermait dans une demi-heure. Ils commandèrent
deux décas et s'installèrent à une table. La librairie
était sur le trottoir d'en face. Au bout de quelques
minutes, Bruce et Sally en sortirent et descendirent la
rue, en direction de la maison des Marchbanks.

— Elle va passer la nuit là-bas, annonça Andy.
Comme beaucoup.

Mercer nota l'information et demanda :

— Et comment Noelle s'inscrit là-dedans ?

— Elle est hors jeu. Bruce a ses favorites. Noelle
a les siens. En haut de la tour, il y a une chambre circulaire. On l'appelle la Chambre des écrivains. Il y
passe du monde !

— Je ne suis pas sûre de bien comprendre, répondit Mercer même si c'était parfaitement limpide.

— Ils forment un couple très libre. Coucher ailleurs est accepté, voire encouragé. Je suppose qu'ils
s'aiment, mais les liens sont plutôt lâches.

— C'est bizarre, non ?

— Pas pour eux en tout cas. Ils semblent heureux comme ça.

Certains commérages que lui avait rapportés Elaine étaient donc fondés.

— Si Noelle reste autant de temps en France, reprit-il, c'est parce qu'elle y a quelqu'un. Un amant de longue date. Je crois qu'il est marié aussi de son côté.

— Pourquoi faire simple !

— Vous n'avez jamais été mariée, je crois ?

— Exact.

— Moi, j'ai essayé deux fois. Je ne recommande pas l'expérience. Vous fréquentez quelqu'un en ce moment ?

— Non. Mon dernier petit ami a mis les voiles il y a un an.

— Et vous avez rencontré des gens intéressants ici ?

— Bien sûr ! Vous, Bruce, Noelle, Myra, Leigh, Bob Cobb. Il y a plein de gens intéressants.

— Personne sur qui vous auriez des vues ?

Il était de quinze ans son aîné. Il avait l'alcool violent, spécialiste des bagarres dans les bars comme en attestait sa cicatrice. Très peu pour elle !

— Vous me draguez, Andy ?

— Non. Mais un petit dîner avec moi un de ces jours, ce ne serait pas de refus !

— Je croyais que vous partiez bientôt. Comment Myra appelle ça déjà – purger le circuit ?

— Oui. Dans trois jours. Et j'essaie vraiment de ne pas picoler jusque-là. Mais ce n'est pas facile. Là, par

exemple, je fais durer ce déca tiédasse en me racontant que c'est une vodka. J'en sens presque le goût.
Et je tue le temps pour ne pas rentrer chez moi, même
s'il n'y a pas une seule bouteille à la maison. Mais
en chemin, il y a deux boutiques d'alcool, ouvertes
la nuit. Et je vais devoir rassembler toute ma volonté
pour ne pas m'arrêter en chemin.

— Je compatis, Andy.

— Vous n'y pouvez rien. Juste, ne faites pas comme
moi. Ce n'est pas beau à voir.

— J'aimerais vous aider.

— Vous le pouvez. Priez pour moi. Je déteste me
voir aussi faible.

Comme s'il voulait fuir le café et cette conversation, il se leva brusquement et s'en alla. Mercer ne
trouva rien à lui dire. Elle le regarda disparaître au
coin de la rue.

Elle rapporta les tasses au comptoir. Les rues
étaient tranquilles. Seules la librairie et la pâtisse-
rie étaient ouvertes. Sa voiture était garée dans Third
Street, mais sans trop savoir pourquoi, elle continua à
marcher. Jusqu'à la maison des Marchbanks. Là-haut
dans la tour, il y avait de la lumière dans la Chambre
des écrivains. Elle ralentit le pas ; et comme si on
avait attendu son passage, les lampes s'éteignirent.

Bien sûr, elle était curieuse. Mais il y avait autre
chose. De la jalousie ?

2

Après cinq semaines au bungalow, il était temps de lever le camp. Connie avec son mari et ses deux filles débarquaient pour leurs deux semaines de vacances sur Camino. Connie, poliment, presque par devoir, avait invité Mercer à rester avec eux, mais c'était hors de question. Elle connaissait les deux adolescentes. Elles passeraient leurs journées collées à leurs téléphones, et le mari ne parlerait que de ses boutiques de yaourts glacés. Même s'il était discret sur sa réussite, il travaillait non-stop. Il allait être debout dès 5 heures du matin, à boire des litres de café, à envoyer ses e-mails, à superviser les livraisons, et il ne mettrait sans doute jamais les pieds à la plage. Connie racontait qu'il n'avait jamais tenu deux semaines entières sur Camino. À chaque fois, il y avait une urgence à gérer et il devait rentrer en hâte à Nashville pour sauver sa société.

Écrire serait impossible. Mais vu son rythme de production, elle n'était plus à quelques jours près.

Connie était de neuf ans son aînée et les deux sœurs n'avaient jamais été très proches. Privées de mère, avec un père égotiste, les deux filles s'étaient quasiment élevées toutes seules. Connie avait fui la maison à dix-huit ans pour aller faire ses études à l'Université méthodiste du Sud et n'était jamais revenue. Elle avait passé un été sur Camino avec Tessa et Mercer, mais à l'époque, elle ne s'intéressait qu'aux garçons.

Se promener sur la plage, surveiller la ponte des tortues ou consacrer ses journées à lire l'ennuyait au plus haut point. Elle était partie le jour où Tessa lui avait confisqué sa réserve de marijuana.

Aujourd'hui, les deux sœurs s'envoyaient un e-mail une fois par semaine, se parlaient au téléphone une fois par mois. Elles entretenaient des rapports légers et parfaitement lisses. Mercer venait les voir de temps en temps quand elle était dans la région de Nashville. C'était toujours à une nouvelle adresse. Ils déménageaient beaucoup, dans des maisons plus grandes, dans des quartiers plus huppés. Ils couraient après quelque chose, un rêve confus ; souvent Mercer se demandait où cela les mènerait. Où voulaient-ils réellement poser leurs valises ? Plus ils avaient de l'argent, plus ils en dépensaient. Mercer, qui vivait chichement, s'émerveillait de cette capacité consumériste.

Il y avait un passif, un sujet dont elles ne parlaient jamais, parce que ce serait ouvrir les vannes de la rancœur. Connie avait eu la chance de pouvoir faire quatre années d'étude tout frais payés, sans avoir à dépenser un dollar ou faire le moindre emprunt, grâce aux deniers de leur père Herbert et de sa concession Ford. Mais quand ce fut le tour de Mercer, quand elle voulut partir étudier à Sewanee, Herbert avait perdu sa chemise et fait faillite. Depuis des années, Mercer jalousait la chance qu'avait eue sa sœur aînée ; Connie ne lui avait jamais proposé de l'aider financièrement. Maintenant que son prêt étudiant était remboursé – un petit miracle ! – Mercer était bien décidée à tirer un trait sur sa rancune. Mais cela n'était pas gagné. Alors que Connie déménageait tous les ans dans des maisons de plus en plus luxueuses, Mercer ne savait pas où elle allait dormir dans quelques mois.

Moins elle voyait sa sœur, mieux elle se portait. C'était la triste vérité. Les deux femmes vivaient dans des mondes différents s'éloignant inexorablement l'une de l'autre. Elle avait donc remercié Connie pour son invitation mais avait décliné son offre – et l'une comme l'autre avait été soulagée. Elle comptait quitter l'île pour quelques jours, avait-elle expliqué, il lui fallait faire une pause, rendre visite à quelques amis. En vérité, Elaine lui avait réservé une petite suite dans un bed and breakfast sur la plage à trois kilomètres au nord du bungalow, parce que Mercer n'allait nulle part. C'était au tour de Bruce Cable d'avancer ses pions, et Mercer ne pouvait quitter l'échiquier.

Le vendredi, le week-end du 4 juillet, Mercer nettoya le bungalow et fourra dans un sac ses vêtements, ses effets personnels, quelques livres. Alors qu'elle passait de pièce en pièce pour éteindre les lumières, elle songea à Tessa et à ce qu'elle avait accompli durant ces cinq semaines. Elle n'était pas venue ici depuis onze ans. Et ce retour au bungalow l'avait beaucoup inquiétée. Rapidement, toutefois, elle était parvenue à chasser de ses pensées la disparition tragique de Tessa pour se focaliser sur les souvenirs heureux. Aujourd'hui, elle partait, et pour de bonnes raisons, mais elle reviendrait dans deux semaines et aurait de nouveau la maison pour elle toute seule. Pour combien de temps ? Grande inconnue. Tout dépendait de M. Cable.

Elle longea Fernando Street pendant cinq minutes jusqu'au bed and breakfast, un endroit appelé le Lighthouse Inn. Il y avait effectivement un faux phare au milieu de la cour. Elle se souvenait de l'avoir vu enfant. La bâtisse se voulait un hommage à la Nouvelle-Angleterre, avec ses vingt chambres et un buffet à volonté au petit déjeuner. Les touristes affluaient sur l'île pour ce long week-end. Un panneau « complet » prévenait les retardataires.

Avec « une chambre à soi », et un peu d'argent devant elle, pourrait-elle enfin se mettre à écrire ?

3

En fin de matinée, le samedi, alors que Main Street était encombrée par son marché hebdomadaire et le flot de vacanciers qui se pressait devant les confiseries, les glaciers, ou encore cherchait une table pour déjeuner, Denny poussa les portes de Bay Books pour la troisième fois de la semaine et flâna du côté des romans à suspense. Avec ses tongs, sa casquette camouflage, son short cargo, son tee-shirt déchiré, il se fondait dans la masse des visiteurs mal habillés. Personne ne le remarquerait. Rooker et lui étaient en ville depuis une semaine, à faire du repérage, à filer Cable. Ce qui n'était pas bien difficile. Quand le libraire n'était pas dans sa boutique, il était au restaurant, ou occupé à faire des emplettes, ou encore dans sa jolie maison, seul le plus souvent. Denny et Rooker étaient toutefois précautionneux, parce que Cable était un maniaque de la sécurité. Son magasin, comme sa maison, était truffé de caméras et de détecteurs, et Dieu sait quoi encore. Un mouvement de trop et ils risquaient la catastrophe.

Ils devaient attendre, observer leur proie, même si l'impatience les gagnait. Faire parler Joel Ribikoff sous la torture, et Oscar Stein sous la menace, était finalement un jeu d'enfant comparé au défi qui les attendait. L'usage de la violence qui avait porté ses fruits risquait d'être beaucoup moins productif. Les fois précédentes, ils voulaient juste des noms. Aujourd'hui, c'était le butin qu'ils convoitaient. Attaquer Cable, ou sa femme, ou une autre personne qui lui était chère, risquait de déclencher une réaction en chaîne qui ruinerait tous leurs espoirs.

4

Mardi 5 juillet. Les hordes étaient reparties, les plages de nouveau vides. L'île se réveilla lentement et, à la chaleur du soleil, elle tentait de se remettre des excès de ce long week-end férié. Mercer était installée dans le petit canapé et lisait un livre intitulé *The Paris Wife* quand un e-mail arriva. Il émanait de Bruce Cable : « Faites un saut à la librairie la prochaine fois que vous serez en ville. »

« OK. Il se passe quelque chose ? »

« Il se passe toujours quelque chose à Bay Books ! J'ai un petit cadeau pour vous. »

« Je m'ennuie trop. Je serai là dans une heure environ ! »

La librairie était déserte quand elle franchit le seuil. L'employé au comptoir la salua d'un signe de tête mais il semblait dormir debout. Elle monta à l'étage, commanda un crème et prit un journal. Quelques minutes plus tard, elle entendit des pas dans l'escalier. C'étaient ceux de Bruce. Aujourd'hui, c'était un seersucker à rayures jaunes, un nœud papillon vert et bleu. Toujours fringant ! Il prit un café et ils s'installèrent sur le balcon qui dominait Third Street. Ils étaient seuls. Ils choisirent une table sous un ventilateur. Il lui tendit son cadeau. Un livre à l'évidence, emballé avec le papier bleu et blanc de Bay Books. Mercer défit l'emballage : c'était *Le Club de la chance* de Amy Tan.

— C'est une première édition, signée, précisa-t-il. Vous disiez que c'était l'une de vos auteures préférées. Alors je me suis mis en chasse.

Mercer était sans voix. Elle ignorait le prix de cet exemplaire, et n'allait pas le demander, mais c'était un objet de valeur.

— Je ne sais pas quoi dire, Bruce.

— D'ordinaire, un « merci » marche pas mal.

— C'est bien trop. Je ne peux pas accepter.

— Trop tard. Il est déjà acheté et déjà donné. Prenez ça comme un cadeau de bienvenue sur notre île.

— Alors merci. Un grand merci.

— Tout le plaisir est pour moi. Le premier tirage était de trente mille exemplaires, alors ce n'est pas une pièce si rare. Finalement, ils en ont vendu cinq cent mille, sans compter les poches.

— Elle est déjà venue ici, à la librairie ?

— Non. Elle ne fait pas beaucoup de promo.

— C'est de la folie, Bruce. Vous n'auriez pas dû.

— Mais je l'ai fait. C'est le début de votre collection !

Mercer rit et posa l'ouvrage sur la table.

— Avoir une collection d'éditions originales n'a jamais été mon grand rêve. Et je n'en ai pas les moyens.

— Moi non plus, je n'ai jamais imaginé faire ça. Mais c'est arrivé. (Il consulta sa montre.) Vous avez un peu de temps devant vous ?

— Aucun éditeur n'attend mon texte !

— Parfait. Ça fait des années que je n'ai pas raconté comment j'ai commencé ma collection…

Il prit une gorgée de café, se laissa aller contre le dossier de sa chaise, croisa les jambes, et commença son histoire : la découverte des livres rares de son père défunt, le « chapardage » de quelques exemplaires.

5

Le café déboucha sur une invitation à déjeuner. Ils se rendirent au restaurant du port et s'installèrent à l'intérieur, où il faisait plus frais. Comme à son habitude, Bruce choisit le vin. Aujourd'hui, un chablis. Mercer approuva et ils commandèrent des salades – rien d'autre. Il lui parla de Noelle, lui dit qu'elle appelait tous les jours ou presque, et que la chasse aux meubles anciens avançait bien.

Mercer brûlait de lui demander des nouvelles de son amant français. Elle avait du mal à croire qu'ils étaient aussi libres. Ce n'était peut-être pas si inhabituel en France ? Elle n'avait jamais rencontré de couple prêt à partager leur conjoint avec autrui. Bien sûr, elle avait connu des gens qui trompaient leur moitié, mais quand ils se faisaient prendre, toutes les réactions étaient envisageables, sauf l'acceptation. D'un côté, elle les admirait : s'aimer suffisamment pour laisser l'autre batifoler. En même temps, avec son éducation puritaine du Sud, elle ne pouvait s'empêcher de trouver ça sordide.

— J'ai une question à vous poser, lança-t-elle pour changer de sujet. Dans le roman de Talia, pour l'histoire entre Zelda Fitzgerald et Hemingway, comment ça commençait ? C'était quoi la scène d'introduction ?

Bruce eut un grand sourire en s'essuyant la bouche sur sa serviette.

— Je vois que l'idée fait son chemin ! Le sujet vous intéresse donc ?

— Possible. J'ai lu deux livres sur les Fitzgerald et les Hemingway durant leur période parisienne. Je suis en plein *The Paris Wife* en ce moment, et j'en ai acheté d'autres encore.

— Achetés ?

— Oui. Sur Amazon. Désolée, mais c'est moins cher.

— C'est ce qu'on m'a dit. Si vous achetez chez moi, je vous ferai trente pour cent de réduction.

— Mais je préfère lire des e-books.

— Ah, les jeunes… (Il sourit, prit une gorgée de vin.) Attendez que je me souvienne. Cela fait long-temps, douze ou treize ans, il y a eu tellement de versions que je m'y perds.

— D'après ce que j'ai lu, Zelda détestait Hemingway, elle le considérait comme une brute, un affreux macho qui avait une mauvaise influence sur son mari.

— C'est sans doute vrai. Dans le roman de Talia, c'était sans équivoque… tous les trois étaient descendus en Provence. Hadley, la femme d'Hemingway, était rentrée aux États-Unis, je ne sais plus pourquoi, et Hemingway et Fitzgerald biberonnaient sévère. Ce fait a été souvent rapporté : Hemingway reprochait à Fitzgerald de ne pas tenir l'alcool. Une demi-bouteille de vin, et il roulait sous la table ! Quant à Hemingway, c'était un puits sans fond. À qui boira le plus, il n'avait aucun rival. Fitzgerald était alcoolique dès l'âge de vingt ans. Et il n'a jamais pu lever le pied. Le matin, le midi, le soir, il était toujours prêt à s'en jeter un. Dans le sud de la France, Zelda et Hemingway se reniflaient depuis un bout de temps et finalement ils ont tenté leur chance après un déjeuner, quand Fitzgerald était HS dans un hamac. Ils ont fait leur affaire dans une chambre d'amis à moins de dix mètres du mari qui ronflait tout ce qu'il pouvait ! Autant que je me souvienne, c'était en gros la scène d'intro, mais encore une fois, c'est de la fiction. Vous pouvez écrire ce que vous voulez. Leur histoire est devenue vraiment torride quand Hemingway s'est mis à écluser deux fois plus et que Fitzgerald a tenté de le suivre. À chaque fois qu'il s'écroulait comme une masse, son pote Ernest et sa femme Zelda allaient s'envoyer en l'air dans le lit le plus proche. Zelda en pinçait grave pour Hemingway. Ça paraissait réciproque, mais du côté d'Hemingway, c'était juste sexuel. À l'époque, c'était déjà un sacré coureur de jupons. À leur retour à Paris, malgré la présence d'Hadley qui était rentrée des États-Unis, Zelda a voulu continuer leurs cabrioles, mais Hemingway s'était lassé. Il a souvent dit qu'elle était folle. Il l'a donc jetée comme une vieille chaussette. Et depuis ce jour-là, Zelda l'a détesté. Voilà en gros le roman.

— Et vous pensez que c'est vendeur ?

Bruce lâcha un rire.

— Dites donc… vous voilà devenue une vraie mercenaire ! Il y a un mois vous avez débarqué pleine d'ambition littéraire, et aujourd'hui vous ne pensez qu'aux droits d'auteur !

— Je ne veux pas continuer à donner des cours, Bruce, et on ne peut pas dire que les facs se bousculent à ma porte ! Je n'ai rien, juste ces dix mille dollars, grâce à vous et à ma grand-mère cleptomane. Soit j'arrive à vendre quelques exemplaires, soit j'arrête d'écrire.

— Oui, ça peut se vendre. Prenez *The Paris Wife*. Une jolie histoire sur Hadley et Hemingway à la même époque. Et cela a été un carton. Vous êtes un écrivain magnifique, Mercer, vous allez percer, j'en suis sûr.

Elle sourit et but une gorgée de vin.

— Merci. Les encouragements sont bienvenus en ce moment.

— On en est tous là.

Ils mangèrent en silence. Finalement Bruce leva son verre et observa le vin.

— Comment trouvez-vous le chablis ?

— Délicieux.

— J'aime le vin, peut-être un peu trop. L'alcool au déjeuner est une très mauvaise habitude. On passe tout l'après-midi au ralenti.

— C'est pour cela qu'on a inventé la sieste, répondit-elle pour le mettre à l'aise.

— C'est vrai. J'ai un petit appartement au premier étage, derrière le bar. C'est parfait pour piquer un petit roupillon après le déjeuner.

— C'est une invitation, Bruce ?

— Possible.

— Et c'est votre meilleure approche ? « Hé, chérie, tu viens faire une sieste avec moi ? »

— Ça a déjà marché.

— Mais pas aujourd'hui. (Elle jeta un regard autour d'elle et s'essuya délicatement le coin de la bouche avec sa serviette.) Je ne couche pas avec les hommes mariés, Bruce. Ça m'est arrivé à deux reprises, et ça n'a pas été une bonne expérience. Trop de casseroles ! Très peu pour moi. En plus, je connais Noelle et je l'apprécie beaucoup.

— Je vous assure qu'elle s'en fiche.

— J'ai du mal à le croire.

Il étouffa un petit rire, comme amusé pas la naïveté de la jeune femme. Il savourait d'avance ce qu'il allait lui révéler. À son tour, il jeta un regard circulaire pour s'assurer qu'on ne pouvait l'entendre, se pencha vers Mercer et lui dit à voix basse :

— Noelle est en France, en Avignon. Elle a là-bas un petit appartement, depuis des années. Juste en bas de la rue, il y a un appartement beaucoup plus grand. Il appartient à Jean-Luc, son ami. Jean-Luc est marié à une femme plus âgée que lui qui a beaucoup d'argent. Jean-Luc et Noelle se connaissent depuis plus de dix ans. Ils se fréquentaient avant même que je rencontre Noelle. Ils font des siestes dans le même lit, vont dîner au restaurant, sortent ensemble. Ils partent même en voyage quand sa vieille femme est d'accord.

— Elle accepte ?

— Bien sûr. On est en France ! Tout est dans la discrétion et la manière.

— C'est vraiment bizarre. Et vous, cela ne vous dérange pas ?

— Non. En aucun cas. C'est comme ça, point. J'ai su très vite que je n'étais pas fait pour la monogamie. D'ailleurs, je me demande si l'être humain est réellement programmé pour ça, mais c'est un autre débat. Dès que je suis entré à la fac, je me suis aperçu qu'il y avait des tas de filles jolies et que je ne pourrais jamais me contenter d'une seule. J'ai essayé d'avoir des relations durables. J'ai eu cinq ou six petites amies attitrées, mais cela n'a pas marché, parce que je ne peux résister aux belles femmes, quel que soit leur âge. Un miracle, j'ai trouvé Noelle, qui avait la même conception que moi. Son mariage a volé en éclats parce qu'elle avait un amant et couchait avec son médecin.

— Vous avez alors passé un accord ?

— On ne s'est pas serré la main pour officialiser ça, mais quand on a décidé de se marier, on savait comment l'un et l'autre fonctionnaient. Tout est permis, à condition d'y mettre les formes.

Mercer secoua la tête et détourna le regard.

— Je suis désolée. Je n'ai jamais rencontré un couple acceptant un tel arrangement.

— Ce n'est pas si inhabituel que ça.

— De votre point de vue ! Vous trouvez ça normal parce que vous le faites. Moi, j'ai surpris mon petit ami avec une autre fille, et il m'a fallu un an pour m'en remettre. Et je lui en veux encore à mort !

— C'est bien ce que je dis. Vous prenez les choses bien trop à cœur. Une aventure de temps en temps, c'est juste une passade.

— Votre femme couche avec son amant depuis plus de dix ans ! Vous appelez ça une passade ?

— D'accord, c'est plus qu'une aventure, mais Noelle n'est pas amoureuse de lui. C'est davantage pour avoir de la compagnie.

— Ben voyons ! Et l'autre nuit, quand Sally Aranca était chez vous, c'était une aventure, ou pour avoir de la compagnie ?

— Ni l'un ni l'autre, ou les deux. Qu'importe ! Sally vient une fois par an et on prend du bon temps. Appelez ça comme vous voulez.

— Et si Noelle avait été là ?

— Elle s'en fiche, croyez-moi. Si vous l'appeliez là, tout de suite, pour lui dire que nous déjeunons ensemble et qu'on parle de faire une sieste ensemble, vous savez ce qu'elle répondrait ? « Hé ! je suis partie depuis deux semaines, et vous ne vous y mettez que maintenant ? » Allez-y, vérifiez !

— Non, merci.

Bruce lâcha un rire.

— Vous êtes bien trop coincée !

Jamais on ne lui avait dit ça. Mercer se considérait plutôt libre de ce côté-là, et tolérante. Mais à cet instant-là, elle se vit comme une sainte-nitouche et détesta ça.

— Non, c'est faux. Complètement faux.

— Alors tentez le coup.

— Désolée, je n'ai pas votre détachement pour ce genre de chose.

— Pas de problème. Je n'insiste pas. C'était juste une proposition de sieste, rien de plus.

Ils eurent un petit rire, mais la tension demeurait palpable. Et l'un comme l'autre savait qu'ils n'en resteraient pas là.

6

Il faisait nuit quand les deux femmes se retrouvèrent sur la plage. La marée était basse, la plage déserte. La pleine lune faisait scintiller l'océan. Elaine était pieds nus. Mercer retira ses sandales. Elles marchèrent jusqu'à l'eau, puis longèrent le rivage, comme deux amies se promenant.

Conformément à ses instructions, Mercer envoyait chaque nuit son rapport de la journée par e-mail. Elle donnait tous les détails, parlait des livres qu'elle lisait, comme de celui qu'elle tentait en vain d'écrire. Elaine savait presque tout. Mais Mercer n'avait pas mentionné les avances de Cable. Plus tard peut-être. Tout dépendait de la suite des événements.

— Quand êtes-vous arrivée sur l'île ? s'enquit Mercer.

— Cet après-midi. Je suis restée les deux derniers jours au bureau avec notre équipe de Bethesda au complet : les gars de l'informatique, ceux des opérations extérieures, même mon boss était là, celui à qui appartient le cabinet.

— Vous avez un patron ?

— Oh oui ! Je dirige cette mission, mais c'est lui qui prendra la décision finale quand on en sera là.

— Où ça, au juste ?

— Je n'en sais rien encore. C'est la semaine numéro six et, pour tout dire, on ne sait pas trop quel coup jouer. Vous avez été magnifique, Mercer, et vos progrès en cinq semaines sont réellement prodigieux. Cela a dépassé nos espérances. Mais maintenant que nous avons les images, et que vous faites partie des intimes de Bruce Cable, on hésite. On ne sait pas encore ce qui est le mieux. Nous sommes sur de bons rails, de très bons même, mais la destination est encore loin.

— On verra bientôt le bout du tunnel.

— Votre optimisme nous met du baume au cœur.

— Merci, répondit simplement Mercer, lassée de tous ces compliments. Une question : je ne suis pas sûre que ce soit une bonne idée cette histoire de roman sur Zelda et Hemingway. La ficelle est trop grosse si Cable a les manuscrits de Fitzgerald. Je crains que ce soit une erreur.

— Mais c'est lui qui vous a proposé ce sujet.

— Certes. Mais c'est peut-être un appât, un moyen de me mettre à l'épreuve ?

— Il aurait des doutes vous concernant ? Vous avez remarqué des choses ?

— Non, rien. J'ai passé pas mal de temps avec Bruce. Je commence à le cerner. Il est brillant, vif d'esprit, charismatique, mais c'est aussi quelqu'un de foncièrement honnête à qui il est facile de se confier. Il cache peut-être des choses concernant ses affaires, mais il est franc et loyal avec ses amis. Il peut dire ses quatre vérités à quelqu'un, ne supporte pas les crétins, et en même temps il a de l'empathie, une réelle empathie. Je l'aime bien, Elaine, et il m'apprécie aussi et veut qu'on soit plus proches. S'il avait des doutes sur moi, ça se saurait.

— Et vous comptez accepter ce rapprochement ?

— On verra.

— Il ment pour son mariage.

— C'est vrai. Même s'il appelle Noelle sa femme, je pense que vous avez raison. Ils ne sont pas réellement mariés.

— Je vous ai dit tout ce que nous savons. Il n'y a aucune trace d'union officielle entre eux deux, ni en France, ni ici. Ils ont pu se marier dans un autre pays, mais ce n'est pas ce qu'ils racontent.

— Je ne sais pas jusqu'où on va se rapprocher, personne ne peut le savoir. Ce que je veux dire, c'est que je le connais bien à présent ; s'il avait des soupçons, je le sentirais.

— Alors pourquoi abandonner son idée de roman ? Cela vous donne l'occasion de parler de Fitzgerald. Vous pourriez même écrire le premier chapitre et le lui faire lire. Vous seriez prête à ça ?

— Bien sûr. C'est juste une fiction de plus. Dans ma vie en ce moment, plus rien n'est vrai.

7

La nouvelle approche de Bruce parut aussi anodine et naturelle que la précédente, mais elle fonctionna. Il appela Mercer le jeudi dans l'après-midi pour lui annoncer que Mort Gasper, le fameux éditeur de Ripley Press, était en ville avec son épouse du moment. Gasper passait à Camino quasiment tous les étés et dormait chez Bruce et Noelle. Ce serait un petit dîner informel, juste tous les quatre, demain, une bonne façon de terminer la semaine.

Après plusieurs jours enfermée dans son bed and breakfast, Mercer n'en pouvait plus. Elle était impatiente de retrouver son bungalow et comptait les jours jusqu'au départ de Connie et de sa tribu. Pour ne pas se retrouver devant une feuille blanche, elle allait se promener sur la plage à toute heure de la journée, en veillant à rester loin du bungalow et à éviter les personnes qui pouvaient connaître sa sœur.

Rencontrer Mort Gasper pourrait un jour lui être utile. Trente ans plus tôt, il avait acheté Ripley pour une bouchée de pain et avait transformé cette petite maison d'édition en un puissant groupe de presse, tout en sauvegardant son indépendance. Avec un flair sans faille, il avait rassemblé une belle écurie d'écrivains, chacun ayant des aspirations littéraires diverses mais tous abonnés aux best-sellers. Comme à l'âge d'or de l'édition, Gasper respectait la tradition : des déjeuners de trois heures et de grandes fêtes dans son appartement de l'Upper West Side. Il était une légende vivante dans le monde littéraire, et ne semblait pas près de lever le pied, même s'il approchait des soixante-dix ans.

Le vendredi après-midi, Mercer passa deux heures sur Internet à lire les articles sur Mort Gasper, tous passionnants. L'un d'entre eux, datant de deux ans, rapportait que Gasper avait versé une avance de deux millions de dollars à un inconnu dont le premier livre s'était vendu à dix mille exemplaires. Le magnat disait n'avoir aucun regret. Il avait « joué et perdu ». Un autre narrait son dernier mariage avec une jeune femme de l'âge de Mercer. Elle s'appelait Phoebe et était éditrice chez Ripley.

Ce fut justement Phoebe qui vint lui ouvrir quand Mercer se présenta chez Bruce à 20 heures le vendredi. Elle lui lança un grand bonjour et lui annonça que les « garçons » étaient déjà en train de boire. Quand Mercer traversa la cuisine derrière la jeune femme, elle entendit le bruit d'un blender. Le maître de maison préparait des daïquiris sur la terrasse. Il avait enfilé un short et une chemise de golf. Il embrassa Mercer et la présenta à Gasper, qui l'accueillit par une accolade et un rire communicatif. Il était pieds nus et les pans de sa chemise descendaient jusqu'aux genoux. Bruce lui tendit un cocktail et remplit les verres des trois autres. Ils étaient tous installés dans des fauteuils en osier autour d'une table basse croulant sous des piles de livres et de magazines.

Apparemment, dans ce genre de situation, et dans d'autres à ne pas douter, on s'attendait à ce que Mort Gasper fasse la conversation. Cela convenait parfaitement à Mercer. Après la troisième gorgée de daïquiri, elle sentit une douce chaleur la gagner. Bruce avait dû charger sur le rhum. Gasper tempêtait contre la campagne présidentielle et le niveau déplorable de la politique américaine, un sujet qui ne passionnait guère Mercer, mais Bruce et Phoebe semblaient apprécier et motivaient leur orateur.

— Cela vous dérange si je fume ? questionna Gasper à la cantonade en tendant déjà la main vers un coffret de cuir posé sur la table.

Bruce et lui allumèrent chacun un cigare et un nuage bleu s'étala au-dessus d'eux. Bruce souleva le pichet et remplit à nouveau les verres. Durant une rare pause dans le soliloque de Gasper, Phoebe parvint à demander :

— Alors comme ça, Mercer, vous écrivez un roman, nous a confié Bruce ?

Mercer savait que le sujet viendrait tôt ou tard sur le tapis. Elle esquissa un sourire.

— Bruce exagère. Pour l'instant, je rêve plutôt d'en écrire un.

Gasper souffla une colonne de fumée et lança :

— *Pluie d'octobre* était très prometteur. Vraiment impressionnant. Qui l'a publié ? Je ne me souviens pas.

Mercer esquissa un nouveau sourire.

— Ripley l'a refusé.

— C'est vrai. Une regrettable erreur. Mais ce sont les risques du métier. Parfois on voit clair, parfois on se loupe.

— Il est sorti chez Newcombe. Puis on a eu des différends.

Il lâcha un reniflement dédaigneux.

— Ce sont des nulles ! Vous êtes partie ?

— Oui. J'ai signé chez Viking, si toutefois le contrat tient toujours. La dernière fois que mon éditeur m'a appelée, c'était pour me dire que j'avais trois ans de retard.

Gasper partit d'un grand rire.

— Trois ans, seulement ! Ils en ont de la chance ! Moi j'ai engueulé Doug Tannenbaum parce qu'il devait me rendre son roman il y a huit ans ! Ah les écrivains !

Phoebe s'engouffra dans la brèche :

— Ça parle de quoi ? Vous pouvez nous raconter ?

— Il n'y a pas grand-chose à en dire, répondit Mercer en secouant la tête.

— Qui est votre agent ? s'enquit Gasper.

— Gilda Savitch.

— J'adore cette fille. J'ai déjeuné avec elle le mois dernier.

Ravi qu'elle vous plaise ! faillit lâcher Mercer, le rhum faisant ses effets.

— Elle ne vous a pas parlé de moi, je suppose ?

— Je ne me rappelle pas. C'était un long déjeuner ! rétorqua Gasper en riant.

Il avala une nouvelle rasade de daïquiri. Phoebe demanda des nouvelles de Noelle et cela meubla la conversation pendant quelques minutes. Mercer remarqua qu'il n'y avait aucune activité dans la cuisine ; personne ne préparait le repas. Quand Gasper s'en alla aux toilettes, Bruce obliqua vers le blender pour préparer un nouveau pichet de daïquiri. Les femmes parlèrent de l'été, des vacances, ce genre de chose. Phoebe et Gasper partaient le lendemain passer un mois dans les Keys. Juillet était un mois calme pour l'édition. Août, c'était carrément l'hibernation. Et comme Gasper était le patron, il pouvait s'absenter six semaines.

Au moment où le grand manitou revenait s'installer dans son fauteuil, avec son cigare et un nouveau daïquiri, la sonnette retentit. Bruce quitta la terrasse pour aller ouvrir. Il revint quelques instants après avec une grosse boîte en carton et la posa sur la table.

— Les meilleurs tacos de l'île ! lança-t-il. Faits avec du mérou grillé, pêché du matin !

— Des tacos à emporter ? C'est ça que tu nous sers ? s'exclama Gasper stupéfait. Je n'y crois pas ! À New York, je t'emmène dans les meilleurs restos, et moi, j'ai droit à ça ? protesta-t-il, en plongeant déjà la main dans la boîte.

— La dernière fois qu'on a mangé en ville, tu m'as emmené dans ce boui-boui infâme au coin de ta rue. Mon sandwich Reuben était si immonde que j'en ai eu des haut-le-cœur. Et c'est moi qui ai payé !

— Tu n'es qu'un petit libraire, Bruce, répliqua Gasper en engloutissant d'une bouchée un demi-taco. Les bonnes tables, c'est pour les auteurs ! Mercer, la prochaine fois que vous serez à New York, je vous emmène dans un trois-étoiles !

— Chiche ! s'écria-t-elle sachant que c'était une promesse en l'air.

À la vitesse où il vidait son verre, il ne se souviendrait de rien au matin. Bruce avait aussi une bonne descente. C'était la première fois qu'elle le voyait boire autant, avec une sorte d'impatience. On était loin des petites lampées de l'amateur de vin, des commentaires sur les cépages et les producteurs, et plus loin encore de la modération du connaisseur éclairé ! Aujourd'hui, on était vendredi. Il était pieds nus, en short, les cheveux en bataille et, après une semaine de rude labeur, il avait décidé de se saouler avec un vieil ami.

Mercer sirotait son cocktail glacé à souhait, incapable de savoir combien elle en avait bu. Bruce remplissait continuellement son verre. Elle avait du mal à tenir le compte. Sa peau fourmillait et elle avait besoin de lever le pied. Elle mangea un taco et chercha du regard une bouteille d'eau, voire du vin, mais il n'y avait que le pichet de daïquiri.

Bruce remplit encore une fois leurs verres et commença à raconter une anecdote sur ce cocktail qui était son favori en été : en 1948, A. E. Hotchner, un jeune écrivain américain, s'était rendu à Cuba pour traquer son héros, Ernest Hemingway, qui a vécu là-bas de la fin des années 1940 au début des années 1950. Les deux hommes étaient devenus finalement amis, et en 1966, quelques années après la mort du maître, Hotchner avait publié son fameux *Papa Hemingway*.

Comme c'était prévisible, Mort Gasper l'interrompit :

— Hotchner ! Je l'ai rencontré. Je crois qu'il est encore en vie. Il ne doit pas être loin des cent ans !

— C'est bon, Mort, répondit Bruce. On sait que tu connais tout le monde.

Pour sa première visite, Hotchner voulait faire une interview mais Hemingway n'était pas chaud. Le jeune homme insista tant et tant que le maître accepta une rencontre dans un bar, pas très loin de chez lui. Au téléphone, le grand homme avait précisé que l'endroit était réputé pour ses daïquiris. Bien sûr, Hemingway était en retard. Pour passer le temps

Hotchner commanda un daïquiri. C'était délicieux, et fort. Comme il n'avait guère l'habitude de boire, il y alla doucement. Une heure s'écoula. Il faisait chaud et moite dans le bar. Il en commanda un second. Quand il en eut bu la moitié, Hotchner s'aperçut qu'il voyait double. Quand Hemingway arriva enfin, on l'accueillit comme une vedette. À l'évidence, il passait beaucoup de temps ici. Les deux hommes se serrèrent la main et trouvèrent une table. Hemingway commanda aussitôt une nouvelle tournée de daïquiris. Hotchner joua avec son nouveau verre pendant que Hemingway le vidait quasiment d'un trait. Puis il en vida un autre. À son troisième, il s'aperçut que son compagnon ne buvait pas. Il le traita alors de femmelette, et lui dit que s'il voulait traîner avec le grand Ernest Hemingway il avait intérêt à boire comme un homme, un vrai. Le jeune écrivain, piqué au vif, se reprit et but, et rapidement la salle se mit à tourner. Plus tard, alors que Hotchner luttait vaillamment pour tenir droit sur sa chaise, Hemingway perdit tout intérêt pour la conversation et, avec un nouveau daïquiri à la main, alla jouer aux dominos avec des locaux. À un moment – Hotchner avait perdu toute notion du temps – Hemingway annonça qu'il était l'heure d'aller dîner. Hotchner devait le suivre. Alors qu'ils se dirigeaient vers la sortie, le jeune homme demanda au barman : « Combien de verres on a bus ? » L'employé réfléchit une seconde et répondit en anglais : « Quatre pour vous, et sept pour Papa. » Hotchner n'en revenait pas : « Vous en avez bu sept ? » Hemingway partit d'un grand rire, comme ses copains cubains. « Sept, ce n'est rien ! Le record est seize, et c'est moi qui le détiens, bien sûr ! Et je suis rentré chez moi sur mes deux pieds ! »

Mercer, ce soir-là, avait l'impression d'en avoir bu autant.

— J'ai lu *Papa* quand j'étais au service courrier chez Random, annonça Gasper. (Rassasié de tacos, il ralluma son cigare.) Tu l'as en édition originale ?

— J'en ai deux exemplaires, répondit Bruce. Un en parfait état, l'autre un peu moins. On n'en voit plus beaucoup de nos jours.

— Vous avez fait des acquisitions intéressantes dernièrement, s'enquit Phoebe.

Hormis la collection Fitzgerald de Princeton ? railla Mercer en pensée. Mais même complètement saoule, elle n'aurait pipé mot. Elle avait les paupières lourdes, si lourdes…

— Rien d'exaltant. J'ai trouvé un exemplaire du *Bagnard* récemment.

Ne voulant pas être en reste, Mort Gasper y alla de son anecdote de beuverie – et il était sans doute le seul éditeur de New York à en connaître autant, soit pour en avoir eu le récit de première main, soit pour en avoir été lui-même le protagoniste. L'anecdote en question se passait dans son appartement. Il était 2 heures du matin quand Norman Mailer ne trouvant plus de rhum s'était mis à lancer des bouteilles vides sur la tête de George Plimpton. Et cela avait fini en bagarre générale. C'était très drôle et Gasper était un conteur hors pair.

Mercer piqua du nez sans s'en rendre compte. Le dernier son dont elle se souvint, c'est le

vrombissement du blender préparant une nouvelle
tournée de daïquiri.

8

Elle s'éveilla dans une étrange chambre circulaire.
Durant les premières secondes, elle n'osa pas bouger
tant sa tête semblait sur le point d'exploser. Ses yeux
lui brûlaient. Elle préféra garder les paupières fermées. Elle avait la bouche et la gorge en feu. Et ça
gargouillait dans son estomac, signe que le pire pouvait être à venir. D'accord. C'était la gueule de bois.
Elle connaissait et y avait déjà survécu. Cela pouvait durer toute une journée. Personne ne l'avait for-
cée. Alors tiens le coup ! Comme on disait à la fac :
« Boire ou vomir, il faut choisir ! »

Elle était étendue sur un matelas doux et duveteux
comme un nuage, entourée de tentures délicates. À
coup sûr, l'œuvre de Noelle. Grâce à son petit pécule,
Mercer avait investi dans de la jolie lingerie et à cet
instant, elle était bien contente de la porter. Elle espérait que Bruce avait apprécié. Elle rouvrit les yeux,
battit des paupières, parvint à voir à peu près net, et
remarqua son short et son chemisier pliés avec soin
sur le dossier de la chaise – une façon de lui dire qu'il
ne l'avait pas déshabillée sauvagement avant de la

jeter sur le lit. Elle referma les yeux et s'enfouit plus profond sous les couvertures.

Après le bourdonnement du blender, plus rien. Le néant. Combien de temps avait-elle dormi sur son siège pendant que les autres continuaient à boire, en la regardant d'un air goguenard ? Avait-elle été capable de marcher toute seule – même en chancelant, même avec l'aide de Bruce – ou avait-on été obligé de la porter jusqu'en haut de la tour ? S'était-elle écroulée, en plein coma éthylique comme à l'université, ou était-elle partie dignement se coucher, quitte à ce qu'une âme charitable l'aide à se mettre au lit ?

Son estomac se souleva de nouveau. Elle espérait au moins ne pas avoir interrompu la soirée en vomissant partout, une scène si gênante que Bruce et les autres ne lui en parleraient jamais. Cette vision de cauchemar la rendit plus nauséeuse encore. Elle regarda à nouveau ses habits. Pas de taches suspectes. Elle avait dû se tenir.

Pour se consoler, elle se rappela que Mort Gasper avait quarante ans de plus qu'elle et une belle réputation de fêtard. Il avait connu plus d'ivrognes et de gueules de bois que tous ses auteurs réunis. Il lui en fallait plus pour le choquer. Cela avait dû plutôt l'amuser. Quant à ce que pouvait en penser Phoebe, c'était un détail ; elle ne la reverrait sans doute jamais. Et en côtoyant Gasper, elle avait dû en voir des vertes et des pas mûres. Quant à Bruce, il ne semblait pas non plus né de la dernière pluie.

On toqua à la porte. C'était Bruce justement. Il entra, vêtu d'un peignoir blanc, avec, à la main, une bouteille d'eau et deux verres.

— Bonjour, dit-il doucement en s'asseyant sur le bord du lit.

— Bonjour. De l'eau ! C'est exactement ce qu'il me faut.

— À moi aussi.

Il leur servit deux verres qu'ils vidèrent d'un trait. Il les remplit à nouveau.

— Comment vous vous sentez ?

— Pas très bien. Et vous ?

— La nuit a été longue.

— Comment je suis arrivée ici ?

— Vous vous êtes endormie sur la terrasse. Je vous ai aidée à vous coucher. Phoebe a rendu les armes peu après vous. Puis Mort aussi. Je me suis allumé un autre cigare et ai continué à boire.

— Et vous avez battu le record d'Hemingway ?

— Non, mais je n'étais pas loin.

— Rassurez-moi, Bruce. Je ne me suis pas donnée en spectacle. Je n'ai rien fait de honteux ?

— Pas du tout. Vous vous êtes juste endormie. Vous ne pouviez pas conduire dans votre état, alors je vous ai mise au lit.

— Merci. Je ne me rappelle pas grand-chose.

— Vous n'avez rien manqué. On était tous déchirés.

Elle vida son verre d'eau. Il lui en resservit un. Elle désigna ses vêtements.

— Qui me les a enlevés ?

— Moi. Cela a été un plaisir.

— Vous en avez profité ?

— Non. Mais j'y ai sérieusement songé.

— Un vrai gentleman, donc !

— Toujours. Il y a une baignoire à l'ancienne dans la salle de bains. Allez donc prendre un bon bain chaud, et continuez à boire de l'eau pendant que je prépare le petit déjeuner. Des œufs, du bacon. Il faut que je mange quelque chose ! Et j'imagine que c'est pareil pour vous. Mettez-vous à l'aise. Mort et Phoebe s'agitent ; ils vont partir bientôt. Quand ils auront mis les voiles, je vous apporte le petit déjeuner au lit. Qu'en dites-vous ?

Elle sourit.

— C'est tentant. Merci.

Il s'en alla et referma la porte derrière lui. Elle avait deux options : soit elle s'habillait tout de suite, descendait l'escalier, en tâchant d'éviter Mort Gasper et Phoebe, annonçait à Bruce qu'elle devait s'en aller et rentrer fissa chez elle. Mais s'agiter n'était pas une bonne idée. Elle avait besoin de temps, du temps pour reprendre ses esprits, pour voir si son estomac allait tenir le coup, pour se détendre, et peut-être dormir encore un peu. Elle n'était pas certaine d'être en état de conduire. L'idée de retourner dans sa petite suite du B & B n'avait rien de réjouissant, alors qu'un bon bain chaud…

Soit elle suivait le programme de Bruce, ce qui la mènerait sous les draps avec lui. Conclusion inévitable.

Elle se versa un nouveau verre d'eau et sortit du lit. Elle s'étira, prit de longues inspirations, se sentant déjà mieux. Exit les nausées ! Elle se rendit dans la salle de bains, ouvrit les robinets et trouva du bain moussant. Une horloge indiquait 8 h 20. Elle avait dormi près de dix heures !

Bien sûr, Bruce jugea utile de repasser, pour s'assurer qu'elle était bien installée. Il entra dans la salle de bains, toujours en peignoir et déposa une nouvelle bouteille d'eau à côté de la baignoire.

— Comment ça va ?

— Beaucoup mieux, répondit-elle.

La mousse couvrait en grande partie sa nudité, mais pas totalement. Il la contempla un moment avec un sourire.

— Vous avez besoin d'autre chose ?

— Non. Tout est parfait.

— J'ai à faire dans la cuisine. Prenez tout votre temps.

Et il s'en alla de nouveau.

9

Elle fit trempette pendant une heure, puis sortit du bain et se sécha. Elle trouva un peignoir accroché à la porte – blanc aussi – et l'enfila. Dans un tiroir, elle découvrit un stock de brosses à dents neuves. Elle se lava les dents et se sentit encore mieux. Elle récupéra ses sous-vêtements et retrouva son sac à main à côté de ses habits. Elle sortit son iPad, rajusta les oreillers et se remit au lit, faisant son nid, retournant sur son nuage.

Elle lisait quand elle entendit du bruit derrière la porte. Bruce entra avec un plateau qu'il déposa avec précaution à côté d'elle.

— Bacon, œufs brouillés, muffins, confitures, café noir, et bien sûr, une petite coupette : un mimosa au champagne.

— Je ne suis pas sûre que l'alcool soit nécessaire, dit-elle.

Tout avait l'air délicieux.

— Il faut toujours combattre le mal par le mal. Ça va vous faire du bien.

Il s'éclipsa et revint avec un plateau pour lui. Quand il fut installé à côté d'elle, leurs deux plateaux l'un contre l'autre, chacun dans leur peignoir blanc, il souleva sa flûte.

— À la vôtre.

Ils prirent chacun une gorgée et se mirent à manger.

— Donc, je suis dans la sulfureuse Chambre des écrivains ?

— Vous en avez entendu parler ?

— Là où tant de pauvrettes ont perdu leur honneur !

— Mais toutes avec leur consentement. Toujours.

— Alors c'est donc vrai. Vous y emmenez des filles, et Noelle des hommes ?

— C'est ça. Qui vous a raconté ça ?

— Les écrivains sont de vraies commères !

Bruce lâcha un rire et avala une tranche de bacon. Après deux gorgées de cocktail, le corps de Mercer recommença à fourmiller, dans son ventre le champagne se mêlant au reste de rhum de la veille. Heureusement, le long bain l'avait rassérénée et le petit déjeuner était exquis. Elle désigna du menton les murs circulaires, couverts de livres du sol au plafond.

— Et ceux-là ? Ce sont encore des premières éditions ?

— Un mélange. Rien de valeur. Il y a un peu de tout.

— C'est une très belle chambre. Décorée évidemment par Noelle.

— Oublions Noelle. En ce moment, elle est sûrement en train de déjeuner sur le tard avec Jean-Luc.

— Et cela ne vous fait rien ?

— Rien du tout. On a déjà eu cette conversation, Mercer.

Ils mangèrent en silence pendant quelques minutes, tous les deux dédaignant le café, mais pas le mimosa. Par-dessus la couverture, Bruce caressa doucement sa cuisse.

— Ça fait très longtemps que je n'ai pas eu une relation sexuelle en ayant la gueule de bois, dit-elle.

— Moi, ça m'arrive tout le temps ! C'est le meilleur remède, crois-moi.

— Si tu le dis.

Il sortit du lit et posa son plateau par terre.

— Finis ton verre !

Et elle obéit.

Il retira son plateau et le posa à côté du sien. Puis il ôta son peignoir, le lança au pied du lit. Il l'aida à retirer le sien. Dès qu'ils furent nus, ils plongèrent sous les draps.

10

Elaine Shelby était au bureau en cette fin de matinée du samedi quand Graham l'appela de Camino.

— Bingo ! annonça-t-il. Notre Mata Hari a passé la nuit chez Cable.

— Raconte-moi ça.

— Elle s'est garée devant chez lui vers 20 heures hier soir et sa voiture est toujours là. Il y avait un autre couple. Ils sont partis ce matin – je ne sais pas qui c'est. Mais Mercer et Cable sont toujours dans la maison. Il pleut des cordes. Le matin parfait pour une grasse mat crapuleuse. Bien joué, fillette !

— Il était temps. Tiens-moi au courant.

— Ça marche.

— Je reviens lundi.

Denny et Rooker aussi étaient à l'affût. Grâce aux plaques minéralogiques de la voiture de Mercer, ils avaient pu mener leur enquête. Ils connaissaient son nom, son dernier emploi, l'endroit où elle logeait, le Lighthouse Inn, son parcours, détaillé dans sa bio en ligne, et savaient qu'elle était en partie propriétaire du bungalow sur la plage. Ils savaient également que Noelle Bonnet n'était pas en ville et que sa boutique était fermée. Ils étaient au courant de tout. Il ne restait plus qu'à décider quoi faire. Et ça, c'était la grande question.

11

La tempête s'installa. Cela leur fit une bonne excuse pour ne pas quitter le lit. Mercer, qui n'avait pas eu de relations sexuelles depuis des mois, se montra particulièrement enthousiaste. Bruce, en pratiquant aguerri, fit preuve d'une vigueur et d'une endurance étonnantes. Au bout d'une heure – ou peut-être deux ? – ils s'effondrèrent et s'endormirent. Quand elle s'éveilla, il n'était plus là. Elle enfila son peignoir, descendit l'escalier et le trouva dans la cuisine. Il avait enfilé son seersucker signature et ses chaussures, et semblait frais et dispos, prêt à une journée de travail à la librairie. Ils s'embrassèrent, et les mains de Bruce s'insinuèrent aussitôt sous son peignoir pour attraper ses fesses.

— Quel corps de déesse, souffla-t-il.

— Tu m'abandonnes ?

Ils s'embrassèrent à nouveau, un long baiser. Puis il se recula légèrement.

— Il faut que j'aille au magasin. Le commerce est un monde impitoyable, tu sais.

— Tu reviens quand ?

— Très vite. Je rapporterai à manger et on déjeunera sur la terrasse.

— Moi aussi, il faut que j'y aille, déclara-t-elle sans grande conviction.

— Où ça ? Au Lighthouse ? Allez Mercer, ne pars pas. Je serai revenu en un rien de temps. Il pleut des cordes, ça souffle fort. Il doit même y avoir un avis de tempête. C'est dangereux de mettre le nez dehors. On se remettra au lit et on passera l'après-midi à lire.

— Je doute que la lecture soit ta priorité.

— Reste en peignoir. Je reviens.

Ils s'embrassèrent à nouveau, s'enlacèrent et se caressèrent encore. Finalement, il trouva la force de s'écarter d'elle. Il lui donna un petit baiser et s'en alla. Mercer se versa un café pour aller le boire sur la terrasse. Elle s'installa dans un rocking-chair et regarda la pluie tomber. N'était-elle pas l'égale d'une prostituée au fond ? Pire, une femme perfide qu'on payait et qui se servait de son corps pour duper sa proie ? Cette pensée lui effleura l'esprit, mais elle avait du mal à s'en convaincre. Bruce Cable était un coureur invétéré, il était prêt à coucher avec toutes les femmes quelles que soient leurs réelles motivations. Aujourd'hui, c'était son tour. La semaine prochaine ce serait une autre. Il se contrefichait de la loyauté ou de l'honnêteté. À quoi bon ? Il ne demandait aucun engagement, n'en attendait aucun, n'en offrait aucun. Pour lui, c'était juste du plaisir physique, et pour elle, en ce moment, c'était exactement la même chose.

Elle chassa l'éperon de la culpabilité et esquissa un sourire, à l'idée d'un joyeux week-end au lit.

Bruce ne fut pas longtemps absent, effectivement. Ils mangèrent une salade, du vin, et remontèrent vite dans la tour pour une autre séance de sport en chambre. Pendant une pause, Bruce alla chercher une bouteille de chardonnay et un gros roman. Ils décidèrent de lire sous l'auvent, confortablement installés dans les fauteuils en osier, tandis que la pluie tombait sur le toit. Il avait son livre. Elle avait son iPad.

— Tu aimes vraiment lire là-dessus ? demanda Bruce.

— Tout à fait. Les mots sont les mêmes. Tu n'as jamais essayé ?

— Amazon m'a donné sa tablette une fois. Mais je n'ai pas réussi à m'y faire. Bien sûr, je suis peut-être de parti pris.

— Sans blague !

— Qu'est-ce que tu lis ?

— *Pour qui sonne le glas*. J'alterne entre Hemingway et Fitzgerald. J'essaie de lire toute leur œuvre. J'ai fini *Le Dernier Nabab* hier.

— Et ?

— C'est remarquable, quand on sait où il était quand il l'a écrit. À Hollywood, à tenter de gagner quelques dollars, alors qu'il allait très mal, physiquement comme moralement. Il était si jeune. Encore une tragédie.

— Et c'est son dernier roman. Il n'a même pas eu le temps de le terminer.

— C'est ce qu'on dit. Quel gâchis.

— C'est de la documentation pour ton livre ? Le sujet t'intéresse donc ?

— Peut-être. J'hésite encore. Et toi ? Qu'est-ce que tu lis ?

— *Mon Tsunami préféré*, un premier roman. Mais le type écrit comme un pied.

— Quel titre affreux.

— Oui. Et à l'intérieur, ça ne s'arrange pas. J'ai lu cinquante pages. Il en reste six cents. Et je lutte.

Il devrait y avoir une loi interdisant aux premiers romans de faire plus de trois cents pages, tu ne trouves pas ?

— Sans doute. Le mien faisait deux cent quatre-vingts.

— Le tien était parfait.

— Merci. Tu comptes le finir ?

— J'en doute. Je vais encore tenter cent pages. Si je n'accroche toujours pas, j'abandonne. Il y a trop de bons livres pour perdre son temps avec les mauvais.

— Pareil. Mais ma limite est cinquante pages. Je n'ai jamais compris les gens qui terminent leur livre coûte que coûte. Tessa était comme ça. Elle reposait le bouquin après le premier chapitre, mais elle le reprenait et continuait à le lire en maugréant, jusqu'à la dernière page, tout aussi décevante. Je ne comprends vraiment pas.

— Moi non plus.

Il but une gorgée de vin, contempla le jardin, et reprit sa lecture. Mercer attendit qu'il ait tourné une page pour demander :

— Et tu aurais d'autres conseils ?

Il esquissa un sourire et reposa son livre.

— J'en ai toute une liste ! Ce sont « Les Dix Commandements de Cable », une sorte de bréviaire compilé par un expert qui a lu plus de quatre mille romans.

— Et c'est réservé aux initiés ?

— De temps en temps, j'en fais profiter le commun des mortels, mais tu n'en as pas besoin. Vraiment.

— Peut-être que si. De toute façon, je suis blo-quée. Cite-m'en un ou deux.

— D'accord. Par exemple : stop aux prologues ! Je viens de finir un roman d'un gars qui va venir la semaine prochaine faire une dédicace. Il commence tous ses livres par un prologue, le « cliffhanger » typique – une scène dramatique, un tueur qui suit une femme, la découverte d'un cadavre – et puis il laisse le lecteur sur sa faim, et passe au chapitre 1, qui bien sûr n'a rien à voir avec le prologue, puis au chapitre 2, qui bien sûr n'a rien à voir ni avec le chapitre 1 ni avec le prologue, et puis après trente pages de digressions, il revient enfin à la scène du début que le lecteur a bien évidemment oubliée.

— C'est une bonne règle. Continue.

— Une autre erreur de débutant, c'est d'introduire vingt personnages dès le premier chapitre. Cinq est un maximum si on ne veut pas perdre le lecteur en route. Et si on doit vraiment ouvrir un dictionnaire des synonymes, il faut choisir des mots simples, avec pas plus de trois syllabes. J'ai un certain vocabulaire et rien ne m'agace plus qu'un écrivain qui se fait mousser avec des mots savants que je ne connais ni d'Ève ni d'Adam. Ensuite, par pitié, utilise des guillemets ou des tirets pour les dialogues ! Sinon, on ne s'y retrouve plus. Règle numéro cinq : faire court. La plupart des écrivains en disent trop. Cherche tout ce que tu peux enlever, phrases superflues, comme scènes inutiles. Voilà quelques commandements. Je pourrais continuer.

— Je t'en prie. Je devrais prendre des notes.

— Non. Pas toi. Tu n'as pas besoin de mes conseils. Tu es un écrivain magnifique, Mercer, tu as juste besoin d'une bonne histoire.

— Merci, Bruce. Des encouragements, ça j'en ai besoin.

— Je suis sérieux. Je ne cherche pas à te flatter parce qu'on est en plein week-end orgiaque.

— Un week-end orgiaque ? Carrément ? Je pensais que c'était une simple aventure ?

Ils rirent de bon cœur. Bruce avala une nouvelle gorgée de vin. La pluie s'était arrêtée et une brume montait du sol.

— Tu as déjà écrit ? demanda-t-elle.

Il haussa les épaules, détourna la tête.

— J'ai essayé. Plusieurs fois. Mais je n'ai rien terminé. Ce n'est pas mon truc. C'est pour cela que je respecte les écrivains, les bons du moins. Je les accueille tous, j'adore faire la promotion de leurs livres, mais il y a bien trop de tâcherons sur le marché. Et ça m'agace de voir des gens comme Andy gâcher leur talent.

— Tu as des nouvelles ?

— Pas encore. Il est enfermé sans contact avec l'extérieur. Il pourra appeler dans une semaine, je suppose. C'est sa troisième ou quatrième cure. Et à mon avis ce n'est pas la dernière. Au fond de lui, il ne veut pas vraiment arrêter de boire.

— C'est triste.

— Tu as l'air fatigué.

— Ce doit être le vin.

— Faisons une sieste.

Non sans effort, ils grimpèrent dans un hamac et se pelotonnèrent l'un contre l'autre. Bercés, ils se laissèrent aller à une douce torpeur.

— Tu as prévu quelque chose pour cette nuit ? demanda-t-elle.

— Je pensais qu'on pouvait continuer sur notre lancée ?

— Certes. Mais j'en ai assez d'être ici.

— On sort dîner ?

— Tu peux ? Tu es un homme marié, Bruce. Et je suis juste une fille pour le week-end. Si on nous voit ?

— Je m'en fiche, Mercer. Et Noelle aussi. Pourquoi tu te tracasses ?

— Je ne sais pas. Ça ne me paraît pas bien de dîner dans un joli endroit un samedi soir avec un homme marié.

— Qui t'a dit que ce serait un joli endroit ? Le restaurant auquel je pense est un boui-boui sur l'embouchure, mais on y mange très bien. Et la clientèle là-bas ne risque pas de fréquenter ma librairie !

Elle l'embrassa et posa sa tête sur sa poitrine.

12

Le dimanche débuta comme le matin précédent, par une gueule de bois carabinée. Bruce servit le petit déjeuner au lit – café, pancakes, saucisses – et ils passèrent deux heures à feuilleter le *New York Times*. Vers midi, Mercer avait besoin de souffler un peu. Elle s'apprêtait à dire au revoir à Bruce quand il annonça :

— Je manque d'employés à la librairie cet après-midi, et il va y avoir du monde. Il faut que j'y retourne.

— Parfait. Maintenant que j'ai les Commandements de Cable, je peux me mettre au travail.

— C'est toujours un plaisir de rendre service, répondit-il en lui faisant un petit baiser.

Ils ramenèrent leurs plateaux à la cuisine et chargèrent le lave-vaisselle. Bruce disparut dans la suite parentale au premier étage, Mercer remonta dans la tour, s'habilla et partit.

Elle ne savait si elle avait beaucoup progressé ce week-end. Leurs ébats avaient été agréables, et elle le connaissait mieux qu'avant, certes, mais elle n'était pas ici pour le sexe, et pas non plus pour écrire un livre. Elle était payée, grassement, pour collecter des indices et résoudre éventuellement une énigme. En ce sens, ce week-end était un coup d'épée dans l'eau.

Une fois dans sa chambre du Lighthouse Inn, elle enfila un bikini, et s'admira dans la glace, en se remémorant tous les compliments qu'il lui avait faits. Son corps était fin, bronzé, et il avait enfin servi à quelque chose, ce qui la rendait plutôt fière. Elle enfila une chemise de coton, attrapa ses sandales et alla faire une longue promenade sur la plage.

13

Bruce appela à 19 heures le dimanche soir, pour lui dire qu'elle lui manquait beaucoup, qu'il n'imaginait pas passer la nuit sans elle. Peut-être pouvait-elle venir le retrouver à la librairie et boire un verre avec lui après la fermeture ?

Bien sûr. Elle n'avait rien d'autre à faire. Elle étouffait déjà dans sa petite suite et n'avait pas écrit plus de cent mots.

Elle entra dans le magasin un peu avant 21 heures. Bruce encaissait le dernier client. Il semblait être seul à tenir la boutique. Quand la personne s'en alla, il ferma vite les portes et coupa les lumières.

— Suis-moi, lui dit-il en l'entraînant dans l'escalier.

Il traversa l'espace café en éteignant les lampes au passage, ouvrit une porte au fond de la salle qu'elle n'avait jamais remarquée et la fit entrer dans son appartement.

— Bienvenue dans mon antre ! déclara-t-il. J'ai vécu ici pendant dix ans quand j'ai acheté la librairie. À l'époque, j'avais tout l'étage. Mais après j'ai repoussé les murs pour installer le coffee-shop. Assieds-toi.

Il désigna un gros canapé en cuir qui occupait tout un mur, couvert de coussins et de plaids. En face, il y avait une télévision à écran plat posée sur une table basse et tout autour, bien sûr, des rayonnages de livres.

— Champagne ? demanda-t-il en se glissant derrière un petit bar.

— Avec joie.

Il sortit une bouteille du réfrigérateur, la déboucha et remplit deux flûtes.

— À la tienne !

Ils firent tinter leurs verres. Bruce en avala la moitié d'un trait.

— J'avais vraiment besoin d'un verre, dit-il en s'essuyant la bouche du revers de la main.

— Je vois ça ! Un problème ?

— Non. Juste une rude journée. L'un de mes employés s'est fait porter pâle. Alors j'ai dû travailler au rez-de-chaussée. C'est dur de trouver du personnel fiable.

Il vida sa flûte et la remplit aussitôt. Il retira sa veste, son nœud papillon, ouvrit sa chemise, ôta ses chaussures et s'écroula sur le canapé avec elle.

— Et toi ? Bonne journée ? s'enquit-il, en buvant une nouvelle gorgée.

— Comme d'habitude : marche sur la plage, bronzette, tentative d'écriture avortée, retour à la plage, nouvelle tentative, et petit somme.

— Ah la vie des écrivains. Je t'envie !

— Je me suis résolue à mettre mon prologue à la poubelle, j'ai ajouté des guillemets à mes dialogues, barré tous les mots savants. J'aurai bien coupé encore d'autres trucs inutiles, mais il n'y aurait plus rien !

Bruce lâcha un grand rire et but à nouveau.

— Tu es adorable, tu sais ça ?

— Et toi, un prédateur ! Tu m'as eue hier matin et...

— Pas seulement le matin. L'après-midi et la nuit aussi.

— Et tu en veux encore. Depuis quand es-tu un tel tombeur ?

— Oh. Depuis toujours. Je te l'ai dit, Mercer, j'ai un faible pour les femmes. Quand j'en vois une jolie, je ne peux résister. C'est comme ça depuis la fac. Quand je suis arrivé à Auburn et que je me suis retrouvé au milieu de toutes ces beautés, je suis devenu une bête sauvage !

— C'est maladif. Tu as consulté pour ça ?

— Moi ? Mais pourquoi ? C'est juste un jeu. Et tu dois reconnaître que je ne m'en sors pas trop mal au lit.

Elle acquiesça et but une gorgée de champagne, sa troisième. La flûte de Bruce était déjà vide. Il la remplit aussitôt.

— Vas-y doucement, dit-elle, mais il l'ignora. (Quand il revint sur le canapé, elle lui demanda :) Tu as déjà été amoureux ?

— J'aime Noelle. Et elle m'aime. On est tous les deux très heureux.

— Mais l'amour implique la confiance et l'engagement. Et le partage.

— Oh pour ça on partage, je te rassure !

— Tu es décourageant…

— Reviens sur terre. Il n'est pas question ici d'amour entre nous, juste de sexe. De plaisir. Tu ne vas pas t'impliquer dans une histoire avec un homme marié et, moi, je ne suis pas du genre à m'engager. Soit ça te va et on se retrouve quand tu veux, soit on arrête tout. Et on restera amis.

— Amis ? Tu as beaucoup d'amies femmes ?

— Aucune, en fait. Juste quelques connaissances. Si j'avais su que j'aurais droit à un interrogatoire, je ne t'aurais pas appelée.

— Tu espérais quoi ?

— Je me suis dit que je te manquais peut-être.

Ils se mirent quand même à rire. D'un coup, Bruce posa sa flûte et lui attrapa la main.

— Viens ! J'ai quelque chose à te montrer.

— Quoi donc ?

— C'est une surprise. Suis-moi. C'est en bas.

Toujours pieds nus, il la fit sortir de l'appartement, traverser le café, puis le rez-de-chaussée jusqu'à la porte au fond du magasin qui menait au sous-sol. Il la déverrouilla, actionna l'interrupteur et descendit l'escalier. Sitôt en bas, il fit le code sur le pavé numérique pour pénétrer dans la chambre climatisée.

— Cela a intérêt à valoir le détour, chuchota-t-elle.

— Tu ne vas pas en revenir !

Il alluma la lumière et se dirigea aussitôt vers le coffre-fort. Il entra un autre code et attendit que les cinq pênes hydrauliques se désengagent. Il y eut un *clang !* caverneux. Bruce ouvrit la porte. Mercer se tenait au plus près, sachant qu'il lui faudrait faire son rapport. L'intérieur du coffre était identique à leur précédente visite. Bruce tira l'un des quatre tiroirs en bas. Il contenait deux boîtes. Plus tard, pendant le débriefing, elle donnerait des détails : trente-cinq centimètres de côté, les deux identiques, en bois de cèdre. Il sortit un boîtier et alla le poser sur la table au milieu de la pièce. Il lui lança un sourire, comme s'il allait lui révéler un grand trésor.

Le couvercle était fixé par trois charnières. Il le souleva avec précaution. À l'intérieur, il y avait un coffret en carton, de couleur grise. Toujours avec beaucoup de précaution, il le sortit et le déposa sur la table.

— C'est une boîte d'archives. Ph neutre, garantie sans lignine. Un modèle prisé par les bibliothèques et les collectionneurs dignes de ce nom. Celle-ci vient de Princeton. (Il ouvrit la boîte et annonça fièrement :) Je te présente le manuscrit original du *Dernier Nabab*.

Mercer en resta bouche bée. Elle se pencha vers la table, voulut dire quelque chose, mais rien ne lui vint tant sa stupeur était grande.

À l'intérieur, une pile de feuilles, de taille papier à lettres, épaisse d'une quinzaine de centimètres. À l'évidence, c'était vieux, une relique d'un autre temps. Il n'y avait pas de page de titre. Comme si Fitzgerald avait attaqué directement le premier chapitre sans se soucier de la présentation. Son écriture était vilaine et difficile à lire, et il avait consigné des commentaires dans la marge dès le premier feuillet. Bruce caressa les bords de la liasse et poursuivit :

— Quand il est mort subitement en 1940, le roman était loin d'être terminé. Mais il avait rédigé un plan et laissé derrière lui une quantité considérable de notes. Il avait un ami, Edmund Wilson, éditeur et critique. Wilson a reconstitué le puzzle et le livre est sorti un an plus tard. De l'avis de nombreux spécialistes, c'est le meilleur roman de Fitzgerald, ce qui, comme tu l'as dit, est d'autant plus étonnant quand on connaît son état de santé à l'époque.

— Ce n'est pas vrai ! bredouilla-t-elle.

— Quoi ?

— Ce manuscrit. C'est celui qui a été volé ?

— Lui-même ! Mais pas par moi, rassure-toi.

— Qu'est-ce qu'il fait ici ?

— C'est une longue histoire. Je vais t'épargner les détails. D'ailleurs, je ne sais pas tout, loin de là. Les cinq manuscrits ont été volés l'automne dernier à la bibliothèque Firestone. Les voleurs ont pris peur quand le FBI en a attrapé deux presque aussitôt. Les autres se sont débarrassés du butin et ont disparu de la circulation. Les manuscrits, discrètement, sont réapparus sur le marché noir. Ils ont été vendus séparément. J'ignore où sont les quatre autres. À mon avis, ils sont loin, sans doute à l'étranger.

— Qu'est-ce que tu fais dans cette histoire, Bruce. Pourquoi ?

— C'est compliqué, mais je ne suis pas si compromis que ça. Tu veux toucher les pages. Vas-y.

— Non. Cela me met mal à l'aise.

— Relaxe ! Je le garde ici pour un ami. Rien de plus.

— Ce doit être un ami très cher.

— Oui. Il l'est. On fait des affaires ensemble depuis longtemps et je lui fais confiance. Il est en train de négocier la vente avec un collectionneur à Londres.

— Qu'est-ce que tu gagnes là-dessus ?

— Oh pas grand-chose ! Quelques dollars au passage.

Mercer recula vers la porte.

— Pour quelques dollars, tu prends beaucoup de risques. Tu es en possession d'un bien volé d'une valeur inestimable. C'est puni par la loi ! Tu pourrais aller en prison pour des années !

— Encore faut-il qu'on le sache.

— Et maintenant, me voilà ta complice ! Je veux m'en aller, Bruce.

— Allez, Mercer. Ne sois pas si coincée. Il n'y a ni risque, ni récompense. Et tu n'es complice de rien du tout, parce que personne ne le saura jamais. Comment veux-tu que quelqu'un puisse prouver que tu as vu ce manuscrit ?

— Je ne sais pas. Qui d'autre l'a vu ?

— Juste toi et moi.

— Noelle n'est pas au courant ?

— Bien sûr que non ! Ça ne l'intéresse pas. Elle s'occupe de ses affaires et moi des miennes.

— Et une part de tes affaires, c'est le trafic de livres et de manuscrits volés ?

— Ça arrive de temps en temps.

Il rabattit le couvercle de la boîte d'archives et la rangea dans le coffret. Avec soin, il le remit dans le tiroir qu'il referma.

— Je veux vraiment m'en aller, insista-t-elle.

— D'accord, d'accord. Je ne voulais pas te faire flipper. Tu disais avoir fini *Le Dernier Nabab* et j'ai voulu t'impressionner.

— M'impressionner ? D'accord, je suis soufflée, sonnée, terrifiée, terrassée, et bien d'autres choses encore, mais impressionnée, non, Bruce ! Ça, c'est de la folie pure !

Il verrouilla le coffre, puis la chambre forte. Il éteignit les lumières en remontant l'escalier. Arrivée à la boutique, Mercer se dirigea vers la porte.

— Où vas-tu ?

— Je m'en vais. Ouvre, s'il te plaît !

Bruce l'attrapa, la prit dans ses bras.

— Je suis désolé.

Elle s'écarta.

— Je veux m'en aller ! Je ne veux pas rester une seconde de plus ici.

— Allez. Tu dramatises. Remontons finir notre champagne.

— Non, Bruce. Je ne suis plus d'humeur. C'est trop pour moi !

— Je suis désolé.

— Tu l'as déjà dit. S'il te plaît, ouvre cette porte !

Il sortit une clé et désengagea le verrou. Sans un mot, elle quitta la librairie et rejoignit sa voiture.

14

Jusqu'à présent l'opération reposait sur des suppositions, des spéculations, le tout agrémenté d'une bonne dose d'optimisme. Mais aujourd'hui la réussite était totale. La preuve était là – la réponse tant espérée ! Mais Mercer pouvait-elle le leur dire ? Faire ce pas ultime ? Passer l'appel qui enverrait Bruce en prison pour les dix prochaines années ? Elle songea à sa chute – la ruine, l'humiliation, l'horreur d'être pris la main dans le sac, arrêté, emmené menottes aux poings, traîné en justice, enfermé ? Qu'adviendrait-il alors de sa jolie librairie ? Et sa maison ? Ses amis ? Sa chère collection de livres ? Son argent ? Parler serait une trahison, et cela aurait des conséquences dramatiques sur bien des gens. Peut-être Bruce méritait-il ce châtiment, mais pas ses employés, pas ses amis, pas même Noelle.

À minuit, Mercer était encore sur la plage, emmitouflée dans un châle, pieds nus dans le sable. En contemplant l'océan scintillant sous la lune, elle se demandait une fois de plus pourquoi elle avait accepté cette mission. La réponse était évidente, mais l'argent paraissait dérisoire à présent. La désolation qu'elle allait semer ne saurait être compensée par tout l'or du monde. La vérité : elle appréciait Bruce Cable, son beau sourire, sa prestance, son apparence, ses costumes en seersucker, son esprit, son intelligence, son admiration sincère pour les écrivains, ses talents d'amant, son charisme en société, ses amis, sa réputation, son charme qui parfois était réellement irrésistible. Elle aimait être près de lui, c'était excitant de faire partie de son cercle d'intimes, et oui, même si elle n'était qu'une nouvelle conquête sur sa longue liste. Grâce à lui, elle avait eu plus de meilleurs moments en six semaines que durant les six dernières années de sa vie.

Une option était possible : ne rien dire, jouer la montre. Elaine et son équipe continueraient leur enquête, peut-être le FBI entrerait dans la partie. Mercer suivrait le mouvement, feindrait l'agacement de ne pouvoir en apprendre davantage. Elle était descendue une fois au sous-sol, leur avait donné plein d'images. Elle avait même couché avec le gars ! Elle était même prête à recommencer au besoin ! Elle avait fait tout son possible et les aiderait encore du mieux qu'elle pourrait. Peut-être Bruce allait-il se débarrasser du *Nabab* comme il l'avait dit, sans laisser de traces, le remettre sous peu dans les eaux troubles du marché noir ? Et quand le FBI débarquerait, il n'y aurait plus rien d'incriminant dans sa chambre forte ? Les six mois seraient vite passés ; Mercer quitterait Camino avec une collection de doux souvenirs. Elle pourrait y revenir tous les étés, pour les vacances, ou mieux encore, pour une tournée de promotion avec son nouveau livre. Puis pour un autre encore.

L'échec de la mission n'était pas une clause résolutoire de son contrat. Elle serait payée quoi qu'il advienne. Son prêt étudiant avait déjà été remboursé. La moitié de la somme était sur son compte en banque. Et le reliquat lui serait versé. Elle n'en avait aucun doute.

Longtemps, durant la nuit, elle se convainquit que c'était la bonne solution. Se taire. Laisser le temps et l'été passer. Ne pas ruer dans les brancards. L'automne arriverait bientôt, et avec lui le grand départ.

Restait la question morale : elle avait accepté de prendre part à une opération visant à pénétrer le monde occulte de Bruce Cable pour retrouver les manuscrits. C'était chose faite, à cause d'une imprudence de Bruce – une erreur totalement incompréhensible. La mission, avec Mercer en position centrale, était un succès. Abandonner maintenant, c'était nier le bien-fondé de cette mission. Bruce avait participé, de son plein gré, au trafic de ces pièces volées, il avait accepté de jouer les receleurs, et que son propriétaire légitime en soit spolié. Bruce Cable n'était pas un parangon de vertu. Il avait déjà versé dans le commerce de livres volés, il l'avait reconnu lui-même. Il connaissait les risques et semblait prêt à les assumer. Tôt ou tard, il se ferait attraper, soit pour cette transaction soit pour une prochaine.

Mercer se mit à marcher le long du rivage. Les vagues poussaient doucement l'écume sur le sable. Il n'y avait pas de nuages dans le ciel. Le ruban blanc de la plage s'étirait sur des kilomètres. À l'horizon, les feux d'une flottille de crevettiers scintillaient. Sans s'en rendre compte, elle arriva à la jetée nord avec son long ponton de bois s'avançant dans la mer. Depuis son retour sur l'île, elle avait évité cet endroit. C'était là que le corps de Tessa avait été retrouvé. Et voilà qu'elle y venait en pleine nuit !

Mercer grimpa les marches et alla jusqu'au bout de la jetée. Elle s'appuya au garde-fou et contempla l'océan. Que ferait sa grand-mère à sa place ? D'abord, Tessa ne se serait jamais embarquée dans cette histoire. Elle n'aurait jamais accepté de se compromettre ainsi, ne se serait jamais laissé convaincre par l'argent. Avec Tessa, il y avait le bien et le mal, et pas de zones grises entre les deux. Mentir était un péché. Une parole était donnée à jamais. Une promesse inaliénable, quels que soient les désagréments ultérieurs.

Mercer était en plein dilemme. À la fin d'un débat interne acharné, aux heures indues du matin, une conclusion s'imposa : si elle voulait garder le silence, il lui fallait rendre l'argent et s'en aller. Mais cela ne réglait pas tout. Elle serait encore la détentrice illégitime d'un secret, une information qui appartenait de droit à d'autres personnes, au camp des gentils. Tessa n'aurait pas aimé la voir se défiler au dernier moment.

Mercer se coucha à 3 heures du matin. Bien sûr, elle ne put dormir.

À 5 heures tapantes, elle téléphona.

15

Elaine était réveillée et buvait tranquillement sa première tasse de café du matin pendant que son mari dormait à côté d'elle. Elle devait redescendre aujourd'hui à Camino, son dixième ou onzième voyage pour l'instant. Elle prendrait le même vol à l'aéroport Ronald Reagan pour atterrir à Jacksonville où soit Rick, soit Graham, l'attendrait. Ils se retrouveraient tous dans le duplex pour faire le point. La réunion s'annonçait pleine de promesses, parce que leur espionne avait passé le week-end avec leur cible. Forcément, elle avait appris des choses. Ils comptaient la faire venir en fin d'après-midi pour un grand débriefing.

À 5 h 01 du matin, toutefois, ce plan parfaitement huilé vola en éclats.

Quand le téléphone d'Elaine vibra et qu'elle vit qui l'appelait, elle sauta du lit pour aller prendre la communication dans la cuisine.

— Vous êtes bien matinale ? dit-elle.

— Il est moins futé qu'on le pensait, déclara Mercer. Il a *Le Dernier Nabab*. Le manuscrit ! Il me l'a montré hier soir. Il est dans sa chambre forte, exactement comme on le supposait.

Elaine assimila l'info et ferma les yeux.

— Vous en êtes sûre ?

— Absolument. Grâce aux copies que vous m'avez montrées.

Elaine s'installa sur un tabouret du comptoir.

— Racontez-moi tout.

16

À 6 heures, Elaine appela Lamar Bradshaw, le chef de la brigade de répression du vol des œuvres et objets d'art volés, et le réveilla. Son programme de la journée fut aussi bouleversé. Deux heures plus tard, ils se rencontraient dans son bureau du J. Edgar Hoover Building sur Pennsylvania Avenue à Washington pour une réunion au sommet. Comme elle s'y attendait, Bradshaw et ses hommes étaient agacés qu'Elaine et son équipe aient monté en secret une opération de surveillance sur Bruce Cable, un suspect que les fédéraux avaient envisagé quelques mois plus tôt, puis oublié, n'ayant aucune piste. Cable était sur leur liste des « personnes d'intérêt », comme une dizaine d'autres, mais juste à cause de sa réputation. Selon Bradshaw, Cable n'avait pas la carrure pour être de la partie. Le FBI détestait les enquêtes privées menées en parallèle, mais ce n'était pas le moment de monter sur ses grands chevaux. Bradshaw dut ravaler son orgueil parce que Elaine Shelby avait encore une fois retrouvé le butin. Ils conclurent une trêve. La paix était une priorité, comme la coopération.

17

Bruce Cable se leva à 6 heures du matin dans son appartement au-dessus de la boutique. Il but son café et lut le journal pendant une heure avant de descendre dans la salle des Éditions originales. Il alluma son ordinateur et étudia son stock. C'était la partie la plus déplaisante de son activité : décider quel livre ne se vendrait pas et devait être retourné à l'éditeur. Chaque rendu était un échec personnel, mais après vingt ans de métier, Bruce s'était endurci. Pendant une heure, il inspecta les recoins de sa librairie, retirant les invendus des rayons et des tables, pour les empiler dans la réserve, comme autant de totems sinistres.

À 8 h 45, comme à son habitude, il remonta dans son appartement, se doucha rapidement et enfila son costume du jour. Et à 9 heures précises, il allumait les lumières et ouvrait les portes de Bay Books. Deux employés arrivèrent et Bruce les mit aussitôt au travail. Trente minutes plus tard, il descendit au sous-sol, ouvrit la porte de communication avec la réserve de Noelle. Jake était déjà là, à mettre des clous de tapissier derrière le dossier d'une chaise. La table d'écriture de Mercer était prête et rangée dans un coin.

Après les amabilités d'usage, Bruce annonça :

— Notre amie, Mlle Mann, ne va pas acheter la table finalement. Noelle veut que vous l'envoyiez à Fort Lauderdale. Retirez les pieds et trouvez une caisse de transport.

— Très bien. Pour quand. Aujourd'hui ?

— Oui. C'est pressé. Voici l'adresse. Occupez-vous-en tout de suite.

— D'accord, monsieur Cable.

18

À 11 h 06, un jet privé décolla de l'aéroport Dulles. À bord : Elaine Shelby avec deux membres de son équipe, ainsi que Lamar Bradshaw et quatre agents du FBI. En chemin, Bradshaw s'entretint avec le procureur fédéral de Floride, et Elaine appela Mercer, qui s'était réfugiée dans une bibliothèque de Camino avec l'espoir d'écrire. Il était impossible d'être créative au Lighthouse Inn, se plaignit-elle. Elaine lui conseilla d'éviter la librairie pour les jours à venir. Aucun risque ! Mercer en avait assez de Bruce Cable et avait grand besoin d'une pause.

À 11 h 20, une camionnette banalisée se gara sur Main Street, en face de Bay Books. À l'intérieur, il y avait trois agents de terrain envoyés par le bureau de Jacksonville. Ils braquèrent une caméra sur les portes de la librairie pour filmer tous les gens qui entraient ou sortaient. Une autre camionnette, avec deux autres agents, se gara sur Third Street. Ils devaient surveiller l'aire de livraison derrière la boutique.

À 11 h 40, un agent, en short et sandales, poussa les portes du magasin et déambula entre les rayons. Il ne vit pas Cable. En liquide, il acheta une version audio de *Lonesome dove*, et sortit du magasin. Dans la première camionnette, un technicien ouvrit le coffret, retira les huit CD et installa une minuscule caméra avec sa batterie.

À 12 h 15, Cable quitta Bay Books avec une connaissance et alla déjeuner dans un restaurant un peu plus bas dans la rue. Cinq minutes plus tard, un autre agent, une femme cette fois, elle aussi en short et sandales, entra à Bay Books avec dans son sac le coffret audio de *Lonesome dove*. Elle but un café à l'étage, feuilleta des revues pour passer le temps, puis descendit au rez-de-chaussée et choisit deux livres de poche. Quand le vendeur fut appelé au fond du magasin, prestement, elle remisa le coffret à sa place sur son étagère et prit son voisin, *La Dernière Séance*. Elle se rendit à la caisse, paya les deux livres et le coffret audio, et demanda à l'employé s'il connaissait un bon endroit où déjeuner. Dans la camionnette sur Main Street, les agents étaient massés derrière l'écran d'un ordinateur portable. Ils avaient désormais en gros plan tous les gens qui entraient dans la boutique. Restait plus qu'à espérer que personne n'aurait envie d'acheter *Lonesome dove* en CD dans les jours à venir.

À 12 h 21, l'avion privé atterrit sur le petit aéroport de l'île de Camino, à dix minutes de route de Santa Rosa. Rick et Graham attendaient Elaine et ses deux collaborateurs de Bethesda. Deux SUV récupérèrent Bradshaw et son équipe. Comme c'était lundi, les hôtels avaient encore des chambres libres, du moins pour quelques jours. Les fédéraux en avaient réservé quelques-unes dans un établissement près du port, à moins de cinq minutes à pied de la librairie. Bradshaw prit la plus grande suite, pour y installer son QG de campagne. Les ordinateurs furent installés sur une table, et la vidéosurveillance non-stop commença.

Après avoir avalé un déjeuner sur le pouce, Mercer se rendit dans la suite du FBI. Les présentations furent faites. Ce soudain déploiement de force l'impressionna. Son ventre se serra. C'était à cause d'elle si tous ces flics traquaient le pauvre Bruce.

Elaine resta en retrait, pendant que Mercer était interrogée par Bradshaw et un autre agent spécial nommé Vanno. Elle raconta à nouveau son histoire, par le menu hormis les détails intimes qui avaient agrémenté son week-end avec Bruce, une aventure qui désormais semblait appartenir à un autre temps. Bradshaw lui présenta une série de clichés en haute définition des manuscrits dérobés à Princeton. Elaine lui avait montré les mêmes images. Oui, oui, ce qu'elle avait vu hier dans la chambre forte, c'était bien l'original du *Nabab*.

D'accord, cela pouvait être un fac-similé. Tout était possible. Mais elle n'y croyait pas. Pourquoi Bruce se serait-il donné tout ce mal pour un faux ? Pourquoi prendre toutes ces précautions ?

Quand Bradshaw se mit à lui poser les mêmes questions, pour la troisième fois, et avec une pointe de suspicion, Mercer s'impatienta :

— On est dans le même camp ou quoi ?

Vanno intervint pour arrondir les angles :

— Bien sûr, mademoiselle Mann. Mais nous ne devons laisser aucune zone d'ombre.

— C'est justement ce que je fais ! Je vous dis tout.

Au bout d'une heure, elle n'en pouvait plus de répéter les mêmes choses. De toute évidence, Elaine Shelby était bien plus fine et adroite que ces deux fédéraux. Mais dorénavant, c'était le FBI qui était aux commandes, et il en serait ainsi jusqu'à la fin. Pendant une pause, Bradshaw partit prendre l'appel d'un adjoint du procureur fédéral à Jacksonville. La conversation fut tendue. Le magistrat tenait à entendre « le témoin » personnellement et ne se contenterait pas d'une déposition filmée. Bradshaw et Vanno n'étaient pas contents. Cela retardait tout le monde, mais le procureur ne voulait rien lâcher.

À 14 h 15, on fit monter Mercer dans une voiture. Rick était au volant, Graham sur le siège passager et Elaine sur la banquette arrière avec elle. Ils suivirent un SUV plein d'agents du FBI et quittèrent l'île en direction de Jacksonville. Sur le pont qui enjambait la rivière Camino, Mercer rompit le silence :

— Allez-y, crachez le morceau ! Qu'est-ce qui se passe ?

Rick et Graham regardèrent fixement devant eux. Elaine s'éclaircit la gorge.

— C'est le système fédéral dans toute sa splendeur, voilà à quoi servent nos impôts ! Bradshaw est furieux contre le proc de ce district, qui représente aussi le gouvernement fédéral. Il énerve tout le monde – c'est rien de le dire ! – mais c'est lui qui signe les mandats de perquisition. Le FBI pensait pouvoir rester sur l'île et se contenter d'envoyer votre déposition par vidéo, Bradshaw dit qu'ils font ça tout le temps, mais le gars fait du zèle et veut vous auditionner en personne. Alors, on se rend au tribunal.

— Au tribunal ? Vous n'avez jamais dit que je devrais aller au tribunal !

— C'est juste le bâtiment de la cour fédérale. On va sans doute rencontrer le proc dans son bureau, ou dans une salle à huis clos. Ne vous inquiétez pas.

— C'est facile à dire pour vous ! Une question : si Cable est arrêté, il peut demander un procès, même s'il est attrapé en possession du manuscrit ?

Elaine se tourna vers Graham.

— Vas-y, réponds. C'est toi l'avocat.

Graham lâcha un rire amer.

— Je n'ai qu'une licence de droit, et je ne m'en suis jamais servi. Mais non, un accusé n'est pas obligé de plaider coupable. Personne ne peut l'y forcer. Tout le monde peut exiger un procès. Mais cela n'arrivera pas, pas dans cette affaire.

— Et pourquoi donc ?

— Si Cable a le manuscrit, ils vont lui mettre la pression. Récupérer les autres originaux est bien plus important que de punir les voleurs et les fourgues. Ils vont lui sortir le grand jeu : une hotte pleine de cadeaux s'il se met à table ! On ignore ce qu'il sait, mais je suis certain qu'il sera prêt à tout déballer pour sauver sa peau.

— Et s'il veut quand même se défendre, s'il veut un procès ? Je serai appelée à comparaître, c'est ça ?

Un ange passa. Mercer attendit.

— Elaine, vous ne m'avez jamais dit que je pourrai me retrouver appelée à la barre, insista Mercer devant leur silence gêné. Et encore moins que je devrais témoigner contre Bruce. Ça, je m'y refuse.

Elaine tenta de la rassurer :

— Vous n'aurez pas à venir témoigner. Je vous le promets. Vous avez fait un boulot extraordinaire. Nous sommes très fiers de vous.

— Cessez ce ton condescendant ! répliqua Mercer plus sèchement qu'elle ne l'aurait voulu.

Personne ne pipa mot pendant un moment, mais la tension était palpable. Ils roulaient sur la I 95 en direction du sud et entraient déjà dans les faubourgs de Jacksonville.

Le palais de justice fédéral était un grand bâtiment moderne avec nombre d'étages et beaucoup de verre.

On les fit entrer par un accès secondaire menant à un petit parking privé. Les agents du FBI entouraient Mercer, comme une garde rapprochée. L'ascenseur était bondé avec cette escorte. Quelques minutes plus tard, ils pénétrèrent dans les locaux du procureur fédéral du Middle district de Floride. On les conduisit dans une salle de réunion. Et l'attente débuta. Bradshaw et Vanno sortirent leurs téléphones. Elaine était en ligne avec Bethesda. Rick et Graham avaient des appels importants à passer. Quant à Mercer, assise seule à la grande table, elle n'avait personne à qui parler.

Au bout d'une vingtaine de minutes, un jeune homme sérieux en costume noir – pourquoi tous se déguisaient-ils en *Men in Black* ? – entra d'un pas volontaire et se présenta. Il s'appelait Janeway, il était un adjoint du procureur fédéral, un parmi tant d'autres. Il expliqua que le procureur Arthur Philby était coincé par une audition de la plus haute importance, où la vie du prévenu était sur la sellette, et que cela pouvait prendre un peu de temps. Pour préparer l'entretien, Janeway voulait recueillir le témoignage de Mercer, si cela ne la dérangeait pas.

La jeune femme haussa les épaules. Comme si elle avait le choix !

Janeway s'éclipsa et revint avec deux autres gars en costumes noirs qui eurent l'amabilité de se présenter. Mercer leur serra la main. Mais oui, c'était un plaisir !

Ils sortirent leur carnet et s'installèrent en face de la jeune femme. Janeway commença à poser des questions. Dans l'instant, il fut évident qu'il ne connaissait pas le dossier. Lentement, avec patience et lassitude, Mercer combla ses lacunes.

19

À 16 h 50, Mercer, Bradshaw et Vanno suivirent Janeway. Il les conduisit dans le bureau du procureur Philby qui les accueillit avec froideur, comme s'ils étaient des intrus. Il avait eu une journée éprouvante et était d'une humeur de dogue. Mercer s'installa au bout d'une longue table – encore une ! – à côté d'une greffière qui lui demanda de lever la main et de jurer de dire la vérité et rien que la vérité. Une caméra sur pied était braquée sur elle. Le procureur Philby, sans sa robe noire, s'assit à l'autre extrémité, tel un roi sur son trône.

Pendant une heure, Janeway et Bradshaw assaillirent Mercer de questions, et elle répéta son histoire, pour la troisième fois de la journée. Bradshaw montra des photos grand format du sous-sol, de la chambre forte, du coffre. Philby l'interrompit à plusieurs reprises pour poser ses propres questions. Au final, elle dut raconter son récit au moins deux fois ! Mais elle restait calme. Cela l'amusait presque. Bruce Cable était tellement plus sympathique que tous ces gens, même s'il était dans le camp des méchants.

Quand elle eut terminé, ils la remercièrent pour le temps qu'elle leur avait consacré et pour sa collaboration dans cette mission. Vous excitez pas ! faillit-elle répliquer ; j'ai été payée pour ça. On la congédia et elle sortit du bâtiment avec Elaine, Rick et Graham. Quand le palais de justice fut loin derrière eux, elle demanda :

— Et maintenant ? C'est quoi les réjouissances ?

— Ils vont préparer le mandat de perquisition. Votre déposition a été parfaite. Vous avez convaincu le procureur.

— Et la descente à Bay Books ?

— C'est pour bientôt.

VIII

LA LIVRAISON

1

Denny était sur l'île depuis dix jours et perdait patience. Avec Rooker, ils avaient filé Cable et connaissaient toutes ses habitudes. Un travail simple mais fastidieux. Ils avaient suivi Mercer aussi. Encore une corvée.

L'intimidation avait porté ses fruits avec Oscar Stein à Boston. Peut-être était-ce la bonne tactique ? La confrontation directe, avec menace. Comme Stein, Cable n'irait pas trouver les flics. S'il avait les manuscrits, on pouvait le contraindre à un accord, s'il ne les avait pas, il savait sans doute où ils étaient...

Cable quittait d'ordinaire la librairie vers 18 heures et rentrait chez lui. À 17 h 50 le lundi, Denny entra dans la boutique et fit mine de s'intéresser aux livres. Coup de chance pour Bruce Cable, il était occupé au sous-sol et ses employés savaient que lorsque leur patron était en bas, c'était motus et bouche cousue.

En revanche, la chance ne fut pas du côté de Denny. Après des mois à jouer les maîtres ès furtivité, à passer incognito les contrôles aux aéroports, aux douanes, aux portails de sécurité, avec de faux papiers d'identité, de faux passeports, et force grimages, à payer toujours en liquide ses chambres d'hôtel, ses voitures de location, il se considérait réellement comme un expert – rusé, invincible. Malheureusement, même les meilleurs illusionnistes se faisaient prendre à la première maladresse.

Au fil des années, le FBI avait peaufiné son système de reconnaissance faciale. Le logiciel calculait la distance entre les yeux, entre le nez et les oreilles, et autres données anthropométriques ; en une milliseconde, l'empreinte faciale était comparée à une banque de photos en lien avec l'enquête. Pour le « Cas Fitzgerald », comme le FBI avait surnommé l'affaire, le fichier de référence était particulièrement réduit : il y avait la dizaine de clichés des trois voleurs qui s'étaient présentés à l'accueil de la bibliothèque Firestone, dont deux – Jerry Steengarden et Mark Driscoll – étaient déjà sous les verrous. Et juste quelques centaines de gens connus pour œuvrer dans le trafic des œuvres d'art.

Quand Denny entra dans la librairie, la caméra cachée dans le coffret de *Lonesome dove* filma son visage, comme celui de tous les clients qui avaient passé les portes depuis midi. L'image fut transmise à l'ordinateur dans la camionnette postée de l'autre côté de la rue, mais aussi, et c'était là le plus important, au gigantesque laboratoire du FBI à Quantico en Virginie. Le logiciel trouva une correspondance dans la banque de photos. Une alarme alerta un technicien. Quelques secondes seulement après avoir franchi le seuil de Bay Books, Denny était identifié. C'était le troisième homme de la bande !

Deux avaient été arrêtés. Trey, le quatrième, se décomposait au fond d'un étang des Poconos. On ne le retrouverait jamais. Ahmed, le cinquième, se cachait toujours en Europe.

Après un quart d'heure, Denny quitta la boutique, tourna au coin de la rue pour remonter dans sa vieille Honda Accord. L'autre camionnette du FBI la suivit à distance, perdit sa trace, mais la retrouva sur le parking du Sea Breeze Motel, à côté de la plage, à cent mètres du Lighthouse Inn. Une nouvelle surveillance commença.

La Honda provenait d'une agence à Jackson dont le slogan était « louez une épave » et qui acceptait d'être payée en liquide. Le nom sur le formulaire était Wilbur Shifflet. Le gérant, interrogé par des agents du FBI, reconnut que le permis de conduire du Maine lui avait paru faux. Shifflet avait payé mille dollars cash pour deux semaines de location et n'avait pas pris l'assurance complémentaire.

Le FBI n'en revenait pas. Quel coup de chance ! Restait à savoir pourquoi l'un des membres du gang venait rôder à la librairie huit mois après le vol. Surveillait-il aussi Mercer Mann ? Était-il en lien avec Cable ? Cela faisait beaucoup de questions. On chercherait des réponses plus tard. Pour l'heure, cela semblait étayer les dires de Mlle Mann. Au moins l'un des manuscrits devait se trouver au sous-sol.

Au coucher du soleil, Denny quitta sa chambre, la numéro 18, et retrouva Rooker devant la porte voisine. Ils se rendirent au Surf, un resto grill en vogue, où ils dînèrent – sandwichs et bière. Pendant qu'ils mangeaient, quatre agents du FBI se présentèrent à la réception du Sea Breeze avec un mandat de perquisition. Dans la chambre 18, ils découvrirent sous le lit un sac contenant un pistolet neuf millimètres, six mille dollars en liquide, des faux permis de conduire du Tennessee et du Wyoming. Mais rien qui leur révélât la véritable identité de Wilbur Shifflet. Dans l'autre chambre, les enquêteurs ne trouvèrent rien de valeur.

Quand Denny et Rooker revinrent à l'hôtel, ils furent arrêtés et conduits discrètement, et dans des véhicules séparés, à l'antenne du FBI à Jacksonville. On prit là-bas leurs empreintes, qui furent entrées dans le fichier national. À 22 heures, la vérité tomba. Grâce aux archives de l'armée, ils surent qu'il s'agissait de Denny Allen Durban, trente-trois ans, né à Sacramento. Quant à Rooker, c'est son casier judiciaire qui parla pour lui : Bryan Bayer, âge trente-neuf ans, né à Green Bay, dans le Wisconsin. Les deux prévenus refusèrent de coopérer et furent mis en cellule. Lamar Bradshaw décida de les laisser mariner quelques jours et de ne pas avertir la presse.

Pendant ce temps-là, dans l'appartement sur la plage, Mercer, Elaine, Rick et Graham jouaient au rami en attendant des nouvelles. On leur avait annoncé les deux arrestations, mais sans leur donner de détails. Bradshaw appela à 23 heures, parla avec Elaine, et lui en dit davantage : les choses se précipitaient. Il restait beaucoup de points d'interrogation. Demain, ils passaient à l'action. Et comme consigne pour Mercer : « Faites-lui quitter l'île. »

2

Toute la journée du mardi, le FBI observa la librairie avec une attention redoublée. Ils ne remarquèrent aucune activité particulière. Pas de voleurs rôdant dans les parages, pas de colis étrange sortant de la boutique. À 10 h 50, un camion d'UPS vint livrer six cartons de livres, mais repartit à vide. Cable était soit au premier étage, soit au rez-de-chaussée. Il conseillait des clients, lisait dans son coin habituel près de la caisse. Comme d'habitude, il partit déjeuner à 12 h 15 et revint à la boutique une heure plus tard.

À 17 heures, Lamar Bradshaw et Derry Vanno entrèrent dans la boutique et demandèrent à Cable s'il pouvait leur accorder un moment. À mi-voix, Bradshaw précisa : « FBI. » Bruce les conduisit dans la salle des Éditions originales et referma la porte. Il demanda à voir leurs plaques. Les deux agents les lui mirent sous le nez. Vanno lui tendit un mandat de perquisition.

— Nous sommes ici pour fouiller le sous-sol.

Toujours debout, Bruce demanda :

— On peut savoir ce que vous cherchez au juste ?

— Les manuscrits volés de la collection Fitzgerald, propriété de la bibliothèque Firestone à Princeton, répondit Bradshaw.

Bruce partit d'un grand rire.

— Vous êtes sérieux ?

— On a l'air de rigoler ?

— D'accord. Je peux lire, ça ne vous embête pas ?
fit-il en désignant le mandat.

— Allez-y. Pour info, il y a trois autres agents
dans votre librairie.

— Faites comme chez vous. Il y a un café à
l'étage.

— Nous savons.

Bruce s'assit à son bureau et lut le document tranquillement. Il prit tout son temps, parcourut une à une
toutes les pages, avec un détachement ostensible.

— Très bien, déclara-t-il finalement. C'est très
clair. (Il se leva, s'étira, et les regarda tour à tour, l'air
suspicieux.) La perquisition est limitée à la chambre
forte, n'est-ce pas ?

— C'est exact, répliqua Bradshaw.

— J'ai beaucoup de pièces de valeur en bas. Et
vous avez l'art de mettre tout sens dessus dessous
quand vous faites une descente.

— Vous regardez trop la télévision, rétorqua
Vanno. Nous ne sommes pas des sauvages et si vous
coopérez, personne ne remarquera notre visite.

— J'en doute.

— Assez parlé. Allons-y.

Le mandat toujours à la main, Bruce les mena au
fond de la librairie. Les trois autres agents les y attendaient déjà, tous habillés en civil. Bruce les ignora,
entrebâilla la porte accédant au sous-sol.

— Attention à la marche, dit-il en actionnant la
lumière.

Une fois en bas, il appuya sur un autre interrupteur
et s'arrêta devant la chambre climatisée. Il fit le code,

poussa la porte, alluma d'autres lumières. Quand les cinq agents furent rentrés, il désigna les rayonnages.

— Ce sont des premières éditions, des spécimens rares. Aucun intérêt pour vous, je suppose.

L'un des agents sortit une caméra et se mit à filmer.

— Ouvrez le coffre, ordonna Bradshaw.

Bruce obéit. Il fit pivoter la lourde porte et désigna les étagères à l'intérieur :

— Il y a là des exemplaires exceptionnels. Vous voulez les voir ?

— Plus tard peut-être, répondit Bradshaw. Commençons par les tiroirs dessous. Les quatre.

Visiblement, ils savaient où chercher.

Bruce tira le premier tiroir. À l'intérieur, deux coffrets en cèdre, exactement comme l'avait indiqué Mlle Mann. Bruce en sortit un qu'il déposa délicatement sur la table. Il ouvrit le couvercle.

— C'est le manuscrit original du *Temps des noyeurs* de John D. MacDonald en 1966. Je l'ai acquis il y a une dizaine d'années. J'ai le reçu, bien sûr.

Bradshaw et Vanno se penchèrent au-dessus du manuscrit.

— On peut y toucher ? demanda Vanno, pour montrer qu'ils n'étaient pas des brutes épaisses.

— Je vous en prie.

Le manuscrit était dactylographié et les feuillets en bon état de conservation, les caractères aussi denses quasiment qu'au premier jour. Les agents feuilletèrent quelques pages et leur intérêt tourna court.

— Et dans l'autre boîte ? s'enquit Bradshaw.

Bruce extirpa le second coffret.

— C'est encore un manuscrit de MacDonald, *The Lonely Silver Rain*, paru en 1985. J'ai aussi la facture.

Ils découvrirent un tapuscrit, en très bon état, annoté à la main.

— MacDonald vivait sur un bateau et l'électricité était comptée. Il utilisait une vieille Underwood. C'était un homme très méticuleux. Ses manuscrits sont incroyablement propres.

Les agents s'en fichaient, mais tournèrent quelques pages pour faire bonne figure.

Par facétie, Bruce ajouta :

— Arrêtez-moi si je me trompe, mais les manuscrits de Fitzgerald étaient écrits à la main, non ?

Personne ne lui répondit.

Bradshaw pivota vers le coffre.

— Le deuxième tiroir.

Bruce le tira. Les deux agents s'approchèrent et constatèrent qu'il était vide. Idem pour le troisième et le quatrième. Bradshaw était sonné. Il lança un regard à Vanno, qui lui aussi était bouche bée.

— Videz tout le coffre, ordonna Bradshaw.

— Pas de problème, assura Bruce. Mais apparemment, vous avez été mal renseignés. Je ne verse pas dans les livres volés, et je ne risque pas de toucher aux manuscrits Fitzgerald !

— Videz le coffre, répéta Bradshaw.

Bruce rangea les deux manuscrits de MacDonald dans le premier tiroir, puis retira une boîte de l'étagère du haut. *L'Attrape-cœurs*.

— Vous voulez le voir ?

— Oui, répliqua Bradshaw.

Bruce ouvrit délicatement le coffret et prit l'ouvrage. Il le tint devant eux pour qu'ils l'examinent et le filment, puis le remit à sa place.

— Vous voulez les voir tous ?

— Tout juste.

— C'est une perte de temps. Ce sont des livres publiés, pas des manuscrits.

— On le sait.

— Ces boîtiers sont faits sur mesure pour chaque ouvrage. Ils sont bien trop petits pour contenir un manuscrit.

C'était l'évidence, mais les agents avaient tout leur temps et la fouille devait être menée jusqu'au bout.

— Les autres, insista Bradshaw.

Méthodiquement, Bruce sortit les livres un à un, ouvrant chaque boîte, dévoilant chaque exemplaire. Plus Bruce leur détaillait sa collection, plus les deux agents se décomposaient. Ils secouaient la tête, se lançaient des regards, fronçaient les sourcils. On les avait dupés !

Une fois les quarante-huit pièces sorties, le coffre était vide, à l'exception des deux manuscrits de MacDonald remisés dans le premier tiroir. Bradshaw s'approcha comme s'il espérait trouver une cache, un compartiment secret. Mais il n'y en avait pas. Impossible. Il se gratta le menton, passa la main dans ses cheveux clairsemés.

— Et là ? C'est quoi ? s'enquit Vanno en désignant les rayonnages le long des murs.

— Des premiers tirages, des éditions rares, des livres anciens. C'est une collection. Cela fait vingt ans que je l'enrichis. Encore une fois, ce sont des ouvrages reliés, pas des manuscrits. Vous voulez les voir aussi ?

— Pourquoi pas ?

Bruce prit son trousseau de clés et déverrouilla les vitrines. Les agents ouvrirent les portes vitrées pour inspecter de près les volumes. Évidemment, ils ne trouvèrent rien qui ressemblât de près ou de loin à une liasse de feuillets. Bruce les regarda s'affairer, prêt à intervenir. Mais ils étaient précautionneux, très professionnels. Au bout d'une heure, la fouille prit fin. Le moindre centimètre carré avait été ausculté. Ils quittèrent la chambre forte. Bruce referma la porte derrière eux, mais ne la verrouilla pas.

Bradshaw contempla la réserve, avec ses étagères croulant sous les livres, les magazines, les services de presse.

— Je peux jeter un coup d'œil ? demanda-t-il, dans un sursaut d'espoir.

— Techniquement, le mandat ne porte que sur la chambre forte, mais allez-y. Vous ne trouverez rien.

— Vous acceptez ?

— Bien sûr. Pourquoi pas. On n'est plus à une heure près !

Ils fouillèrent la réserve pendant trente longues minutes, comme s'ils voulaient repousser l'inévitable : admettre leur échec. Mais ils durent se rendre à l'évidence. Bruce remonta avec eux au rez-de-chaussée et les raccompagna jusqu'à la porte d'entrée. Bradshaw lui tendit la main.

— Désolé du dérangement.

Bruce lui serra la main.

— Juste pour ma gouverne, je suis toujours suspect ?

Bradshaw tendit sa carte de visite à Bruce.

— Je vous appelle demain pour vous dire ça.

— Parfait. En attendant, je vais appeler mon avocat.

— Faites donc.

Une fois les agents partis, Bruce s'aperçut que deux
employés à la caisse le regardaient fixement.

— C'était la DEA, expliqua-t-il. Il cherchait
un labo de meth clandestin. Fausse alerte. Retournez
au travail.

3

Le Pirate Saloon était le plus vieux bar de l'île, à
trois pâtés de maisons de la librairie. Le soir, Bruce y
retrouva Mike Wood, son avocat, pour boire un verre.
Ils dénichèrent une table tranquille dans un coin ;
et en buvant un bourbon, Bruce lui raconta la descente des fédéraux. Mike, en avocat expérimenté, ne
demanda pas à son client s'il savait quelque chose à
propos des manuscrits volés.

— Il y a un moyen de savoir si je suis toujours leur
suspect ?

— Ça peut se faire. Je vais appeler le gars demain,
mais je suppose que la réponse est oui.

— Ils comptent me filer le train durant les six prochains mois, c'est ça ? Mardi en huit, je pars rejoindre
Noelle en France. Si ces gars comptent me suivre,
j'aimerais autant être au courant. Je peux leur donner
mes numéros de vols pour les rassurer, et leur passer
un coup de fil dès mon retour à Camino. Je n'ai rien à
cacher !

— Je leur transmettrai le message, mais, par sécurité, pars du principe qu'ils vont épier tes faits et
gestes, écouter ton téléphone, lire tous tes e-mails et
SMS.

Bruce feignit l'agacement, mais en réalité, depuis
les deux derniers mois, il savait qu'il pouvait être sur-
veillé, par le FBI ou par quelqu'un d'autre.

Le lendemain, mercredi, Mike Wood appela Lamar
Bradshaw quatre fois et fut renvoyé vers le répon-
deur. Il laissa à chaque fois un message, mais n'eut
aucune réponse. Le jeudi, Bradshaw le rappela pour
lui confirmer que le FBI continuait à s'intéresser à
M. Cable, mais qu'il n'était plus le suspect numéro un
dans leur enquête.

Mike informa Bradshaw que son client devait bientôt quitter le pays. Il lui donna son numéro de vol
et le nom de l'hôtel à Nice où il séjournerait pour
quelques jours avec son épouse. Bradshaw le remercia pour ces renseignements et lui annonça que le FBI
ne s'intéressait nullement aux déplacements de Cable
à l'étranger.

4

Le vendredi, Denny Durban et Bryan Bayer, alias Joe Rooker, furent mis dans un avion pour Philadelphie, puis transportés jusqu'à Trenton pour être placés chacun dans des cellules différentes. On emmena Denny dans une salle d'interrogatoire. On l'installa à une table, avec un café, et on lui demanda d'attendre. L'agent spécial McGregor conduisit alors Mark Driscoll et son avocat Gil Petrocelli dans la salle adjacente, équipée d'un miroir sans tain. De l'autre côté de la vitre, ils virent Denny, assis sur sa chaise, qui semblait s'ennuyer ferme.

— On a attrapé votre copain, annonça McGregor. Il était en Floride.

— Et alors ? demanda Petrocelli.

— Alors, nous vous avons tous les trois, les trois qui étaient à l'intérieur de la bibliothèque. Vous en avez vu assez ?

— Oui, répondit Mark.

Ils quittèrent la pièce et se rendirent dans une autre salle d'interrogatoire, deux portes plus loin dans le même couloir. Une fois tout le monde assis à une petite table, McGregor annonça :

— Nous ignorons qui sont les autres de la bande. Quelqu'un à l'extérieur a créé la diversion pendant que vous étiez tous les trois dans les murs. Et quelqu'un d'autre encore a piraté les systèmes de sécurité du campus et le réseau électrique. Cela fait cinq. Vous étiez peut-être davantage, vous seul pouvez nous le dire. Nous sommes sur le point de récupérer les manuscrits et nous aurons bientôt le feu vert pour tous vous inculper. Nous sommes prêts à vous faire une offre, un très gros cadeau, monsieur Driscoll. Vous parlez et vous êtes libre. Dites-nous tout ce que vous savez et on oublie les accusations. Le programme de protection des témoins vous prend en charge. On vous trouve un joli endroit, avec de nouveaux papiers d'identité, un bon job, tout ce que vous voulez. C'est open bar. S'il y a un procès, vous devrez revenir témoigner, mais franchement cela m'étonnerait beaucoup que cela arrive.

Mark venait de passer huit mois en prison. C'était bien assez. Denny était le plus dangereux du groupe. Maintenant qu'il était hors d'état de nuire, la pression d'un coup avait diminué. La menace de représailles n'était plus si terrifiante. Trey n'était pas un type violent et il était en cavale de toute façon. Si Mark donnait le véritable nom de Trey, il pouvait être arrêté rapidement. Quant à Ahmed, il avait peur de sa propre ombre. Ce n'est pas ce geek qui allait lancer une vendetta contre lui.

— Il me faut un peu de temps pour réfléchir.

— Nous allons en discuter, reprit Petrocelli.

— D'accord. On est vendredi. Je vous laisse le week-end pour vous décider. Lundi matin, je reviens. Après, ce sera trop tard. Adieu les cadeaux !

Le lundi, Mark accepta le marché.

5

Le mardi 19 juillet, Bruce Cable s'envola de Jacksonville pour Atlanta, et de là, prit un vol Air France pour Paris. Il fit deux heures d'escale avant d'embarquer dans un avion pour Nice. Il arriva à 8 heures du matin, sauta dans un taxi pour rejoindre Le Pérouse, un hôtel de charme quatre-étoiles dominant la baie des Anges, un établissement que Noelle et lui avaient découvert pendant leur premier voyage en France, dix ans plus tôt. Elle l'attendait dans le hall, élégante, très frenchy avec sa petite robe blanche et son chapeau de paille à large bord. Ils s'embrassèrent, se serrèrent dans les bras comme si cela faisait des années qu'ils ne s'étaient pas vus et marchèrent main dans la main jusqu'à la terrasse au bord de la piscine. Ils s'installèrent à une table, commandèrent du champagne, s'embrassèrent encore. Quand Bruce annonça qu'il avait faim, ils montèrent dans leur chambre au deuxième étage et appelèrent le room service. Ils mangèrent sur le balcon, profitèrent du soleil. La plage s'étendait sur des kilomètres à leurs pieds, la Côte d'Azur étincelait dans la lumière du matin. Bruce ne s'était pas reposé depuis des mois. Il était prêt à savourer chaque instant de farniente. Après une longue sieste, il ne ressentait plus le décalage horaire. Et ils partirent tous les deux se baigner dans la piscine.

Comme de coutume, il demanda des nouvelles de Jean-Luc. Noelle lui dit qu'il allait bien. Il lui adressa ses salutations. Elle demanda des nouvelles de Mercer. Bruce lui raconta toute l'histoire. Il pensait qu'il ne la reverrait jamais.

En fin d'après-midi, ils quittèrent l'hôtel et marchèrent cinq minutes pour rejoindre le vieux Nice, un quartier de forme triangulaire qui était le centre touristique de la ville. Ils se promenèrent avec le flot de badauds, visitant les marchés, les boutiques dans des rues trop étroites pour les voitures. Ils prirent une glace et un café sur l'une des nombreuses terrasses. Ils déambulèrent dans les venelles, se perdirent dix fois mais jamais très longtemps. La mer était toujours visible à tous les coins de rue. Ils se tenaient la main, n'étaient jamais loin l'un de l'autre, avançaient bras dessus bras dessous comme s'ils s'accrochaient l'un à l'autre.

6

Le jeudi, Bruce et Noelle firent la grasse matinée, déjeunèrent sur le balcon, finalement se douchèrent, s'habillèrent et retournèrent dans le vieux Nice. Ils visitèrent le Marché aux fleurs, s'émerveillèrent des couleurs, des variétés dont la plupart étaient inconnues de Noelle. Ils prirent un expresso sur une autre terrasse, observant la foule qui se pressait devant la cathédrale baroque de la place Rossetti. À l'approche de midi, ils sortirent du quartier historique et gagnèrent une petite rue juste assez large pour laisser passer une voiture. Ils entrèrent dans la boutique d'un antiquaire. Noelle bavarda avec le propriétaire. Un employé les conduisit au fond de la boutique, jusqu'à un atelier encombré d'armoires et de tables à diverses étapes de restauration. Il désigna une caisse et annonça à Noelle qu'elle venait d'arriver. Elle vérifia l'étiquette d'expédition agrafée sur un angle, et demanda à l'homme d'ouvrir la caisse. Il alla chercher sa visseuse et entreprit de retirer les vis de cinq centimètres qui arrimaient le couvercle. Il y en avait une bonne dizaine. L'ouvrier travaillait méthodiquement, avec la nonchalance de celui qui a fait ça pendant des années. Bruce l'observait, tandis que Noelle feignait de s'intéresser à une table ancienne dans un coin. Quand il eut terminé sa besogne, avec l'aide de Bruce, il retira le couvercle pour le poser sur le côté.

Noelle dit quelque chose au manutentionnaire et celui-ci s'éclipsa.

Bruce ôta les blocs de mousse et bientôt Noelle et lui eurent sous les yeux la table d'écriture de Mercer. Les trois tiroirs avaient été retirés pour créer une cache secrète derrière la façade. Avec la pointe d'un marteau, Bruce fit levier pour soulever avec précaution le plateau. À l'intérieur, il y avait cinq coffrets en cèdre, tous construits suivant ses instructions par un menuisier de Camino.

Gatsby et ses amis.

7

La séance était prévue pour 9 heures du matin et promettait d'être un véritable marathon. La longue table était jonchée de papiers savamment dispersés pour donner l'illusion que tout le monde travaillait sur le dossier depuis des heures. À l'extrémité, se trouvait un grand écran, flanqué d'un plateau de beignets et de deux cafetières. McGregor et trois autres agents du FBI s'installèrent sur un côté. Carlton, le procureur fédéral adjoint, se mit de l'autre, accompagné de son escorte de jeunes hommes à la mine sévère, engoncés dans leur costume noir. À l'autre bout, à la convergence de tous les regards, s'assirent Mark Driscoll et son avocat Petrocelli.

Mark songeait déjà aux joies de retrouver la liberté, à la nouvelle vie qui l'attendait. Il était impatient de coopérer.

McGregor ouvrit les débats :

— Commençons par la bande. Vous étiez trois à Firestone, n'est-ce pas ?

— Oui. Moi, Jerry Steengarden et Denny Durban.

— Et les autres ?

— Dehors, sur le campus, il y avait Tim Maldanado, qu'on appelait Trey. Je ne sais pas trop où il vit parce qu'il a été en cavale quasiment toute sa vie. Sa mère s'appelle Iris Green, elle habite à Muncie dans l'Indiana, sur Baxter Road. Vous pouvez aller l'interroger, mais je pense qu'elle n'a pas vu son fils depuis des années. Trey s'est évadé d'une prison fédérale dans l'Ohio il y a deux ans.

— Pourquoi connaissez-vous l'adresse du domicile de sa mère ?

— Cela faisait partie du plan. On mémorisait plein de trucs comme ça, pour être sûrs de ne rien dire si on se faisait attraper. Le risque de représailles, ça paraissait une bonne idée à l'époque.

— Quand avez-vous vu Trey pour la dernière fois ?

— Le 12 novembre. Le jour où Jerry et moi on a quitté la cabane pour aller à Rochester. On l'a laissé avec Denny. Je ne sais pas où il est aujourd'hui.

À l'écran, une photo apparut. Trey en gros plan, tout souriant.

— Oui. C'est lui, confirma Mark.

— Et quel était son rôle ?

— Diversion. Il a causé la panique générale avec ses machins à fumée et ses feux d'artifice. Il a appelé les secours, a dit qu'un type tirait sur les étudiants. J'ai passé deux ou trois appels moi aussi, depuis l'intérieur de la bibliothèque.

— D'accord, on y reviendra plus tard. Qui d'autre était dans le coup ?

— On n'était que cinq. Le cinquième est Ahmed Mansour, un Américain d'origine libanaise. Il œuvrait depuis Buffalo. Il n'était pas sur place la nuit du casse. C'est un hacker, un geek, une pointure en informatique. Il a longtemps bossé pour le gouvernement, dans le renseignement, avant d'être fichu à la porte et de se reconvertir dans les trucs louches. Il a dans les quarante ans, il est divorcé, et vit avec une fille au

662 Washburn Street à Buffalo. À ma connaissance, il n'a jamais été condamné. Casier vierge.

La déposition de Mark Driscoll était filmée et enregistrée, mais les quatre agents prenaient fébrilement des notes, comme les cinq sbires du procureur.

— D'accord, reprit McGregor. Si vous n'étiez que cinq, qui c'est celui-là ?

Le visage de Bryan Bayer apparut à l'écran.

— Je ne l'ai jamais vu.

— C'est le type qui m'a frappé, intervint Petrocelli. Dans le parking. Il a dit que mon client devait se taire.

— On l'a attrapé avec Denny en Floride. Une petite frappe connue de nos services. Bryan Bayer, mais il se fait appeler Rooker.

— Je ne le connais pas, répéta Mark. Il ne faisait pas partie de l'équipe. Denny a dû l'embaucher après-coup pour veiller sur les manuscrits.

— On ne sait pas grand-chose sur lui et il ne veut pas parler.

— Il n'était pas dans l'opération.

— Revenons au casse. C'était quoi votre plan ? Comment ça a commencé ?

Mark sourit, se détendit, but une longue goulée de café et commença son récit.

8

Sur la rive gauche de Paris, au cœur du sixième arrondissement, rue Saint-Sulpice, M. Gaston Chapelle était l'heureux propriétaire d'une petite librairie restée inchangée depuis trente ans. Des boutiques similaires, il y en avait plusieurs dans le quartier, chacune avec une spécialité. M. Chapelle versait dans les livres rares français, espagnols, et américains des XIXe et XXe siècles. Deux numéros plus bas, un ami vendait des cartes et des atlas anciens. Au coin de la rue, un autre proposait des éditions anciennes et des lettres rédigées par des personnages historiques. D'ordinaire, il y avait peu de clients. Beaucoup de curieux derrière les vitrines mais rares étaient ceux qui franchissaient les portes. Leur clientèle était essentiellement des collectionneurs, de vrais passionnés, qui venaient des quatre coins du monde. En aucun cas des touristes qui cherchaient un livre de chevet.

Le lundi, le 25 juillet, M. Chapelle ferma sa boutique à 11 heures du matin et monta dans un taxi. Vingt minutes plus tard, il s'arrêta devant un immeuble de l'avenue Montaigne dans le huitième arrondissement. Au moment d'entrer dans le bâtiment, il jeta un coup d'œil pour surveiller ses arrières. Il n'y avait évidemment aucune raison de s'inquiéter. Il ne faisait rien d'illégal, rien du moins concernant les autorités françaises.

Il parla à la charmante réceptionniste et attendit qu'on l'invite à monter. Il fit les cent pas dans le hall, admirant les tableaux aux murs, mesurant l'importance et la puissance de ce cabinet d'avocats. Scully & Pershing, annonçait la plaque de bronze, avait des bureaux – il les compta un à un – dans quarante-quatre villes de toutes les grandes nations, et même dans quelques-unes d'importance mineure. Il avait épluché leur site. S & P se vantait d'être, avec ses trois mille avocats, le plus grand cabinet du monde.

Vérifications faites, la réceptionniste le laissa monter au deuxième étage. Il prit l'escalier et trouva le bureau où il avait rendez-vous avec Thomas Kendrick, un associé important du cabinet – choix motivé uniquement parce que Kendrick avait fait sa licence de droit à Princeton. Il avait parachevé sa formation à Columbia puis à la Sorbonne. M. Kendrick avait quarante-huit ans. Il était originaire du Vermont, et jouissait de la double nationalité. Il avait épousé une Française et n'avait plus quitté Paris après la Sorbonne. Un spécialiste des litiges en droit international. Au téléphone, il avait semblé réticent à l'idée de recevoir un petit libraire. M. Chapelle, toutefois, avait fortement insisté.

Ils s'échangèrent en français les amabilités d'usage, mais Kendrick les écourta :

— Que puis-je faire pour vous ?

— Vous avez des liens étroits avec l'université de Princeton, puisque vous avez fait partie du conseil d'administration. Je suppose que vous connaissez son président, le Pr Carlisle.

— Bien sûr. Je suis encore très impliqué dans les affaires de mon université. Mais en quoi est-ce important ?

— Ça l'est grandement. J'ai un ami et l'une de ses relations connaît la personne qui détient les manuscrits de la collection Fitzgerald. Cette personne aimerait les restituer à Princeton, contre rémunération, cela va de soi.

La posture hiératique de l'avocat, qui facturait son temps mille dollars de l'heure, se décomposa. Sa bouche s'entrouvrit légèrement, ses yeux s'arrondirent, comme s'il avait reçu un uppercut en plein ventre.

— Je ne suis que l'intermédiaire, poursuivit Chapelle, comme vous. Et nous avons besoin de votre intercession.

Kendrick était débordé. Cette mission promettait d'être chronophage et n'allait rien lui rapporter. Mais l'excitation de participer à cette transaction unique était irrésistible. Si cet homme disait vrai, Kendrick allait jouer un rôle crucial, il serait l'élément clé qui aurait permis la restitution de son trésor à l'université, son trésor le plus précieux de tous. Il s'éclaircit la voix :

— J'en déduis que les manuscrits sont indemnes et au complet ?

— En effet.

Kendrick esquissa un sourire, pendant que les idées fusaient dans sa tête.

— Et où aurait lieu la livraison ?

— Ici. À Paris. Tout sera minutieusement organisé. Mes instructions devront être respectées à la lettre. Nous avons affaire à un criminel qui est en possession d'un bien inestimable et, de toute évidence, il préfère ne pas être pris. Il est très intelligent, très prévoyant aussi. Au moindre écart, au moindre faux pas ou ébauche de problème, les manuscrits disparaîtront à jamais. Princeton n'aura pas d'autres occasions de récupérer les originaux. Il va sans dire que prévenir la police serait une très mauvaise idée.

— Je doute que Princeton accepte de s'impliquer sans le FBI. Mais c'est juste une supposition, bien entendu.

— Alors, il n'y aura pas d'accord. Un point c'est tout. Princeton ne reverra jamais les manuscrits.

Kendrick se leva, rajusta sa chemise de grand couturier dans son pantalon au pli impeccable et se dirigea vers une fenêtre. Il regarda au loin.

— Combien ?

— Une fortune.

— Certes. Donnez-moi un ordre de grandeur.

— Quatre millions par manuscrit. Et ce n'est pas négociable.

Pour un professionnel qui gérait des procès où des milliards étaient en jeu, le prix de la rançon ne l'impressionna pas. Et Princeton aurait la même réaction. Certes, l'université ne disposait pas de cette somme dans sa caisse noire, mais elle recevait vingt-quatre milliards de dollars de dotations annuelles et il y avait des tas de millionnaires parmi ses anciens élèves.

Kendrick s'écarta de la fenêtre.

— Comme vous vous en doutez, je dois passer quelques coups de fil. Quand pouvons-nous nous revoir ?

Chapelle se leva.

— Demain. Et je vous le répète, monsieur Kendrick, si la police intervient ici ou aux États-Unis, cela aura des effets catastrophiques.

— Je vous ai bien entendu. Merci de votre visite, monsieur Chapelle.

Les deux hommes se serrèrent la main.

À 10 heures le lendemain matin, une Mercedes noire s'arrêta rue de Vaugirard, devant le Palais du Luxembourg. Thomas Kendrick en sortit et s'éloigna sur le trottoir. Il entra dans le célèbre jardin par une porte en fer forgé et se dirigea avec le flot de touristes vers le bassin octogonal où des centaines de Parisiens et de visiteurs profitaient de la matinée, à lire ou à bavarder au soleil. Les enfants faisaient naviguer leurs bateaux. Les amoureux étaient enlacés sur le parapet, des groupes de joggers passaient, échangeant des plaisanteries. Kendrick obliqua vers la fontaine de Delacroix, où il fut rejoint par Gaston Chapelle, qui arriva sans un salut, mais avec une mallette à la main. Les deux hommes marchèrent dans les vastes allées.

— On m'observe ? s'enquit Kendrick.

— Il y a des gens, oui. L'homme aux manuscrits a des complices. Et moi ? On m'observe ?

— Non. Vous avez ma parole.

— Parfait. Je suppose que vos conversations téléphoniques ont été fructueuses ?

— Je prends un avion pour les États-Unis dans deux heures. Demain, je rencontre les gens de Princeton. Ils ont bien compris les règles du jeu. Comme vous vous en doutez, monsieur Chapelle, ils aimeraient avoir quelques preuves.

Sans ralentir le pas, Chapelle sortit de sa mallette une chemise cartonnée.

— Cela devrait suffire à vous convaincre.

Kendrick la récupéra.

— On peut savoir ce qu'il y a là-dedans ?

Chapelle lui retourna un petit sourire.

— La première page du chapitre 3 de *Gatsby le Magnifique*. Autant que je puisse en juger, c'est l'original.

Kendrick s'arrêta net et pâlit.

9

Le Pr Jeffrey Brown traversa le campus de Princeton quasiment au pas de course et grimpa les marches du Nassau Hall. Depuis toutes ces années qu'il officiait comme directeur de la division des manuscrits de la bibliothèque Firestone, il pouvait compter sur les doigts d'une main le nombre de fois où il avait été convoqué chez le président de l'université. Et cela datait de mathusalem ! De plus, on demandait à le voir « de toute urgence ». Une première ! Son travail n'avait jamais semblé si important !

La secrétaire l'escorta aussitôt dans les quartiers du président Carlisle qui l'attendait debout derrière son bureau. On fit les présentations. Il y avait là Richard Farley, le conseiller spécial de Carlisle, et Thomas Kendrick. La tension dans la pièce était palpable.

Carlisle fit asseoir tout le monde à la table de réunion et se tourna vers Brown :

— Désolé de vous faire venir de façon aussi impromptue mais nous avons besoin de votre expertise. Il s'agit d'une authentification. Hier, à Paris, quelqu'un a remis un feuillet à M. Kendrick. Il s'agirait de la première page du chapitre 3 de *Gatsby le Magnifique*. Vous voulez bien y jeter un coup d'œil ?

Carlisle fit glisser vers lui une chemise et l'ouvrit. Brown eut un hoquet de stupeur. Avec délicatesse, il toucha le bord supérieur droit de la feuille, puis enfouit son visage dans ses mains.

10

Deux heures plus tard, le président Carlisle organisait une seconde réunion à la même table. Le Pr Brown avait été remercié pour sa contribution et renvoyé dans ses pénates. À sa place, s'était installée Elaine Shelby. À côté d'elle, se tenait Jack Vance, son client, PDG de la compagnie d'assurances qui devait verser vingt-cinq millions de dollars. Elaine l'avait encore mauvaise que son plan brillant pour coincer Bruce Cable eût fait chou blanc, mais la réapparition des manuscrits était de bon augure. Elle était au courant que Cable avait quitté Camino, mais ignorait qu'il était en France. Quant au FBI, il savait qu'il s'était envolé pour Nice, mais n'avait pas jugé bon de le faire suivre. Et ils n'avaient pas transmis l'info à Elaine.

Thomas Kendrick et Richard Farley étaient assis en face d'Elaine et Jack Vance. Carlisle leur tendit la chemise.

— On nous a remis ça hier, à Paris. Cela vient du manuscrit de *Gatsby*. Nous sommes certains de l'authenticité de cette pièce.

Elaine ouvrit le rabat et examina le feuillet. Lance l'imita. Les deux restèrent de marbre. Kendrick leur narra sa rencontre avec Gaston Chapelle et exposa les termes du marché.

Quand il eut terminé, Carlisle reprit la parole :

— Récupérer les manuscrits est notre priorité. Attraper l'escroc serait évidemment une bonne chose, mais cela reste secondaire.

— J'en conclus, intervint Elaine, que le FBI est hors jeu ?

— Légalement, répondit Farley, rien ne nous oblige à les prévenir. Il n'est pas interdit de mener une transaction privée, mais on aimerait avoir votre avis. Vous connaissez mieux les fédéraux que nous.

Elaine repoussa la chemise et prit le temps de réfléchir. Elle s'exprima lentement, pesant chaque mot :

— J'ai appelé Lamar Bradshaw avant-hier. Les trois hommes qui ont volé les manuscrits sont en cellule et l'un d'eux a parlé. Les deux autres complices n'ont pas encore été arrêtés mais le FBI a leurs noms et ils enquêtent. En ce qui concerne les fédéraux, l'affaire est résolue. Ils ne vont pas apprécier un accord clandestin, mais ils comprendront. Et pour tout dire, ils seront soulagés d'apprendre que les manuscrits ont été retrouvés.

— Cela vous est déjà arrivé ? demanda Carlisle.

— Oh oui. Très souvent. La rançon est versée en secret. Les biens sont rendus. Tout le monde est content, en particulier le propriétaire. Et l'escroc aussi, cela va sans dire.

— J'hésite encore, répondit Carlisle. On a de très bonnes relations avec le FBI. Ils ont fait un super boulot au début. Cela ne me semble pas juste de les écarter maintenant.

— Mais ils n'ont aucune autorité à l'étranger. Ils vont être contraints de faire intervenir la police française et perdre la main. Il va y avoir plein de gens dans l'opération, cela risque d'être un beau bazar. Une petite erreur, le moindre imprévu, et les manuscrits seront perdus.

— Supposons qu'on les récupère, interrompit Farley, comment le FBI va-t-il réagir ?

Elle esquissa un sourire.

— Je connais un peu Bradshaw. Si les manuscrits sont en sécurité dans votre bibliothèque, et les voleurs en prison, il sera un homme heureux. Il laissera l'enquête ouverte pendant quelques mois en espérant que l'escroc commettra une erreur, mais sous peu, j'irai boire un verre avec lui à Washington et on rira bien de toute cette histoire.

Carlisle regarda tout à tour Farley et Kendrick.

— Très bien. Agissons sans eux. Reste une question, et non des moindres : l'argent. Monsieur Vance ?

Le PDG de la compagnie d'assurances s'éclaircit la gorge.

— On s'apprêtait à lâcher vingt-cinq millions et cela, en pure perte. Cette fois-ci, la donne est différente.

— Certes, renchérit Carlisle avec un sourire. Supposons que l'escroc ait effectivement les cinq manuscrits. Les comptes sont vite fait. Sur les vingt millions, combien vous êtes prêts à mettre ?

— La moitié, répliqua Vance sans hésitation. Pas un dollar de plus.

C'était plus qu'espérait Carlisle. Et il ne se sentait pas de taille à marchander avec une grosse compagnie d'assurances. Il se tourna vers Farley :

— Trouvez-nous l'autre moitié.

11

De l'autre côté de la rue Saint-Sulpice, juste en face de la librairie Chapelle, se dressait l'hôtel Proust, un vieux bâtiment de trois étages avec des chambres minuscules, et un ascenseur à peine assez grand pour un adulte et sa valise. Bruce, avec un passeport canadien sous un faux nom, avait payé en liquide une chambre au deuxième étage. À la fenêtre, il avait installé une petite caméra braquée sur le magasin. Dans son camp de base, une chambre de l'hôtel Delacroix à l'angle de la rue de Seine, il pouvait voir sur son iPhone les images que la caméra transmettait en temps réel. Noelle, qui se trouvait dans une chambre de l'hôtel Bonaparte, les recevait également ; sur son lit, elle avait les cinq manuscrits, chacun emballé dans un sac, tous d'un style différent.

À 11 heures du matin, Noelle s'en alla avec un sac de courses. Elle demanda à la réception qu'on ne vienne pas faire le ménage parce que son mari dormait. Elle sortit de l'hôtel Bonaparte, traversa la rue, et s'arrêta devant la vitrine d'une boutique de vêtements. Bruce passa derrière d'elle. Sans ralentir le pas, il récupéra le sac dans ses mains. Noelle rentra aussitôt à l'hôtel pour surveiller le reste des manuscrits et la librairie Chapelle sur l'écran de son mobile.

Bruce déambula sur la place Saint-Sulpice, s'efforçant de se fondre dans la masse de touristes admirant l'église et sa fontaine. Il prit son temps, rassemblant son courage pour l'épreuve qui l'attendait. Dans deux ou trois heures, sa vie changerait radicalement. S'il tombait dans un piège, il serait emmené menottes aux poings et resterait en prison durant des années. Mais s'il s'en sortait, il serait riche et seule Noelle le saurait. Il se promena dans le quartier, faisant des tours et des détours pour brouiller les pistes. Finalement, c'était l'heure – l'heure de la livraison !

Bruce entra dans la librairie et trouva Chapelle penché sur un vieil atlas, feignant d'être occupé alors qu'il surveillait la rue. Il n'y avait pas de client. Son employé avait eu un jour de congé. Ils s'installèrent dans le petit bureau au fond de la boutique. Bruce sortit du sac un coffret de cèdre. Il souleva le couvercle, puis ouvrit la boîte d'archives.

— Voici le premier. *L'Envers du paradis*.

Gaston Chapelle effleura la première page et dit en anglais : « *Looks fine to me.* »

Bruce s'en alla. Sur le seuil de la porte, il épia la rue de droite à gauche, puis s'éloigna de la librairie le plus nonchalamment possible. Noelle scruta les images transmises depuis la chambre de l'hôtel Proust et ne remarqua rien de suspect.

Avec un téléphone à carte prépayée, Chapelle appela un numéro au Crédit Suisse de Genève, et informa son interlocuteur que le premier colis était arrivé. La rançon devait être versée sur un compte numéroté de la banque AGL de Zürich. Sitôt l'opération effectuée, l'argent serait transféré vers un autre compte, dans une banque du Luxembourg, cette fois.

Assis devant son ordinateur, Bruce reçut un e-mail de confirmation. Les deux virements avaient été réalisés.

Une Mercedes noire s'arrêta devant la librairie Chapelle. Thomas Kendrick descendit et entra dans la boutique. Moins d'une minute plus tard, il en sortit avec le manuscrit. Il rentra directement à son bureau, où l'attendait le Pr Brown, avec un autre conservateur de Princeton. Les deux experts ouvrirent la boîte et s'émerveillèrent.

La patience était le maître mot. Mais l'attente était un supplice. Bruce changea de vêtements et partit faire une longue marche. Dans un café rue des Écoles dans le quartier Latin, il parvint à manger une salade. Deux tables plus loin, Noelle s'installa pour commander un café. Ils s'ignorèrent totalement, mais Bruce s'en alla avec le petit sac à dos que Noelle avait laissé sur une chaise. Quelques minutes plus tard, Bruce entrait de nouveau dans la librairie. Cette fois, il y avait un client. Bruce, discrètement, se dirigea vers la pièce du fond pour déposer le sac. Quand Chapelle eut terminé avec le client, il ouvrit le coffret de cèdre et contempla les pattes de mouche de Fitzgerald.

— *Les Heureux et les Damnés*, annonça Bruce. Publié en 1922. Peut-être son texte le moins bon.

— *Looks fine to me.*

— Passez l'appel, dit Bruce avant de partir.

Quinze minutes plus tard, les transferts étaient confirmés. Peu après, la même Mercedes noire se gara au même emplacement et Thomas Kendrick récupéra le manuscrit numéro deux.

Gatsby était le suivant dans l'ordre de parution ; Bruce, toutefois, le gardait pour la fin. Sa fortune grandissait, mais la dernière livraison serait la plus risquée. Il retrouva Noelle assise sous un orme dans le jardin du Luxembourg. Il y avait à côté d'elle un grand sac en papier provenant d'une boulangerie. Pour parfaire l'illusion, une baguette en dépassait. Il cassa le croûton et le mangea en se dirigeant vers la boutique de Gaston Chapelle. À 14 h 30, il entra dans la librairie, tendit le sac contenant le reste de baguette et *Tendre est la nuit,* et s'en alla encore.

Pour brouiller les pistes, le troisième virement devait être versé dans une agence de la Deutsche Bank à Zürich, puis transféré sur un compte numéroté d'une banque londonienne. Quand les deux opérations furent confirmées, la fortune de Bruce passa de sept chiffres à huit chiffres.

Kendrick apparut à nouveau pour récupérer le numéro trois. Le Pr Brown, qui attendait le retour de l'avocat dans son bureau de S & P, avait le tournis en voyant la collection grandir.

Le quatrième manuscrit – *Le Dernier Nabab* – était caché dans un sac de sport Nike que Noelle emporta dans une librairie polonaise sur le boulevard Saint-Germain. Pendant qu'elle arpentait les rayons, Bruce le récupéra et se rendit dans la boutique de Chapelle, à quatre minutes de marche.

Les banques en Suisse fermaient à 17 heures. Quelques minutes avant 16 heures, Gaston Chapelle appela Kendrick pour lui transmettre un message : pour la livraison de *Gatsby*, son contact voulait être payé d'avance. Gardant son calme, Kendrick, en bon avocat, annonça que c'était inacceptable. Cela ne faisait pas partie des termes du marché qu'ils avaient conclu.

— C'est vrai, concéda Chapelle. Mais mon contact craint qu'une fois le dernier colis livré, ceux de l'autre côté soient tentés de ne pas honorer leur parole.

— Et si nous, nous payons, et que lui, ne livre pas ?

— C'est un risque, certes. Mais l'homme est intraitable.

Kendrick poussa un long soupir et contempla le visage livide du Pr Brown.

— Je vous rappelle dans un quart d'heure, annonça-t-il.

Brown était déjà au téléphone avec Carlisle qui n'avait pas quitté son bureau depuis les cinq dernières heures. La décision était déjà toute prise. Princeton tenait bien plus à *Gatsby* que l'escroc à ces quatre millions supplémentaires. Ils courraient le risque.

Kendrick appela Chapelle pour lui donner leur réponse. Quand le dernier virement fut confirmé à 16 h 45, Chapelle rappela l'avocat : il était dans un taxi, avec *Gatsby* sur les genoux, garé devant leur cabinet, avenue Montaigne.

Kendrick sortit en trombe de son bureau avec le Pr Brown et son collègue dans ses pas. Ils piquèrent un sprint dans le grand hall, sous le regard ébahi de la réceptionniste, et sortirent dans la rue au moment où Gaston Chapelle descendait du taxi. Il leur tendit une mallette en leur annonçant que *Gatsby* était dedans, au complet à l'exception de la première page du chapitre 3.

Adossé à un arbre à vingt mètres de là, Bruce Cable observa la scène avec beaucoup d'amusement.

Épilogue

Quinze centimètres de neige étaient tombés en une nuit et avaient recouvert le campus de Carbondale d'un manteau blanc. Depuis le matin, le personnel d'entretien maniait pelles et balais pour déblayer les allées, les perrons, pour que les amphis soient accessibles. Les étudiants, en bottes et manteaux, ne perdaient pas de temps entre les cours. La température avoisinait les moins dix et le vent était glacial.

À en croire l'emploi du temps qu'il avait déniché sur le site de l'université du sud de l'Illinois, elle devait être au Quigley Hall, à diriger un atelier d'écriture. Il trouva le bâtiment, puis la salle de classe, et alla discrètement se mettre au chaud dans le hall du premier étage jusqu'à 10 h 45. Il retourna alors dehors et attendit sur le trottoir, feignant d'être en grande conversation téléphonique. Il faisait bien trop froid pour que quiconque fasse attention à lui. Emmitouflé dans ses vêtements, il pouvait passer pour un simple étudiant. Comme prévu, elle sortit par la porte principale et s'éloigna parmi les groupes d'étudiants qui se pressaient dans les allées. Il la suivit et remarqua qu'elle était accompagnée d'un jeune gars portant un sac à dos. Ils semblaient se diriger vers le Strip, une enfilade de boutiques et de cafés à proximité du campus. Son compagnon lui tint le coude au moment de traverser une rue, comme pour l'aider. Voyant qu'ils pressaient le pas, il se laissa distancer.

Ils se réfugièrent dans un coffee-shop. Bruce entra dans le bar à côté. Il rangea ses gants dans ses poches et commanda un expresso. Il attendit un quart d'heure, le temps d'arrêter de grelotter, puis se rendit dans le coffee-shop. Mercer et son ami s'étaient installés à une petite table, leurs manteaux et écharpes jetés sur leurs dossiers de chaises, avec devant eux des boissons fumantes. Ils étaient en pleine conversation. Bruce se planta devant leur table.

— Bonjour, Mercer, dit-il, ignorant ostensiblement son compagnon.

La jeune femme eut un sursaut de surprise – de frayeur peut-être ? Bruce se tourna vers le gars.

— Si vous voulez bien nous laisser, jeune homme, j'ai des choses à dire à mademoiselle. Je viens de loin.

— Qu'est-ce que…, commença le type, l'air mauvais.

Elle le tranquillisa en posant sa main sur son bras.

— Tout va bien. Laisse-nous deux minutes, s'il te plaît.

Il se leva lentement, récupéra sa tasse et bouscula Bruce en partant. Bruce ne réagit pas. Il s'installa à sa place et lança un grand sourire à Mercer.

— Charmant garçon. C'est l'un de tes étudiants ?

Elle se redressa.

— Sérieux ? En quoi ça te regarde ?

— En rien. Tu as l'air en pleine forme, moins le bronzage bien sûr.

— On est en février, et en plein Midwest. On est loin des tropiques. Qu'est-ce que tu veux ?

— Je vais bien, merci. Et toi ?

— Bien aussi. Comment tu m'as retrouvée ?

— Tu ne te caches pas vraiment. Mort Gasper a déjeuné avec ton agent. Elle lui a raconté la triste fin de Wally Starke, tombé raide mort le lendemain de Noël. La fac se retrouvait avec une place vacante pour un auteur en résidence ce semestre, et hop ! te voilà. Tu te plais ici ?

— Il fait froid. Il y a beaucoup de vent.

Elle but une gorgée de sa boisson. Ils ne se quittèrent pas des yeux.

— Et ton roman ? Ça avance ? demanda-t-il dans un sourire.

— À merveille. J'ai presque fini. Et j'écris tous les jours !

— Sur Zelda et Hemingway ?

Elle sourit.

— Non. C'était une idée stupide.

— Tout à fait ! Mais tu semblais l'aimer, autant que je me souvienne. Alors ? Ça parle de quoi ?

Mercer prit une grande inspiration et jeta un regard circulaire dans la salle. Elle esquissa un nouveau sourire.

— C'est sur Tessa, sa vie sur la plage, sa petite-fille, et sur son histoire d'amour avec un homme plus jeune qu'elle. C'est très romancé, évidemment.

— Porter ?

— En tout cas, quelqu'un qui lui ressemble.

— Ça me paraît bien. Ils l'ont lu à New York ?

— Mon agent a lu la première moitié et elle est enthousiaste. Je pense que ça va marcher. Je n'en reviens pas, Bruce, mais ça me fait plaisir de te revoir. Maintenant que le choc est passé.

— Je suis content de te voir aussi. Je n'étais pas sûr que cela arriverait un jour.

— Pourquoi maintenant ?

— Histoire de boucler la boucle.

Elle but une nouvelle gorgée et s'essuya les lèvres sur sa serviette.

— Quand as-tu eu des soupçons sur moi ?

Il observa sa tasse, une sorte de latte macchiato avec bien trop de chantilly, et des fils de caramel sur le dessus.

— Je peux goûter ?

Elle ne répondit rien. Il prit son mug.

— Dès ton arrivée ! répondit-il après avoir bu. À l'époque, j'étais en état d'alerte maximum. Je surveillais tous les nouveaux venus, et à juste titre ! Tu avais le parcours idéal, l'histoire parfaite. C'était peut-être vrai. Mais cela pouvait être aussi un stratagème, une couverture tissée de toutes pièces par quelqu'un. D'ailleurs, c'était l'idée de qui, Mercer ?

— Je préfère ne pas répondre.

— C'est de bonne guerre. Plus tu t'es rapprochée, plus j'ai eu des doutes. Un pressentiment me disait que les méchants rôdaient. Il y avait trop de visages inconnus à la librairie, trop de faux touristes qui furetaient dans les rayons. Et ta venue a confirmé mes craintes. Alors j'ai bougé.

— Un repli parfait.

— Oui. J'ai eu de la chance.

— Félicitations.

— Tu es super au lit, mais très mauvaise comme espionne.

— Je prends les deux pour un compliment !

Elle but une autre gorgée et lui tendit sa tasse.

— « Boucler la boucle » ? dit-elle quand il lui rendit son latte. T'entends quoi par là au juste ?

— Je veux savoir pourquoi tu as fait ça. Pourquoi tu as voulu me faire mettre en prison pour des années ?

— C'est le risque que courent tous les escrocs.

— Tu me vois comme un escroc ?

— C'est ce que tu es.

— Et toi, tu es une balance !

— Ça fait un partout, lança-t-elle dans un rire. Tu as d'autres insultes en stock ?

Il rit aussi.

— Non. Rien qui ne me vienne sur le coup.

— Moi, j'ai plein de noms d'oiseaux qui me viennent à l'esprit te concernant, mais au total, il y a plus de positif que de négatif.

— Merci. Je note. Revenons à ma question. Pourquoi tu as fait ça ?

Mercer poussa un grand soupir et regarda autour d'elle. Son ami était assis dans un coin de la salle, avec son téléphone sous le nez.

— Pour l'argent. J'étais fauchée, j'avais des dettes. J'étais vulnérable. Il y a plein de raisons, en fait. Et je le regretterai toute ma vie. C'est vrai, Bruce. Je suis désolée.

Il esquissa un sourire.

— C'est pour ça que je suis ici. C'est ça que je voulais entendre.

— Des excuses ?

— Oui. Et elles sont acceptées. Sans rancune.

— C'est très magnanime de ta part.

— J'en ai les moyens.

Ils rirent tous les deux.

— Pourquoi as-tu fait ça, Bruce ? D'accord, avec le recul, on se dit que ça valait le coup, mais sur le moment, c'était terriblement risqué.

— Rien de prémédité, je t'assure. J'ai très peu acheté et vendu de livres sur le marché noir. Vraiment. Maintenant, c'est fini. À l'époque je m'occupais de mes petites affaires, tranquille, quand j'ai reçu un coup de téléphone. Et de fil en aiguille, le plan a pris forme. Une opportunité s'est présentée et je l'ai saisie. Et, en un rien de temps, je les ai eus. Mais j'étais toujours dans le flou. Je ne savais pas si on m'avait dans le collimateur, jusqu'à ce que tu débarques. Quand j'ai compris qu'il y avait une espionne dans les murs, j'ai dû agir. Sans toi, j'en serais au même point.

— Tu me remercies, c'est ça ?

— Exactement. Tu as toute ma gratitude.

— C'est parce que je suis une mauvaise espionne !

La conversation était agréable et ils continuèrent à boire à tour de rôle son latte.

— Il faut que je te dise…, lui confia-t-elle. Quand j'ai appris que les manuscrits étaient de retour à Princeton, ça m'a réjouie. Je me suis sentie un peu idiote d'avoir été piégée mais, en même temps, je me suis dit « bien joué, Bruce ! ».

— Cela a été une sacrée aventure. Mais j'en suis sorti entier et je raccroche.

— À d'autres !

— Je t'assure. Mercer… reviens à Camino. C'est là qu'est ta place. Le bungalow, la plage, les amis, la librairie, Noelle et moi. La porte t'est grande ouverte.

— Si tu le dis. Et Andy ? Comment va-t-il ? Je pense souvent à lui.

— Sobre. Et acharné. Il va aux AA deux fois par semaine et il écrit comme un fou.

— J'en suis ravie pour lui.

— Myra et moi, on a parlé de toi la semaine dernière. Tout le monde s'interroge sur ton départ soudain, mais personne ne se doute de rien. Ta place est sur l'île, avec nous. Je veux que tu te sentes libre de revenir nous voir. Termine ton roman et viens. On fera une grosse fête.

— C'est très gentil de ta part. Mais avec toi, je me méfie toujours. Je veux bien revenir, mais plus de bagatelle !

Il lui serra la main un bref instant et se leva.

— C'est ce qu'on verra. (Il lui fit un baiser sur le haut du crâne.) À bientôt.

Elle le regarda se faufiler entre les tables et quitter le coffee-shop.

Note de l'auteur

Tout d'abord, je voudrais présenter mes excuses à l'université de Princeton. Si son site Internet est exact – et il n'y a aucune raison qu'il ne le soit pas – les manuscrits originaux de F. Scott Fitzgerald sont bien à l'abri dans les murs de la bibliothèque Firestone. Je n'en sais pas plus que le grand public. Je n'ai jamais visité cette bibliothèque et il n'était pas question de m'en approcher pendant l'écriture de ce livre. J'ignore si ces documents sont gardés au sous-sol, au grenier, ou dans une tombe secrète défendue par des cerbères armés. Je n'ai pas cherché l'exactitude pour cet aspect du livre, d'abord et avant tout parce que je ne voulais pas donner des idées à des gens mal intentionnés.

J'ai appris avec mon premier roman qu'écrire des livres est bien plus facile que de les vendre. Et comme j'ignore tout du métier de libraire, je m'en suis remis à la sagacité de Richard Howorth, le propriétaire de Square Books à Oxford, Mississippi. Il a relu le manuscrit et, par ses corrections et propositions judicieuses, l'a grandement amélioré. Merci à toi, Rich.

Le monde des livres rares est fascinant. Et j'y suis un novice. Quand j'ai eu besoin d'aide, je me suis tourné vers Charlie Lovett, Michael Suarez, et Tom et Heidi Congalton, les propriétaires de Between the Covers Rare Books. Mille mercis à vous.

David Routh est venu m'éclairer pour le campus de Chapel Hill, et Todd Doughty pour celui de Carbondale.

L'Infiltré
Chroniques de Ford County
La Confession
Les Partenaires
Calico Joe
Le Manipulateur

Chez Lattès :

L'Allée du sycomore
L'Ombre de Gray Mountain
L'Insoumis
L'Informateur
Les Imposteurs

Chez Oh ! Éditions / XO :

Théodore Boone : Enfant et justicier
Théodore Boone : L'Enlèvement

Chez XO Éditions :

Théodore Boone : Coupable ?
Théodore Boone : La Menace

Le Livre de Poche s'engage pour
l'environnement en réduisant
l'empreinte carbone de ses livres.
Celle de cet exemplaire est de :
300 g éq. CO$_2$
PAPIER À BASE DE   Rendez-vous sur
FIBRES CERTIFIÉES   www.livredepoche-durable.fr

Composition réalisée par PCA

———————

Achevé d'imprimer en France par
CPI BRODARD & TAUPIN (72200 La Flèche)
en avril 2019
N° d'impression : 3033509
Dépôt légal 1re publication : mai 2019
LIBRAIRIE GÉNÉRALE FRANÇAISE
21, rue du Montparnasse – 75298 Paris Cedex 06